IRLAND

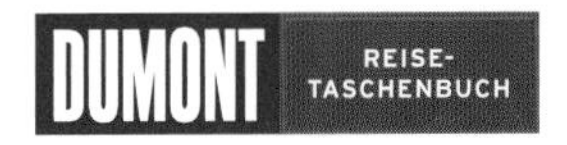

Vordere Umschlagklappe: Übersichtskarte von Irland

Hintere Umschlagklappe: Stadtplan von Dublin

Susanne Tschirner

IRLAND

DUMONT

Titelbild: Galway City, Claddagh Quay
Umschlagklappe vorne: Angeln im Fluß Trim
Umschlagklappe hinten: Killary Harbour, Connemara
Umschlagrückseite: Folkmusik-Festival in Ardara (oben), Küste am Atlantic Drive, Co. Mayo (Mitte), Steinkreis am Blacksod Point, The Mullet, Co. Mayo (unten)
Vignette S. 1: Irische Kuh
Abbildung S. 2/3: Little Killary, Connemara

Über die Autorin: Susanne Tschirner studierte Germanistik und Geschichte und promovierte mit einer Arbeit über den Fantasy-Bildungsroman. Heute arbeitet sie als Übersetzerin, Reisejournalistin und freie Lektorin. Im DuMont Buchverlag erschienen von ihr außerdem das Reise-Taschenbuch »Provence« sowie die Titel »Richtig Reisen: Schottland«, »Kunstreiseführer Elsaß« und »DuMont Extra: Schottland«.

7., aktualisierte Auflage 1999 (Redaktionsschluß Januar 1999)

Umschlaggestaltung: Groschwitz, Hamburg
Satz und Druck: Rasch, Bramsche
Buchbinderische Verarbeitung: Bramscher Buchbinder Betriebe

Printed in Germany ISBN 3-7701-2603-3

INHALT

LAND & LEUTE

Irland im Überblick

Geographie und Klima 12
»Steckbrief« der Republik Irland 13
Flora und Fauna 14
Thema: Torf, Moore und Bord na Móna 16
Bevölkerung 18
Thema: Mutter Irland und ihre Frauen 20
Wirtschaft 22
Landwirtschaft und Fischerei 22
Thema: Guinness – Irlands Nationalgetränk 24
Industrie 26
Tourismus 27
Umwelt 27
Thema: Merrel Dow contra Goldregenpfeifer 28
Staat und Verwaltung 30
Daten zur Geschichte 33

Religion, Kunst und Kultur

Irland und der Katholizismus 42
Thema: Die altirischen Bußbücher 43
Vom Dolmen zur Neogotik: Irische Kunst durch fünf Jahrtausende 45
Thema: Das Muiredach Cross –
Die Bilderwelt der irischen Hochkreuze 48
Sprache im Brennpunkt der Politik 54
Gaelischsprachige Literatur 55
Thema: »Táin Bó Cúailnge« und die frühe irische Gesellschaft 56
Englischsprachige Literatur – Von Swift bis Joyce 59
Irische Musik 62
Sport 63
Thema: Gaelische Ballspiele – Hurling und Gaelic Football 64

UNTERWEGS
IN IRLAND

Dublin und der Osten

Dublin
Rund um die O'Connell Street 71
Thema: Der Pub: das verlängerte Wohnzimmer der Dubliner 72
Thema: James Joyce' Dublin 76
Das ›Museumsviertel‹ und die georgianischen Plätze 78
Thema: Georgianische Stadthäuser in Dublin 82
Rund um Dublin Castle und Temple Bar 84
Außerhalb der City 87

Nördlich von Dublin
Von Howth nach Drogheda 94
Thema: Der Aufstand von 1641 –
Zur englischen Kolonialpolitik im Zeitalter Cromwells 96
Monasterboice, Mellifont Abbey, Slane 98
Kells, Tara 99
Thema: Megalithische Nekropolis im Boyne-Tal:
Newgrange, Knowth 100
Thema: Gráinne und Diarmuid 104
Trim 105

Südlich von Dublin
Dun Laoghaire 106
Die Wicklow Mountains 106
Thema: Die Travellers – Die ›Fahrenden‹ Irlands 107
Wandertip zum Aufwärmen: Great Sugar Loaf 110
Glendalough 110
Vom Avondale Forest Park nach Moone 113
Kildare, Castletown House 114

Der Süden

Von Wexford nach Youghal
Wexford 118
Nach New Ross 120
Waterford 123

Carrick-on-Suir 125
Jerpoint Abbey 126
Kilkenny 126
Fahrradtour zu mittelalterlicher Kunst und zeitgenössischem Kunsthandwerk 128
Nach Cashel 129
Thema: Der Rock of Cashel 130
Von Cahir nach Midleton 133

Von Cork bis Bantry
Cork 135
Cobh und Blarney Castle 138
Thema: Die Wildgänse – Emigration als irisches Phänomen 140
Kinsale und Charles Fort 142
Nach Bantry 143
Wandertip für Ruinenfans: Three Castle Head 143

Im Westen

Die Grafschaft Kerry
Ring of Beara 148
Thema: Der Killarney-Nationalpark 149
Killarney 150
Wandertip zum Devil's Punchbowl 152
Ring of Kerry 154
Thema: Skellig Michael – Mönchsinsel im Atlantik 159
Dingle 160
Wandertip für Gummistiefelbesitzer: Caherconree Promontory Fort 164

Von Limerick zum Burren
Limerick 168
Shannon-Region 172
Von den Cliffs of Moher nach Dunguaire Castle 176
Thema: »No tree to hang a man ...« – Der Burren 178

Von Galway hoch in den Norden
Thema: Traditionelle Farmwirtschaft im Westen Irlands 182
Galway 184
Aran Islands 187
Rund um den Lough Corrib 192

Connemara 193
Rund um Westport und die Clew Bay 195
Thema: Grace O'Malley 195
Croagh Patrick 196
Wandertip für Bußwillige: Croagh Patrick 198
Thema: The drowning of the Shamrock – St. Patrick und sein Tag 200
Westport 202
Achill Island 204
Routen nach Sligo 204

Vom Norden zur Seenplatte

Sligo und Donegal

Sligo 208
Donegal 212
Killybegs und Slieve League 213
Wandertip für Klippenfans: Slieve League 214
Rund um Letterkenny 215
Thema: Tír na nOg – Die irische Anderswelt 216
Spaziertip am See: Glenveagh-Nationalpark 218
Inishowen 219
Thema: Die ›Troubles‹ – Das Nordirland-Problem 220

Die irische Seenplatte

Roscommon, Athlone 222
Clonmacnoise 225
Clonfert, Birr, Durrow 227

TIPS & ADRESSEN

Reisevorbereitung & Anreise 231
Unterwegs in Irland 234
Unterkunft & Verpflegung 236
Urlaubsaktivitäten 242
Im Reiseteil nicht erwähnte Sehenswürdigkeiten 248
Reiseinformationen von A bis Z 251
Literaturempfehlungen 256
Register 258
Abbildungsnachweis 264

LAND & LEUTE

Teures Irland, wie
herrlich wogt dein
grüner Busen!
Smaragdengleich,
gefaßt vom Ring
des Meers.
Mein treues Herz
preist jeden
Grashalm deiner
Wiesen,
Du Königin des
Westens, der Welt
Cushla ma chree!

John P. Curran

Irland im Überblick

Seen, Moore, Weiden, Felsen – Landschaften der ›Grünen Insel‹

Off Limits für Schlangen: Fauna und Flora

Grüne Insel, rote Haare, schwarzes Guinness?

Vom Crofter zum B & B – Wirtschaft, Umwelt, Tourismus

Daten zur Geschichte

Durch das Gap of Dunloe in Killarney

Geographie und Klima

Leuchtend rote Fuchsienhecken säumen das schmale graue Asphaltband, das sich durch sattgrüne Weiden schlängelt. Ginster und Heide überziehen die kargen Berghänge und Torfmoore mit einem gelb-violetten Teppich. Weiße Flecken mit bunten Farbtupfen: grasende Schafe, zur Klärung der Besitzverhältnisse markiert. In der Talmulde ein tintenschwarzer Gletschersee. Gegen das allgegenwärtige Grau der Steine – Feldmauern, Geröll, Megalithen, Burgen, Kirchenruinen – behaupten sich schreiend bunt bemalte Häuser. Eine Symphonie in Grün und Weiß, wenn nach einem Regenguß die Sonne durch graue Wolken bricht, Gras und getünchte Mauern aufleuchten läßt. Nirgendwo ist das Meer weit entfernt, und im Westen donnern meterhohe Brecher gegen die Steilküste. Das alles ist Irland, »wer aber hinfährt und es nicht findet, hat keine Ersatzansprüche an den Autor«, wie Heinrich Böll im Irischen Tagebuch schreibt.

Irland zerfällt geographisch in zwei **Großbereiche**, die Zentrale Kalksteintiefebene und die sie – wenn auch nicht durchgängig – umschließenden Gebirgszüge an den Küsten. Die von Seen, Flüssen und Moorgebieten durchzogene Tiefebene reicht nur im Osten, um Dublin, ans Meer heran; ihren Karbonkalk überdeckt eine fruchtbare Geschiebelehm-Decke, die nach Westen zu dünner wird. Die Bergzüge, Fortsetzungen der Gebirgsketten der Bretagne und Schottlands, erheben sich selten über 1000 m; zum Meer hin fallen sie steil und zerklüftet ab. Da das Tiefland nur wenig über dem Meeresspiegel liegt, erscheinen dem Betrachter die Berge im Verhältnis höher, als sie es tatsächlich sind.

Geologisch gesehen gehört Irland zum europäischen Festlandsockel, der erst 50 km vor der irischen Westküste steil in die Ozeantiefen abfällt. Irlands Gebirge bestehen im Südwesten meist aus parallel aufgefaltetem rotem Sandstein, um Galway, in Mayo und Donegal aus Granit. Im Norden der Insel herrschen aufgrund einstiger Vulkantätigkeit Formationen aus Basalt vor. Vom Eis abgeschliffene Felsen, Bergseen und durch Gletscher ausgeschürfte Täler (z. B. Glendalough) sowie die Geröll- und Sandablagerungen der Zentralen Tiefebene zeugen noch heute von der Eiszeit. Mit deren Ende erst wurde Irland durch den ansteigenden Meeresspiegel gegen 6000 v. Chr. von der Britischen Insel getrennt.

Aus der keltischen Besiedlung stammt die Gliederung der Insel in fünf **Provinzen,** die gaelisch *Cóiced,* ein Fünftel, heißen, was offensichtlich ein Gefühl für Irland als Ganzes impliziert: Leinster im Südosten, Munster im Südwesten, Connaught im Westen, Ulster im Norden und Meath im Osten. Die heutige Verwaltungsgliederung basiert auf der späteren Einteilung Irlands in

»Steckbrief« der Republik Irland

● Fläche	70 285 km^2
● Bevölkerung	3 626 000
● Bevölkerungsdichte	50,1 pro km^2
● Lebenserwartung	75,9 Jahre
● Religionen	91,6 % Katholiken, 2,4 % Anglikaner sowie Presbyterianer, Methodisten und Juden
● Sprache	Gaelisch und Englisch als Verkehrssprache
● Hauptstadt	Dublin *(Baile Átha Cliath)* mit 960 000 Einwohnern
● Städtische Bevölkerung	59,1 %
● Bruttoinlandsprodukt je Einwohner	9436 Ir£
● davon Industrie und Dienstleistung	91 %
– Landwirtschaft	9 %
● Inflationsrate	1,9 %
● Arbeitslosenquote	9,7 %
● Staatsverschuldung in Prozent des Bruttoinlandsprodukts	66,3 %
● Wirtschaftswachstum	7–8 %
● Wichtigste Handelspartner	Großbritannien, BRD, USA

Grafschaften, die *Counties* (26 in der Republik plus die fünf grafschaftsfreien County Boroughs Dublin, Cork, Limerick, Waterford und Galway). Während die Provinzen historisch gewachsene Größen darstellen, verdanken sich die Counties den elisabethanischen Gouverneuren, die durch dieses ›*Shiring*‹ das unbotmäßige Irland besser zu kontrollieren dachten.

1390 km^2 der Staatsfläche nehmen **Gewässer,** vor allem die der großen Seenplatte in der Zentralen Tiefebene, ein; die größten Seen – und Anglerparadiese – sind Lough Derg und Lough Ree sowie Lough Mask und Lough Corrib in Connemara. Auch die sumpfigen Mündungsdeltas der Flüsse bilden ausgedehnte Seenlandschaften. Von Cavan aus schlängelt sich der längste Fluß der Britischen Inseln, der Shannon, 358 km träge und mäanderreich durch verschiedene Seen, bis er bei Limerick in den Atlantik fließt; auf 220 km ist der mit zahlreichen Schleusen ausgestattete Fluß schiffbar. Weitere wichtige irische Flüsse sind der bei Drogheda mündende Boyne, die Liffey in Dublin, die ›drei Schwestern‹ Nore, Barrow und Suir in Waterford, Blackwater in Youghal und Lee in Cork. Von Dublin aus führen der Grand Canal nach Athy und der Royal Canal nach Mullingar.

Ozeanischer Einfluß und Golfstrom mildern das in Irland vorherrschende kühl-gemäßigte **Klima** ab. Im allgemeinen zeigt sich das Wetter recht ausgeglichen, aber stetig wechselnd. Schnee und Fröste kommen eher selten vor. Von Oktober bis Dezember bringen aus Westen einfallende, oft stürmische Winde viel Niederschlag mit sich, der von West (bis zu 2500 mm) nach Ost (800 mm und weniger um Dublin) abnimmt. Dublin ist dann für den nahezu konstanten *Irish Drizzle* (Nieselregen) berühmt-berüchtigt. Als sonnigste Monate weist die Klimastatistik den Mai und den Juni aus, als die wärmsten Juli und August, als kälteste Januar und Februar. Die sonnenreichsten Gebiete liegen im Südosten. Experten befürchten, daß im 21. Jh. aufgrund des Treibhauseffektes mediterrane Temperaturen eintreten könnten; schon jetzt werden ungewöhnlich heiße Sommermonate und schwere Stürme im Spätherbst registriert.

Und ist das Wetter wirklich einmal mies, heißt es in Irland: »The weather is not so bad.«

Flora und Fauna

Aufgrund der frühen Trennung Irlands vom europäischen Festland sind Flora und Fauna noch artenärmer als in Großbritannien. Viele Tier- und Pflanzenarten wurden erst von den Engländern eingeführt, z. B. das Kaninchen im 13. und der Rhododendron im 18. Jh. Die vor 10 000 Jahren existierenden Urwälder aus Eiche, Stechpalmen und Birken wurden zum Teil schon von vorgeschichtlichen Siedlern abgeholzt. Heute bedecken aufgrund staatlicher Aufforstungsmaßnahmen **Wälder** wieder 4,9 % des Landes, meist mit reinem Nutzholz bepflanzter Staatsforst aus schnellwachsenden, anspruchslosen Sitka- und Lodgepole-Kiefern. Die wenigen alten Eichenwälder wachsen um Glendalough und Killarney. Angesichts der heutigen Waldarmut ist es schwer zu glauben, daß Irland im 16. und 17. Jh. ein Holzexportland war. Zwar begannen die englischen Gutsbesitzer im 18. Jh. mit ersten Aufforstungskampagnen – doch stehen die Bäume den Viehweiden im Weg: ›Wehrhafte‹ Pflanzen wie Stechginster oder Wacholder besitzen die besten Voraussetzungen, dem Viehfraß zu entgehen.

Irland zählt zum **atlantischen Florengebiet,** doch kommen auch

Heidelandschaft am Mangerton

Torf, Moore und Bord na Móna

Irland und Moore scheinen zwei eng zusammengehörende Begriffe zu sein. Tatsächlich bedecken Moore, in der Nacheiszeit ab ca. 7000 v. Chr. entstanden, ca. 12 000 km^2 oder ungefähr ein Siebentel des Landes – es sind die letzten noch überwiegend intakten Europas..Man unterscheidet im wesentlichen Hochmoore *(raised bogs)* und Flachmoore *(blanket bogs);* daneben weist Irland aber auch große Flächen von Berg- und Küstenheide sowie Sumpf- und Marschland auf (Moorbegehungen s. S. 244).

Hauptsächlich im Landesinnern findet man die Hochmoore. Sie werden von Torfmoosen gebildet, die übereinander – sozusagen in die Höhe – und über das umliegende Land hinauswachsen und so für hohe Torfschichten sorgen; sie entstehen auf den zentralen Kalksteinebenen, wo es viel regnet und der Untergrund keinen genügenden Abfluß hat. Im Gegensatz dazu werden die Flachmoore von Grund- oder Hangwasser gespeist, was hauptsächlich im Westen der Insel und in Berglagen der Fall ist. Diese Moore sind nicht viel mehr als 2 m tief, liegen also flach auf dem Land auf, weshalb sie auch Deckenmoore genannt werden.

Seit alters her wird in Irland Torf *(peat)* von Hand gestochen. Man nimmt dazu den *Sléan,* einen Spaten mit langem, schmalem Blatt. Anschließend werden die Soden zum Trocknen gestapelt, mehrfach gewendet und im Spätsommer eingefahren. Im Küchenherd oder im offenen Kamin verbrennen sie dann mit dem charakteristischen Torffeuergeruch.

Mit der Gründung des staatlichen Unternehmens Bord na Móna (Torfamt) und dem Bau des ersten Torfkraftwerks in Portarlington

arktisch-alpine Pflanzen vor, wegen des milden Klimas im Südwesten sogar mittelmeerische Arten, etwa im Burren und bei Killarney. In den Moor- und Heidegebieten gedeihen eine Vielzahl von Heidekräutern, Farnen und Riedgräsern, ja sogar wilde Orchideen und elf Arten fleischfressender Pflanzen. Charakteristisch für Irland sind die prachtvollen Hecken aus Rhododendron, Fuchsien, Johannisbeerbüschen, Schlehe, Weißdorn, Holunder und Ginster, die jedoch nicht zur natürlichen Flora der Insel gehören, sondern sich den Pflanzenimporten der britischen Gutsherren verdanken. Nur in Irland gibt es die Irische Weide *(Salix hibernica),* die Irische Ampfer *(Ru-*

(1950) begann dann der industrielle Torfabbau. Da er sich nur in den Hochmooren mit ihrer dicken Torfschicht lohnt, hat er bisher vor allem die Moore der Zentralebene betroffen: Sie werden trockengelegt und anschließend mit eigens zu diesem Zweck konstruierten Maschinen abgebaut, die riesige Schneisen in die bislang intakte Naturlandschaft schlagen. Zurück bleibt Ödland mit zerstörter ökologischer Struktur, vielerorts beim Durchfahren des Landes an den langen, geraden ›Freßkanten‹ der Maschinen zu erkennen. (Optimistisch stimmende Pläne sprechen davon, die abgetorfte Landschaft entweder für Wiederaufforstungen zu nutzen oder Seengebiete für den Wassersport entstehen zu lassen.) Andererseits finden bei Bord na Móna durch den saisonal in Frühling und Sommer betriebenen Torfabbau über 2000 Beschäftigte, vor allem Menschen der Midlands, Arbeit – ohne diese Gesellschaft sähe es in der Region wohl noch trostloser aus.

Doch in manchen Grafschaften gibt es schon heute keine intakten Moorgebiete mehr, und die alarmierende Rate von acht pro Jahr zerstörten Mooren hat Naturschützer im Lande auf den Plan gerufen. Sie haben eine Liste schutzwürdiger Moore aufgestellt, die allerdings nur einen Bruchteil aller irischen Moorflächen umfaßt. Sogar bei den EU-Institutionen, die bislang ohne Berücksichtigung des Umweltschutzes Subventionen für den Ausbau der Torfabbauindustrie gewährt hatten, sind in letzter Zeit Bedenken aufgetreten.

Da Torf – sei es als zermahlener, getrockneter Staub für die Kraftwerke (Kraftwerkbesichtigung s. S. 227), sei es in gepreßter Form als Briketts – Irlands Energieimportüberhang entlastet, ist es nicht weiter verwunderlich, daß hier ein harter Interessenkonflikt besteht. Über kurz oder lang jedoch wird die Zerstörung der Moorlandschaft auch für die Touristen sicht- und fühlbar werden – und ein Rückgang des Tourismus hätte für Irlands Wirtschaft kaum weniger katastrophale Folgen.

mex hibernica) und die Irische Mehlbeere *(Sorbus hibernica).*

Die zahlreichen Feuchtbiotope der Flüsse, Seen, Mündungsgebiete und Felsküsten bieten wahre Brutparadiese für **Vögel.** Ungefähr 135 Arten sind in Irland seßhaft, während weitere 250 dort überwintern oder kurzfristig im Frühling und Winter Station machen (Beobachtung s. S. 244). Daher werden immer mehr Gewässer als für den internationalen Artenschutz wichtige Gebiete eingestuft. Von den über 60 Vogelschutzgebieten seien hier nur Little Skellig, Shannon-Mündung und -Fluß, Lough Corrib und Clare Island genannt. An den Küsten leben hauptsächlich Möwen und Turmfalken, in den Wäldern

Siesta in Sneem

Amseln, Buchfinken und Zeisige, an den Binnenseen Gänse, Stelzvögel, Enten und Schwäne (nach einer irischen Sage die *Children of Lir,* verzauberte Königskinder). Alle jagbaren Vögel wie Enten, Fasane oder Schnepfen sind durch Jäger bedroht, die pro Jahr knappe 300 000 Vögel schießen, was den Artbestand auf Dauer gefährdet.

Einige der heute in Irland heimischen **Fischarten,** u. a. Hecht und Regenbogenforelle, hat man erst in letzter Zeit auf die Insel gebracht. Die Artenarmut bietet freilich auch ›Vorteile‹, denn es gibt beispielsweise keine Maulwürfe und außer der Bergeidechse kein einheimisches Reptil. Seit der Legende zufolge der **hl. Patrick** Schlangen, Drachen und Monster von der Insel vertrieb, wurden auch diese Tiere nicht mehr in Irland gesehen. Nur 28 **Säugerarten** sind hier beheimatet, darunter die sich der isolierten insularen Lage verdankenden Sonderentwicklungen des kämpferischen Irischen Hermelins (*Mustela erminea hibernica,* ein braunes Tier mit weißem Bauch) und des Irischen Hasen *(Lepus timidus hibernicus),* der sich durch sein schokoladenbraunes Fell und die kurzen Löffel von seinem kontinentalen Gattungsgenossen unterscheidet. Der Wolf wurde 1786 ausgerottet, und heute sind durch Umwelteinflüsse mehrere Tier- und Pflanzenarten vom Aussterben bedroht. Unter den gezüchteten Tierrassen erfreuen sich der Irische Wolfshund und das Irische Pferd internationaler Anerkennung.

Bevölkerung

Irland hat z. Zt. etwa 3,62 Mio. Einwohner, davon 6,7 % Ausländer (3480 Deutsche). Im Vergleich

Corker Schüler in ihrer Schuluniform

zu Deutschland fällt der extrem hohe Anteil junger Menschen an der Bevölkerung auf: Knapp 23 % aller Einwohner sind jünger als 15 Jahre.

Die Iren sind – entgegen allen Klischees – überwiegend braunhaarig, nur 4 % haben rote Haare, (und tatsächlich so freundlich und aufgeschlossen, wie das Klischee es will). Zwei Drittel aller Häuser sind das Eigentum der darin wohnenden Menschen, weltweit verbrauchen die Iren mit die meisten Kalorien, den meisten Tee und das meiste Bier.

Die durchschnittliche Bevölkerungsdichte von 50,1 Einwohnern je km² – die dünnste in der EU – differiert stark nach den jeweiligen Regionen: Über die Hälfte der Bevölkerung lebt im industrialisierten Osten der Insel, eine gute Million

Mutter Irland und ihre Frauen

Aggressiv-imperialistische Länder, so sagt die irische Historikerin Margaret Mac Curtain, haben ein Vaterland, jahrhundertelang von fremden Herren besetzte Länder wie Irland dagegen ein Mutterland: Die Unterdrückung der Frau geht Hand in Hand mit der Unterdrückung eines ganzen Volkes. Noch heute ist Irlands Symbolfigur die weinende Frau mit der Harfe, die ihre Söhne in den Krieg schickt (Kathleen ni Houlihan) – eine Allegorie der Unterdrückung, die Hilflosigkeit, Unterwerfung und das Warten auf den starken Prinzen beinhaltet, der, übers Meer kommend, die Entrechtete befreien wird. Dieses Frauen- und Heimatbild entstand erst im 18. Jh., als es keine starken Frauengestalten wie eine Königin Maeve oder eine Grace O'Malley mehr gab, als Irland von den Briten wie eine Kolonie ausgebeutet wurde.

Die Verknüpfung von Frauen- und Irland-Bild brachte eine für die Gleichberechtigung der Frauen fatale Verknüpfung von politischem und feministischem Befreiungskampf mit sich. Das Muster zeichnete sich bereits 1880 ab, als Anna und Fanny Parnell, die Schwestern von Charles Stewart Parnell, während der Gefangenschaft ihres Bruders die Ladies' Land League gründeten und den Kampf um die politische Emanzipation Irlands mit dem um die Emanzipation der Frauen verbanden: Sobald ihr Bruder wieder auf freiem Fuß war, mußten sie auf seinen Druck hin ihre Organisation auflösen. So sollte es noch 1969 während der nordirischen Bürgerrechtsbewegung sein: Die in den katholischen Vierteln lebenden Frauen organisierten sich, agitierten und stellten ›nebenbei‹ ihren Männern immer noch jeden Tag drei Mahlzeiten auf den Tisch – doch wenn es um Entscheidungen ging, so erinnert sich Bernadette Devlin, eine der Aktivistinnen der Bewegung, wurden sie einmal mehr nur von den Männern getroffen.

In der Verfassung von 1937, die der ›revolutionäre‹ Éamon de Valera dem Land gab, wurde die Rolle der Frau als Hausfrau, Mutter und ruhender Pol der Familie festgeschrieben. Nachdem Frauen wie die Gräfin Markievicz, die einzige weibliche Sinn Féin-Kandidatin bei den Wahlen von 1918, in vorderster Front des Osteraufstands gekämpft

allein im Großraum Dublin; in diesem Teil des stark ›kopflastigen‹, zentralisierten Landes befinden sich z. B. zwei Drittel aller Büroplätze! Weitere 36 % der Bevölkerung leben in den fünf größten Städten Dublin, Cork, Limerick, Galway und Waterford. Die Unterschie-

hatten und für ihre Überzeugung ins Gefängnis gegangen waren, wurden sie nun wieder an den heimischen Herd gebannt. Die Revolutionäre erwiesen sich als Konservative, wollten ihr altes patriarchalisches Rollenverständnis nicht aufgeben, wollten nach den Jahren des bewaffneten Kampfes nun Ruhe und Entspannung genießen.

Die katholische Kirche hat dieses Frauenbild jahrhundertelang verbreitet und verteidigt es bis heute zäh. Ein Marienkult, der in seiner Exzessivität nur mit dem von Sizilien zu vergleichen ist, ließ die schmerzensreiche Mutter Maria zum Rollenideal der irischen Frau werden. Die jüngsten Kürzungen im Sozialbereich und der sinkende Lebensstandard haben sich naturgemäß als erstes auf die als unqualifizierte Arbeitskräfte tätigen Frauen ausgewirkt und sie in die Hausfrauenrolle zurückgedrängt. Zudem ist der Lohn der weiblichen Beschäftigten durchschnittlich ein Drittel niedriger als der ihrer männlichen Kollegen.

Selbst die Frauen der IRA, die in den 70er und 80er Jahren im Armagh-Gefängnis saßen, mußten um ihren gleichberechtigten Status als politische Gefangene nicht nur mit den Briten, sondern auch mit ihren männlichen Mitgefangenen streiten. Die Männer lehnten die Teilnahme der Frauen an den ›*No Wash*-Kampagnen‹ (aus Protest gegen die Haftbedingungen weigerten sich die Gefangenen, sich zu waschen, und beschmierten ihre Zellen mit Exkrementen) zunächst ab – so wie Éamon de Valera einst behauptet hatte, die ›schönen Jungfrauen Irlands‹, die Cooleens aus dem Volkslied, gehörten auf ein Podest und nicht an ein Gewehr. Auf dem Treppchen stehen sie zumindest am letzten Augustwochenende in Tralee, Co. Kerry, wo das weltweit schönste irischstämmige, unverheiratete Mädchen zwischen 18 und 25 Jahren alljährlich den begehrten Titel einer ›Rose of Tralee‹ erhält.

Daß die Realität weder volkslied- noch touristentauglich ist, zeigte 1992, in aller Welt aufmerksam verfolgt, der Fall einer aufgrund einer Vergewaltigung schwangeren 14jährigen aus Dublin, der der Oberste Gerichtshof erst in letzter Minute die Ausreise nach England genehmigte. Schätzungsweise 9000 Irinnen treten jährlich diese Reise von Dun Laoghaire nach Holyhead an, um in einer britischen Klinik eine Abtreibung vornehmen zu lassen.

de zwischen dem am dünnsten besiedelten Mayo (20 Einwohner je km^2) und Dublin (1111 Einwohner je km^2) sind eklatant. Die Tendenz geht allgemein zur Landflucht und zum weiteren Anwachsen der Stadtbevölkerung, zu der heute bereits an die 60% zählen.

Wirtschaft

Landwirtschaft und Fischerei

Die Agrarwirtschaft bleibt trotz der in den letzten Jahrzehnten stark forcierten Industrialisierung und dem fortschreitenden Arbeitsplatzabbau weiterhin ein wichtiger Bestandteil der irischen Wirtschaft, obwohl Irland längst kein Agrarland mehr ist. **Viehwirtschaft,** vor allem die Rinderzucht, herrscht vor. Für die auf den kargen Böden des Westens aufgezogenen Kälber folgt auf den satten Weiden des Ostens die Endmast. Im Süden floriert Milchviehhaltung und Molkereiwirtschaft – von hier stammt die berühmte irische Butter. Die fruchtbarsten Böden hat das Golden Vale im Co. Tipperary – eine schöne, sattgrüne Weidelandschaft. Auf den kargen Berghängen des Westens, die als Gemeinschaftsland oft von bis zu 20 Bauern anteilig genutzt werden, weiden genügsame Bergschafe.

Angebaut werden hauptsächlich Futter- und Braugerste – von letzterer nimmt die Guinness-Brauerei rund die Hälfte der Ernte ab – sowie Kartoffeln und Zuckerrüben. Die Ausdehnung landwirtschaftlich genutzter Flächen und der Anstieg des Verbrauchs von Düngemitteln zeigt eine Tendenz zu größerer **Intensivierung** der Landwirtschaft, doch ist diese im Vergleich zu agrar-industriellen Ländern wie der BRD noch immer recht gering.

Mehr als die Hälfte aller landwirtschaftlichen Produkte wird exportiert, zunehmend in Form verarbeiteter Produkte (Molkerei- und alkoholische Erzeugnisse, Tiefkühlkost, Gesundheitskost u. a.), aber auch immer noch Lebendvieh. Riesenfirmen wie das Tiefkühlunternehmen Green Isle, die Kerry Group und die Avonmore Waterford Group, der siebtgrößte Milchproduktekonzern der Welt, beherrschen den Markt. Irlands größter **Exportschlager** aber sind, kaum zu glauben, Soft Drink-Konzentrate für Coca-Cola, Fanta und Co.

Irland ist einer der Netto-Empfänger von **EU-Geldern**. Durch die Zuschüsse der Europäischen Union werden höhere Erzeugerpreise garantiert und Fonds zur strukturellen Umgestaltung, also zur Intensivierung der Landwirtschaft, verfügbar.

In Irland war der politische Kampf schon immer mit dem Kampf um **Landbesitz** gekoppelt (s. S. 97): 1603 befanden sich 90 % des Landes in katholischer Hand, 1778 nur noch 5 %. Nach dem ›Großen Hunger‹ (1846–51) jedoch kam es zu einem grundlegenden Strukturwandel in der Landwirtschaft: Die durchschnittliche Betriebsgröße stieg an, und immer mehr Pächter erwarben das von ihnen bearbeitete Land. 1861 waren schon wieder 42 % der Landbesitzer Katholiken. Heute gehört der Großteil der Höfe den sie bewirtschaftenden Bauern selbst. Sie haben sich meist in sogar nach kontinentalen Maßstäben riesigen Genossenschaf-

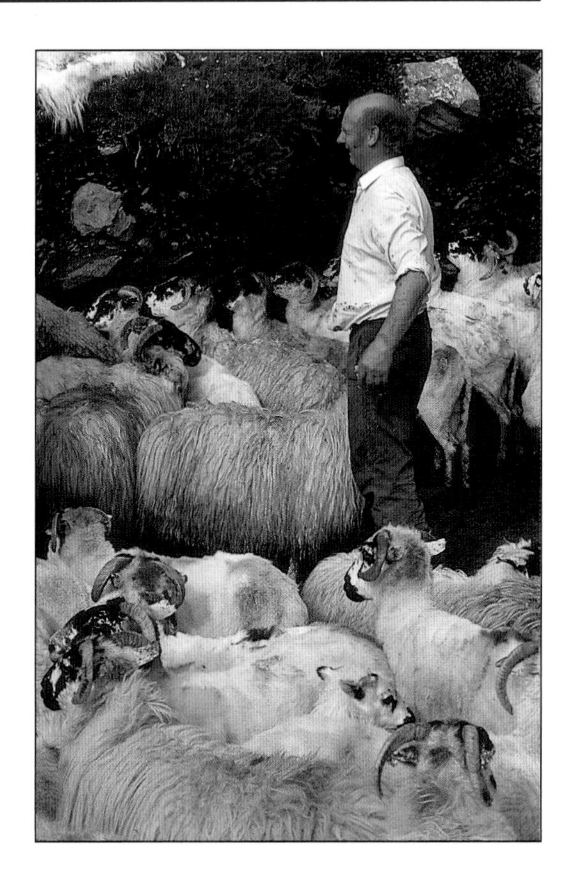

Schafschur in Connemara: Zur Kennzeichnung der Besitzverhältnisse sind die Woolies bunt markiert

ten wie z. B. der 6000 Mitglieder zählenden Golden-Vale-Milchabsatzgenossenschaft (›Kerry Gold‹) zusammengeschlossen.

Bis weit in die Nachkriegszeit wurde die **Fischerei** saisonal – nach dem Ende des landwirtschaftlichen Jahres, also von November bis April – von den sog. *Crofters* (Kleinbauern) betrieben. In den letzten Jahrzehnten hat das Staatsunternehmen Bord Iascaigh Mhara (Seefischereiamt) durch Ausbau moderner Fischereihäfen (Killybegs, Howth, Rossaveel, Castletownbere, Dunmore East, Galway), Einführung moderner Fangmethoden und Einsatz tonnagestärkerer Schiffe die Hochseefischerei gefördert.

Guinness

Irlands Nationalgetränk

Als sich Arthur Guinness 1770 zu einer ›Raubkopie‹ des in London ›erfundenen‹ Porter-Bieres entschloß, konnte er noch nicht ahnen, mit dieser Entscheidung das Fundament für eines der größten Brauerei-Imperien der Geschichte gelegt zu haben. Heute wird Guinness in über 140 Ländern vertrieben, getrunken – etwa 9 Mio. Gläser pro Tag – und hergestellt (so z. B. in Ghana, Malaysia oder Jamaica), und auch im Lande seiner Herkunft erfreut es sich bei ohnehin traumhaften Verkaufsraten immer noch wachsender Beliebtheit.

Auch wenn die Firma seit 1982 120 Mio. Ir£ investierte, um die traditionsreiche Brauerei am St. James's Gate (Besichtigung s. S. 87) – die der Firmengründer 1759 für 9000 Jahre gepachtet hatte – auf den letzten Stand der Brau-High-Tech zu heben, so sind die Brauprozesse und die vier Hauptingredienzen doch seit 1770 im wesentlichen unverändert geblieben: Malz, Wasser, Hopfen und Hefe.

Zunächst wird Gerste *(barley)* gemälzt, d. h. mit Wasser übergossen, zum Keimen gebracht und dann wieder getrocknet; in das so entstandene Malz *(malt)* gibt man ein wenig ungemalzene, geröstete Gerste – hierdurch erhält das Guinness seine dunkle Farbe. Das Malz wandert nun ins Brauhaus, wo es zunächst gemahlen und sodann in große Behälter, die *Kieves,* gefüllt und mit heißem Wasser aufgemischt wird. Aus dieser breiartigen Maische filtert man die Flüssigkeit, die Würze *(wort),* heraus, die dann mit Hopfen versetzt und einige Stunden gekocht wird, wobei der Hopfen dem Gemisch seinen angenehm bitteren Geschmack verleiht.

Erst zu der nach diesem Prozeß abgeschöpften Flüssigkeit wird die Hefe gegeben und damit die Gärung eingeleitet; die Hefebakterien wandeln den Zucker der Hopfen-Malz-Mischung in Alkohol um – wovon Guinness eine Menge hat, wie man sich leicht selbst überzeugen kann. Das so entstandene *Stout* (dunkles Starkbier mit cremiger Schaumkrone) macht seinem Namen alle Ehre: Es ist wahrhaft stämmig und kräftig, ja es sättigt aufgrund seiner etwas zähflüssigen Konsistenz richtiggehend.

Am Guinness und seinen Produzenten kommt man in Irland und erst recht in seiner Hauptstadt nicht vorbei, auch wenn die Tatsache, daß die Mitglieder der Guinness-Familie sukzessive geadelt wurden,

Guinness is everywhere: in einem Pub in Dingle

ihre Identifizierung mit dem »schäumenden, ebenholzfarbenen Bier« (Joyce) vordergründig erschwert. So hat beispielsweise Lord Ardilaun alias Arthur Guinness II. Dublin 1880 den St. Stephen's Park (s. S. 80) geschenkt, und sein Bruder Edward Cecil gründete zehn Jahre später als Lord Iveagh die gleichnamige Stiftung, der der Bau von für die damalige Zeit vorbildlichen Wohnungen für unbemittelte Arbeiter oblag. Hinter dem Park der St. Patrick's Cathedral, in den *Liberties* (s. S. 85), kann man die noch heute bewohnten Backsteinmiethäuser des Iveagh Trust sehen. Sir Benjamin Lee Guinness wußte die Expansion seines Unternehmens mit politischem Engagement in seiner Heimatstadt – 1851 wurde er Bürgermeister von Dublin – und aufwendigem Mäzenatentum in erfolgreichen Einklang zu bringen; er ließ u. a. die St. Patrick's Cathedral restaurieren.

Ein verwundeter Offizier Wellingtons gehörte 1815 zu den ersten Bewunderern und Konsumenten des Biers, das als »Wein des Landes« (wieder Joyce) bezeichnet wurde. Der englische Premierminister Benjamin Disraeli und Robert Louis Stevenson, der Autor der »Schatzinsel«, schätzten und tranken es, und der Australier Douglas Mawson, der Entdecker des südlichen Magnetpols, bewahrte es in gefrorenem Zustand in seinem arktischen Basislager auf.

Gefischt werden überwiegend Makrelen, aber auch Hering, Scholle, Schellfisch und Kabeljau und immer mehr ›Luxusfische‹ wie Seezunge und Seeteufel oder Schalen- und Krustentiere. Der gute Ruf des irischen Fisches verdankt sich dem Umstand, daß die Atlantikküste noch weitgehend frei von Umweltverschmutzung ist. Immer mehr Bedeutung gewinnt auch das Aquafarming, z. B. von Lachs.

Industrie

Schon 1957 startete die irische Regierung eine Industrialisierungskampagne, die durch **Investitionszuschüsse** und Steuererleichterungen vor allem ausländisches Kapital ins Land fließen ließ. Vor allem Großunternehmen der Elektronikbranche, die die jungen, gut ausgebildeten Arbeitskräfte sowie die niedrigen Körperschaftssteuern und Lohnkosten zu schätzen wissen, investieren Milliarden. Deutsche Konzerne liegen hier inzwischen nach den USA an zweiter Stelle.

Die wichtigsten Zweige sind neben der Nahrungs- und Getränkeherstellung die Textilindustrie, Metallverarbeitung und Maschinenbau, chemische und pharmazeutische Industrie und zunehmend Elektronik und Computerbau. Die Industrieanlagen konzentrieren sich im Großraum Dublin, zukunftsträchtige Zentren sind auch Cork und das Gebiet um den zollfreien Shannon-Flughafen. Heute macht sich jedoch der Kapitalabfluß in Länder mit höherer Rendite immer stärker bemerkbar und stellt eines der größten Probleme der Volkswirtschaft Irlands dar.

Die **Energieversorgung** ist stark von Kohle und Ölimporten abhängig, nur ein gutes Drittel des Bedarfs kann durch heimisches Erdgas und Torf (s. S. 16) gedeckt werden. Erst in den 70er Jahren konnte das 1927 gegründete Energieversorgungsamt alle Haushalte an das Stromnetz anschließen. Atomkraftwerke gibt es – noch – keine. In der Grafschaft Donegal wurden seit 1997 mehrere Windfarmen in Betrieb genommen. Man schätzt, daß der Anteil zukunftsweisender alternativer Energien in Irland von derzeit etwa 8 auf 14 % im Jahre 2010 anwachsen könnte.

Mehr als die Hälfte aller Iren findet Beschäftigung im **Dienstleistungsgewerbe:** Der Staat selbst fungiert durch den öffentlichen Dienst und die etwa 100 staatlichen Unternehmen als größter Arbeitgeber des Landes. Zu den wichtigsten Staatsbetrieben gehören u. a. Bord na Móna (s. S. 16) sowie das Nationale Verkehrsunternehmen Córas Iompair Éireann (CIE). Datenverarbeitung für ausländische Firmen und Banking im neuen Finanzzentrum in Dublin boomen.

Irland hat sich in den letzten fünf Jahren zum **keltischen Tiger** mit traumhaften Wachstumsraten, niedrigen Zinsen, niedriger Inflation und im EU-Durchschnitt liegenden Arbeitslosenzahlen gemausert. Das einstige Armenhaus Europas hat den Anschluß an den Lebensstandard der EU gefunden. Neben EU-Subventionen, ausländischen Investitionen und einer klugen Steuer- und Industriepolitik war die Basis dieses Erfolges der auf einem breiten Konsens beruhende Sozialpakt von 1987 zwischen Gewerkschaften, Arbeitgebern und Regierung. Die Schere zwischen Arm und Reich klafft jedoch immer weiter auseinander. Und die extreme Abhängigkeit von multinationalen Konzernen bzw. deren Kapital macht Irland außergewöhnlich anfällig für Turbulenzen in der Weltwirtschaft. Eine Zahl mag dies verdeutlichen: Die Hälfte aller Industrieprodukte wird von ausländischen Unternehmen hergestellt.

Tourismus

Gut 5 Mio. ausländische Reisegäste, davon 300 000 deutschsprachige Besucher, verbrachten 1997 ihren Urlaub auf der Insel. Schon jetzt ist die Tourismusindustrie eine der wichtigsten Wachstumsbranchen. Zur Jahrtausendwende wird sie voraussichtlich genausoviel Arbeitsplätze stellen wie die Landwirtschaft.

Das staatliche Irische Fremdenverkehrsamt Bord Fáilte Éireann kümmert sich um Standard und Klassifizierung der Unterkünfte und den weiteren Ausbau der touristischen Infrastruktur. Man setzt neuerdings auf ein dynamisch-modernes Image – weites Land und freundliche Menschen, aber im Erlebnisstil der späten 90er. Irland wird trotz aller Steigerungsraten nie ein Billig-Reiseland werden. Ein behutsamer Ausbau, die Bevorzugung eines sanften und saisonal entzerrten Tourismus sowie die breite Angebotspalette vom preiswerten Rucksackurlaub bis zum Jagdurlaub im Schloßhotel sollen dafür sorgen, daß Irland eine Destination für individuelle Ferien bleibt. Dennoch: Im Sommer wird's busy.

Umwelt

Irland verdankt seine Attraktivität als Urlaubsziel weitgehend seiner intakten, noch unverfälschten Natur. Dies ist weniger die Folge eines ausgeprägten Umweltbewußtseins als vielmehr auf einen Mangel an Gelegenheit, sprich fehlende Industrie, zurückzuführen. Laut EU-Umfragen sind die Iren von allen Europäern am wenigsten am Umweltschutz interessiert, auch wenn sich hier in jüngster Zeit ein ›grünes‹ Bewußtsein langsam durchzusetzen scheint. Nachdem der chronische Arbeitsplatzmangel lange Zeit durch bewußt lasche Umweltgesetze abgemildert werden sollte, hat die Regierung nun angekündigt, in Zukunft Industrieansiedlungen nur dann zu genehmigen, wenn Gewässerschutz und Abfallbeseitigung zufriedenstellend gesichert sind.

Merrell Dow contra Goldregenpfeifer
Probleme des Umweltschutzes in Irland

Ende 1987 kündigte der internationale Pharma-Multi Merrell Dow an, bei Killeagh (zwischen Cork und Youghal gelegen) für 160 Mio. Dollar ein Zweigwerk mit 236 neuen Arbeitsplätzen errichten zu wollen. Die irische industrielle Entwicklungsbehörde (IDA) begrüßte den Plan, die örtlichen Behörden erteilten Baugenehmigungen – und die Bürgerinitiative ›Womanagh Valley Protection Association‹ ging vor Gericht. Merrell Dow wollte nämlich nicht in der ›Ringaskiddy Industrial Zone‹ südlich von Cork bauen, sondern am Womanagh River. Dort, so die Anwälte des Konzerns, könne man dem Werk nicht die Umweltverschmutzung anderer Unternehmen anlasten.

Im Mündungsgebiet dieses kleinen, bislang ökologisch intakten Flusses, das aus Salzmarsch- und Wattflächen besteht, liegt ein Vogelschutzgebiet, in dem jährlich Zehntausende Goldregenpfeifer *(Pluvialis apricaria)*, Kiebitze *(Vanellus vanellus)* und Uferschnepfen *(Limosa limosa)* brüten. Katastrophale Schäden sagten Umweltschützer auch für das natürliche Muschelbeet vor der Küste, eines der größten Europas, voraus. Die Bevölkerung zeigte sich geteilter Meinung. Die Landwirte und alle in der Tourismusindustrie Beschäftigten waren gegen das Projekt, die vielen Arbeitslosen der Gegend verständlicherweise dafür – auch hier wieder die typische irische Umwelt-Zwickmühle.

Der Streit ging am Ende gut für die Natur aus, obwohl die Bürgerinitiative in erster Instanz im Juli 1989 verlor. Die Berufung fürchtend und vom Widerstand der Bevölkerung abgeschreckt, zog Merrell Dow das Projekt trotzdem zurück. Die IDA plagt nun die Sorge, ihre Felle oder vielmehr die ausländischen Investoren davonschwimmen zu sehen, denen man Irland immer als weltgünstigsten Industriestandort angepriesen hatte. Der ornithologiebegeisterte Tourist indes kann nun auch weiterhin auf den kleinen Sträßchen um Ballymacoda das Schutzgebiet erkunden.

Saubere Flüsse: Angler bei Killybegs

Mangelnder Umwelt- und Landschaftsschutz zeigt sich zum Beispiel in der Zersiedelung durch unzählige Bungalows (›Bungalow Blitz‹), manch häßlicher Agrarfabrik auf dem Lande, der Zerstörung der Moore und der Überweidung der Berghänge durch Schafe. Überhaupt ist die Landwirtschaft einer der größten Umweltsünder: Düngemittel, Gülle, Pestizide, Antibiotika und sogar Milch lassen Gewässer umkippen, wie der Lough Sheelin zeigt.

Noch hat Irland – wegen der vorherrschenden Westwinde weitgehend vom sauren Regen verschont – die saubersten Flüsse Europas, noch wehen in keinem Landstrich blaue Flaggen, die für saubere Strände bürgen. Auf der anderen Seite ist die Irische See aufgrund der britischen Wiederaufbereitungsanlage Sellafield eines der weltweit am stärksten radioaktiv verseuchten Meere. Und an den Stränden kämpfen die tapferen Freiwilligen der Coastwatch-Initiative gegen Verschmutzung und Erosion, die durch Verklappung auf hoher See, achtlos weggeworfenen Müll und Autos in den Dünen entstehen.

Seit 1993 hat das Land seine eigene Umweltschutzbehörde, die EPA. Schon 1990 wurde ein Umweltprogramm von 1 Mia. Ir£ verabschiedet, das u.a. verstärkten Gewässerschutz, bis zum Jahr 2000 Kläranlagen und die Förderung bleifreien Benzins verspricht. Es bleibt zu hoffen, daß Irland sein Kapital schützen und nicht verschleudern wird.

Staat und Verwaltung

Irland ist seit 1949 eine demokratisch-parlamentarische Republik. Der **Staatspräsident** *(Uachtarán na hÉireann)* wird für sieben Jahre und höchstens zwei Amtsperioden direkt vom Volk gewählt; er übt größtenteils repräsentative Funktionen aus.

Das **Parlament** *(Oireachtas)* setzt sich aus zwei Kammern zusammen. Das Abgeordnetenhaus *(Dáil Éireann)* besteht aus 166 auf fünf Jahre gewählten Mitgliedern, den *Teachtaí Dála* (abgekürzt TD). Dem Senat *(Seanad Éireann)* gehören 60 Senatoren an. Er kann jedoch Gesetzesvorlagen im Ernstfall nur 90 Tage blockieren, die legislative Initiative liegt beim Dáil – de facto also bei der Regierung.

Der **Regierungschef** *(Taoiseach,* gael.: ›Führer, Befehlshaber, Oberhaupt‹) muß sich einer Mehrheit im Dáil versichern können, sodann darf er seine Minister ernennen. Die Macht dieser Exekutive ist eigentlich nur von der Verfassung beschränkt. Opposition und Parlament haben nicht viel zu vermelden, parlamentarische Ausschüsse z. B. gibt es nicht. Gesetzesvorlagen werden mit einfacher Mehrheit verabschiedet, weshalb Abstimmungsniederlagen für eine Gesetzesvorlage der Regierung ausgesprochen selten vorkommen. Die starke Position der Regierung, das sog. Westminster-Modell, Zweikammer- und Wahlsystem erinnern, wie so vieles andere in Irland, an den einstigen britischen ›Unterdrücker‹.

Nachdem im 17. Jh. das gaelische **Brehonenrecht,** das von der Kaste der Rechtsgelehrten, den Brehonen, mündlich tradierte Gewohnheitsrecht, durch das englische *Common Law* abgelöst wurde, entwickelte sich eine in allen Bereichen an die britischen Herren angelehnte Rechtslandschaft.

In der irischen **Verfassung** von 1937, die auch die Befugnisse der Legislative, Exekutive und Jurisdiktion regelt, findet sich das Verbot der Scheidung und der Abtreibung sowie eine ›Wiedervereinigungsklausel‹ (Art. 2 und 3), in der die gesamte Insel einschließlich der sechs Ulster-Grafschaften als nationales Territorium bezeichnet wird. 1998 stimmten die Iren im Referendum zur Einigung von Belfast (s. S. 221) auch für die Ersetzung dieses Wiedervereinigungsgebots durch die Feststellung, eine Wiedervereinigung sei nur durch den Mehrheitswillen des irischen und nordirischen Volks zu erreichen.

Die **Nationalfahne** Irlands ist grün-weiß-orange (von links nach rechts) gestreift, das Wappen zeigt eine goldene Harfe auf leuchtend blauem Grund. Die 1907 von Peadar Kearney verfaßte Nationalhymne gibt sich kriegerisch-patriotisch: »Soldaten sind wir. Mit unserem Leben treten wir für Irland ein.« Trotzdem leistet die 10 000 Mann starke Polizei *(Garda Síochána)* ihren Dienst ohne Waffe. Auch kennen die Iren keine allgemeine Wehrpflicht; die 33 000 Soldaten gehören einer Freiwilligenarmee an. Irland hat seit 1953 bei den UNO-Friedenstruppen mitgewirkt, sich aber nicht der NATO angeschlossen.

Das liberal-demokratische politische System insgesamt kann man als funktionsfähig, stabil und rechtslastig charakterisieren. Die jahrhundertelange Zeit der englischen Fremdherrschaft hat zur Herausbildung eines defensiv-emanzipatorischen, nie expansionistischen Nationalismus und eines auch heute noch in allen Parteien stark ausgeprägten Geschichts- und Vergangenheitsbewußtseins geführt. So lautete z. B. einer der Slogans der Fianna Fáil: »Erst Ire, dann Arbeiter.«

Trotzdem sind – im gesamteuropäischen Vergleich sehr hoch – zwei Drittel der Lohnabhängigen in (über 80) **Einzelgewerkschaften** organisiert. Die beiden größten von ihnen haben 1990 fusioniert und vertreten nun ca. ein Drittel der Organisierten.

Seit 1950 bestimmt ein relativ unverändertes Dreiparteiensystem mit zwei großen Parteien die Politik. Die **Fine Gael** (›Familie der Gaelen‹), 1933 aus der zehn Jahre zuvor von William Cosgrave gegründeten Treaty Party hervorgegangen, befürwortete den Freistaatvertrag und damit die vorläufige Teilung Irlands (s. S. 38). Dagegen lehnte die **Fianna Fáil** (›Soldaten des Schicksals‹), 1926 aus einer Gruppe um Éamon de Valera entstanden, den Vertrag ab. Dieser charismatische Führer brachte anschließend das Kunststück fertig, die Fianna Fáil von einer Anti-System-Partei zur lange Zeit staatstragenden Kraft zu machen.

Heute lassen sich beide Parteien nur schwer in ein Links-Rechts-Schema einordnen, lassen sich auch kaum Unterschiede im politischen Programm ausmachen. Beide haben sich dem Typ einer konservativen Volkspartei angenähert, auch wenn die Fine Gael 1965 mit ihrem ›*Just Society*-Modell‹ einen ideologischen Kurswandel nach links probte. Die Fianna Fáil hat man aufgrund der beherrschenden Führerpersönlichkeit de Valeras auch als ›gaullistisch‹ bezeichnet.

Die dritte politische Kraft, die **Labour Party**, hat es als Links- und Arbeiterpartei besonders schwer, da aufgrund der überwiegend agrarischen Struktur und der Dominanz der katholischen Kirche die politische Landschaft Irlands durchweg vom Konservativismus geprägt ist. Gleichwohl gelang es einer Koalitionsregierung aus Fine Gael und Labour Party mehrfach, die durch lange Perioden der neueren irischen Geschichte dominierende

Schaltstelle der Macht – das Regierungsgebäude in Dublin

Fianna Fáil abzulösen; Labour spielte hier das etwa der deutschen FDP vergleichbare Zünglein an der Waage.

Als 1990 die parteilose, liberale Anwältin **Mary Robinson** überraschend die Präsidentenwahlen gewann, war das so etwas wie eine historische Wende hin zu einem pluralistischen, modernen, postkatholischen Irland. Durch unermüdlichen Einsatz für Frauen- und Menschenrechte und eine volksnahe, zutiefst demokratische Amtszeit erwarb sich Mary Robinson die uneingeschränkte Zuneigung der Iren. Die Wahl der ›Eisernen Lady‹ **Mary McAleese** (s. S. 39) scheint dagegen eine Rückkehr zu mehr konservativen Werten anzudeuten und weckt dementsprechende Befürchtungen.

Bei den **Parlamentswahlen von 1997** wurde trotz aller wirtschaftlichen Erfolge nicht die Mitte-Links Regierung aus Fine Gael, Labour und Democratic Left wiedergewählt – die rituelle Unmutserklärung des irischen Wahlvolks, das seit 1969 keine Regierung mehr im Amt bestätigt hat. Auch Sinn Féin schickt – zum ersten Mal in der Geschichte Irlands – einen Abgeordneten in den Dáil.

Daten zur Geschichte

um 7000 v. Chr. Die ersten Menschen – mesolithische Jäger und Sammler – wandern aus Nordengland ein

4. Jt. v. Chr. Eine neue, neolithische Einwanderungswelle bringt den Ackerbau und die **Megalithbauweise** nach Irland

2500 v. Chr. Weitere Einwanderer vom Kontinent, u. a. die ›Glockenbecherleute‹ *(Beaker)*, bringen die Kunst der Kupferbearbeitung ins Land, Gold wird exportiert

1200–600 v. Chr. Späte Bronzezeit; Bronzewaffen und -werkzeuge sowie Goldschmuck zeigen immer differenziertere Herstellungstechniken

um 300 v. Chr. Die **Kelten** vom Kontinent bringen die La Tène-Kultur und das Eisen nach Irland; das Land ist in ca. 150 Königreiche *(Túath)* geteilt; über dem Kleinkönig *(Rí)* steht der König einer Provinz *(Rí Ruireg)*, über dem wiederum der ›Hochkönig‹ *(Ard-Rí)*; die Römer erobern die Insel nie

ab 300 n. Chr. Irische Überfälle nach Wales und Argyll (Schottland) legen den Grundstein für den dort bis ins 8./10. Jh. andauernden irischen Einfluß; die O'Neill von Tara sind das mächtigste Adelsgeschlecht

Anno 1170: Die Normannen unter Strongbow stürmen das befestigte Waterford

um 450 Christianisierung Irlands durch den **hl. Patrick**, heute als Nationalheiliger verehrt (s. S. 200)

ab 6. Jh. Blüte der irischen Mönchskirche; die Sippenstruktur der irischen Gesellschaft findet ihre Fortsetzung in der Klostergemeinschaft; die Äbte, meist Adlige, sind oft auch Bischöfe und gründen zahlreiche Tochterklöster, was ihnen eine dem *Rí Ruireg* vergleichbare Stellung im geistlichen Bereich verschafft; die Klöster liegen auf dem Land der *Túath* und gehören so zur Sippe (Eigenkirchenwesen)

ab 800 Wikinger-Einfälle begünstigen die Herausbildung des Hochkönigtums (*Rí co Fresabra* – König mit Opposition);

	die Wikinger gründen Städte (Dublin, Waterford, Wexford u. a.), führen die Geldwirtschaft ein, werden dann christianisiert und assimiliert
1014	**Schlacht von Clontarf**; der Hochkönig Brian Boru besiegt die Wikinger, fällt jedoch in der Schlacht
1152	Synode von Kells/Mellifont, der Höhepunkt der irischen Kirchenreform, führt zur territorialen Neuorganisation der irischen Kirche; Bistümer werden gegründet
um 1155	**Heinrich II.** von England erhält in der päpstlichen Bulle Laudabiliter die Erlaubnis, zur Reform der Kirche in Irland einzugreifen
1169	Nach einem Hilfegesuch des irischen Königs Dermot Mac Murrough an Heinrich II. (s. S. 226) besetzen in dessen Auftrag anglowalisische Normannen Irland; ihr Anführer ist Gilbert FitzRichard, genannt Strongbow
1210	Heinrichs Sohn Johann (Ohneland) kommt nach Irland, um die Insel für die Englische Krone zu unterwerfen. Bis ca. 1250 geraten zwei Drittel des Landes in den Besitz der anglowalisischen Barone; im Rest herrschen die irischen *Rís* weiter. Im folgenden werden die neuen Herren weitgehend von der irischen Kultur assimiliert (sog. Angloiren)
1315–18	Eduard Bruce, der Bruder des schottischen Königs, überfällt Irland und kann sich zum Hochkönig aufwerfen – diese Usurpation macht die Schwäche der Englischen Krone offenkundig
1366	Die **Statuten von Kilkenny** versuchen durch eine Art von ›Rassegesetzen‹ (Verbot der irischen Sprache und von Mischehen), die Gaelisierung der angloirischen Oberschicht zu stoppen – aber alle Unterdrückungsmaßnahmen bleiben vergeblich
15. Jh.	Die englischen Rosenkriege spiegeln sich in den Kämpfen der Butler von Ormond (pro Lancaster) gegen die Geraldines von Kildare (pro York) wieder; anstelle des Lord Lieutenant nimmt nun ein Vizekönig die Belange der Krone in Irland wahr; Garrett More, der achte Earl of Kildare, dominiert die irische Politik an der Wende zum 16. Jh.
ab 1534	**Heinrich VIII.** von England beginnt seine Macht über die ganze Insel auszudehnen (Sturz des Hauses Kildare); die Reformation trifft auf eine desolate irische Kirche; im Zuge der Säkularisation werden an die 400 Klöster zerstört
1541	Heinrich VIII. nimmt den Titel eines Königs von Irland an (bis dahin Lord of Ireland)

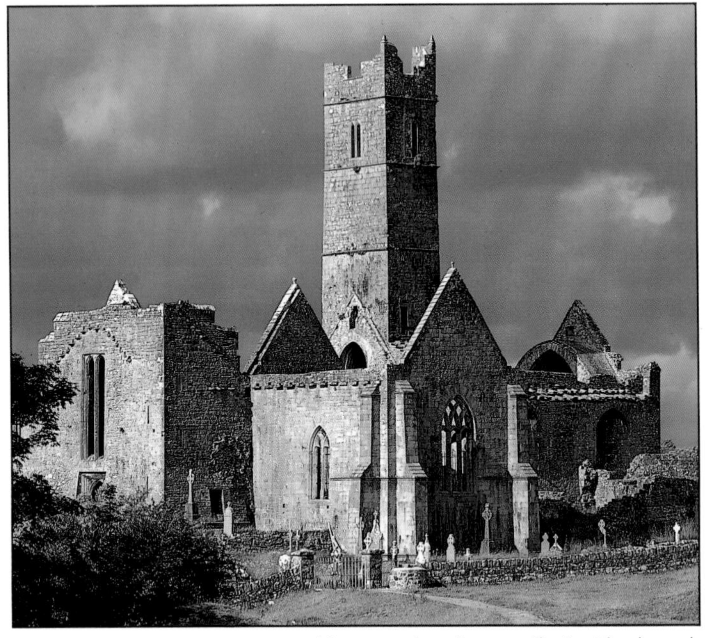

Spätmittelalterliche Blütezeit: Quin Abbey, eine der schönsten Abteien Irlands, auch sie dank Heinrichs VIII. Säkularisation eine Ruine

1569–83 Der Aufstand in Munster gegen **Elisabeth I.** von England scheitert trotz Unterstützung durch die Spanische Krone und den Papst

1595 Aufstand von Red Hugh O'Donnell und Hugh O'Neill in Ulster

1601 Eine spanische Flotte mit 4000 Mann landet zu ihrer Unterstützung in Kinsale, doch die Verbündeten verlieren die Schlacht

1603 Die irischen Führer müssen sich Jakob I. von England unterwerfen; das soziale und politische Gefüge des gaelischen Irland mit seiner alten Kultur, den Stammesführern und dem Brehonenrecht wird ausgelöscht; an seine Stelle tritt die englische Zentralgewalt in Dublin und das Common Law

1607	›Flucht der Grafen‹ (s. S. 140) und *Plantations* in Ulster
1649/50	Cromwell in Irland (s. S. 96)
1690	Der katholische Jakob II., in der sog. Glorious Revolution von 1688 durch den Protestanten Wilhelm von Oranien entthront, versucht mit französischer Hilfe, vom ihm treu ergebenen katholischen Irland aus seinen Thron zurückzuerobern; er unterliegt am 1. Juni in der Schlacht am River Boyne, einer entscheidenden Wende der irischen Geschichte: Die **Protestant Ascendancy** ist begründet
1691	Nach dem gebrochenen Vertrag von Limerick (s. S. 169) schließen Strafgesetze *(Penal Laws)* die Katholiken vom Recht auf Landbesitz aus; als Folge davon reißen englische Protestanten den Großteil des Landes und die gesamte politische Macht an sich. Die Führung der nicht emigrierten Iren übernimmt die katholische Kirche. Eine restriktive Handelspolitik, z. B. das Ausfuhrverbot für Wollerzeugnisse, macht Irland zum rückständigen und wie eine Kolonie ausgebeuteten Armenhaus Großbritanniens
1782–1800	Grattans Parlament; die protestantisch-patriotische Freiwilligenbewegung (Volunteers' Movement) erzwingt handelspolitische und verfassungsrechtliche Verbesserungen für Irland
1798	Aufstände der United Irishmen, einer von **Wolfe Tone** gegründeten national-revolutionären Bewegung; Tone selbst entzieht sich der Hinrichtung durch Selbstmord – ein neuer irischer Mythos, der von den tapferen, aber scheiternden Revolutionären, ist geboren
1801	**Act of Union**: Das irische Parlament wird aufgelöst; Irland entsendet nun 100 Abgeordnete ins Parlament von Westminster
1803	Robert Emmet wird nach dem Scheitern einer von ihm geführten Rebellion hingerichtet; auf dem Land kämpfen zahlreiche Geheimbünde (Blackfeet, Whitefeet u. a.) gegen die britischen Großgrundbesitzer
1823	**Daniel O'Connell** gründet die Catholic Association; O'Connell, der ›Liberator‹, bringt erstmalig in der irischen Geschichte eine funktionsfähige Massenbewegung (1828: 3 Mio. Mitglieder) auf die Beine; auf den sog. ›Monster Meetings‹ kommen bis zu 250 000 Menschen zusammen
1829	Aufhebung der antikatholischen Strafgesetze
1846–51	Die **Große Hungersnot** (s. S. 141): »1847 was the year it all began / deadly pains of hunger / drove a million from the

	land« (Christy Moore); in dem geschwächten Land scheitert die nationale Erhebung des ›Jungen Irland‹ – protestantische Oberschichtenjünglinge wie Thomas Davis versuchten, die revolutionären Ideen Wolfe Tones wiederzubeleben
1858	Die neugegründete Irish Republican Brotherhood hat sich der Unabhängigkeit Irlands verschrieben – wenn nötig mit Waffengewalt
1870	Home Rule-Bewegung (Forderung nach irischer Selbstverwaltung) von Isaac Butt gegründet
1879	Die Land League wird von Michael Davitt mit dem Ziel gegründet, die Pachtbauern vor Wucherzinsen und Kündigung zu schützen
1885	Höhepunkt der politischen Macht von **Charles Stewart Parnell**, der durch seine Obstruktionspolitik den Regierungsbetrieb in Westminster zeitweise lahmlegen kann; mit seinen 86 irischen Abgeordneten unterstützt ›der ungekrönte König Irlands‹ Premier Gladstone gegen das Versprechen irischer **Home Rule**, das jedoch nie eingelöst wird. Parnell stürzt über seine Affäre mit der verheirateten Kitty O'Shea und stirbt verbittert 1891
1916	**Osteraufstand:** Am Ostermontag, dem 24. April 1916, erheben sich Sinn Féin (›Wir selbst‹) und die Gewerkschafter James Connollys gegen die Briten; Padraig Pearse, zum Präsident der ausgerufenen irischen Republik gewählt, verliest die Unabhängigkeitserklärung; schon nach fünf Tagen wird der militärisch von vornherein zum Scheitern verurteilte Aufstand niedergeschlagen; 15 Aufständische werden hingerichtet, doch die öffentliche Meinung in Irland beginnt sich definitiv gegen Großbritannien zu stellen: *A terrible beauty is born,* dichtet William Butler Yeats
1918	Sinn Féin kann einen überwältigenden Wahlerfolg verbuchen
1919–21	**Unabhängigkeitskrieg** gegen die Briten, der mit der Aufnahme eines Freistaats Irland als selbständiges Mitglied in den Commonwealth endet; Nordirland bleibt auf eigenen Wunsch bei Großbritannien
1921–23	An der Teilung Irlands entzündet sich ein erbittert geführter **Bürgerkrieg** zwischen der Freistaatregierung und den Rebellen um Éamon de Valera, der 4000 Tote fordert
1932–48	Die Fianna Fáil lockert während ihrer ersten Regierungszeit die Bindung an Großbritannien

1937 Neue Verfassung: **Republic Éire**; während des Zweiten Weltkriegs bleibt Irland neutral – getreu der alten Maxime: *»England's difficulty is Ireland's opportunity«*

1972 Irland wird zusammen mit Großbritannien Mitglied in der EG; 83 % der Iren stimmen dafür

1990 **Mary Robinson** wird Irlands erste Präsidentin

1992 69 % aller Iren stimmen für die Ratifizierung der **Maastrichter Verträge** – ein deutliches Ja zu Europa

1997 Die konservative Fianna Fáil, die eine Koalition mit den Progressive Democrats eingeht, gewinnt die Wahlen zum Dáil; **Bertie Ahern** wird Taoiseach. Die in Nordirland geborene, von den konservativen Regierungsparteien nominierte **Mary McAleese,** die als katholische Fundamentalistin gilt, wird Präsidentin; Guinness und der britische Konzern Grand Metropolitan fusionieren zum Lebensmittelgiganten GMG Brands

1998 Die Republik Irland spricht sich mit 94, Nordirland mit 71 % für die **Einigung von Belfast** aus. John Hume und David Trimble erhalten den Friedensnobelpreis (zu Nordirland s. S. 220 f.)

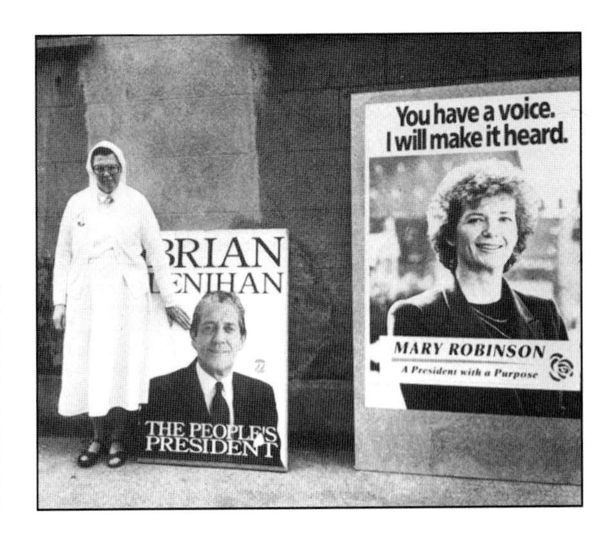

Die klerikale Bevormundung blieb einmal ohne Erfolg: Mary Robinson setzte sich bei der Präsidentenwahl 1990 durch

CAROLI SECUNDI

Religion, Kunst und Kultur

Katholisch, was sonst

Dolmen und Torques, Hochkreuze und Rundtürme: Fünf Jahrtausende irische Kunst

Vom Táin zu James Joyce

Singing Ireland – Christy Moore und Co.

Rauhe Kerle: Hurling und Gaelic Football

Geballte Bildung: der Long Room in der Bibliothek des Trinity College, Dublin

Irland und der Katholizismus

Was der hl. Patrick sich auf dem Croagh Patrick vom Engel des Herrn erbat (s. S. 196), ging in Erfüllung: Die Iren haben – zumindest bis heute – nicht von ihrem Glauben abgelassen. Die Christianisierung ab dem 5. Jh. muß relativ friedlich vor sich gegangen sein; irische Märtyrer sind jedenfalls nicht überliefert. Die christlichen Priester brachten Volk und Herrschern die neue Religion nahe, indem sie die alten ›heidnischen‹ Kulte mit christlichen Inhalten füllten. So wurde z. B. Christus als eine Verkörperung des Heros Cuchulainn eingeführt und die hl. Brigid (s. S. 114f.) als Nachfolgerin einer gleichnamigen keltischen Fruchtbarkeitsgöttin. Auch viele alte Druiden scheinen sich auf die Seite des Christentums geschlagen zu haben. Gedichte, in denen es u. a. heißt: »Christus, der Sohn Gottes, ist mein Druide«, sprechen für diesen religiösen Synkretismus.

Der römische Katholizismus ist seit den Zeiten der Verfolgung durch die Engländer (s. S. 37) tief verankert in der irischen Bevölkerung, ein Phänomen, das sich heute in Südamerika und Osteuropa wiederholt, wo die Kirche ja auch zum Kristallisationspunkt von Widerstandsbewegungen gegen die Herrschenden geworden ist. Aus

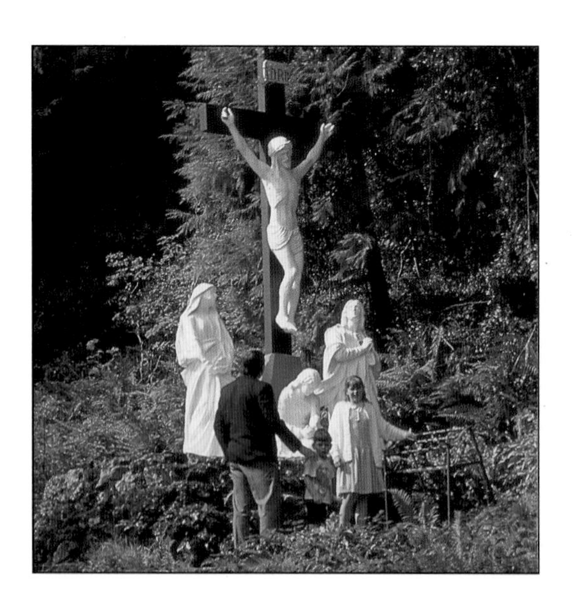

Lebendiger Glauben, uralte Magie: Eine Familie besucht die Pilgerstätte am heiligen Brunnen von Tobernalt am Lough Gill bei Sligo

Die altirischen Bußbücher

Die Bußbücher oder *Libri Paenitentiales,* katalogartige Zusammenstellungen von Sünden mit Angabe der jeweiligen kirchlichen Bußtarife (Fasten, Gebete, körperliche Züchtigung, in schweren Fällen die *Peregrinatio,* das Exil), sind eine irische ›Erfindung‹: Wohl bald nach dem Tode des hl. Patrick entstanden sie in altirischer Sprache, verfaßt von den Äbten der großen Klöster wie Cummean von Clonfert oder Columban von Bobbio (erste handschriftliche Überlieferungen erst aus dem 6./7. Jh.).

Gegenüber dem altkirchlichen Bußverfahren hatte die neue Praxis den Vorteil, daß der Sünder nicht mehr vor der ganzen Gemeinde öffentlich büßen mußte. Die irischen Bußbücher bemühen sich auch erstmals um Abstufungen der Buße; in einem kasuistischen, ganz aus der Praxis geborenen Verfahren wird die Schwere der Sünde und damit auch der Buße nach Alter und Geschlecht, sozialer und kirchlicher Stellung sowie den Motiven und Tatumständen abgewogen und differenziert.

Man kann von der Häufigkeit von bestimmten Vergehen in den Bußbüchern auf ihr Vorkommen in der gesellschaftlichen Wirklichkeit der Zeit schließen: So bedeuten beispielsweise die langen Auflistungen von Zauberei- und Wahrsagereivergehen (in bestimmten Nächten an den Wegkreuzungen tanzen, die Kinder aufs Dach legen, Steine oder Knochen zur Wahrsagerei werfen), daß in der Bevölkerung heidnische Praktiken gang und gäbe waren. Speziell auf die Bedürfnisse strenger Klosterdisziplin zugeschnitten sind Bestimmungen, wie die Mönche sich schamhaft, d. h. sitzend im Badezuber, ohne Knie und Arme (!) zu entblößen, waschen sollen. 24 Schläge hat derjenige Mönch zu erwarten, der sich nackt im Zuber stehend vor seinen Mitbrüdern zeigt – die Disziplin in den irischen Klöstern galt im frühen Mittelalter als vorbildlich!

Das *Paenitentiale* des hl. Columban von Bobbio ordnet die einzelnen Bußbestimmungen den acht Tugenden und Lastern zu. Durchgehend in Altirisch geschrieben, wechselt es, als es zu den sexuellen Vergehen und deren Buße kommt, ins Lateinische über – Scheu davor, solch ungeheure Vergehen in der Muttersprache beim Namen zu nennen, oder eine lateinische Quelle, die dem Verfasser für diese Stelle vorlag? Ein Kleriker jedenfalls, der einmal bei einer Frau schläft, büßt ein Jahr bei Wasser und Brot; wenn er ein Kind dabei zeugt, vier Jahre. Ein Priester, der eine Frau ansieht, berührt und dabei ejakuliert (*coinquinatus est,* d. h. sich besudelt), büßt 40 Nächte, wenn er sich nur verbotene Gedanken macht, sieben Nächte, und wenn er mit der Hand nachhilft, 20. Kleinen Jungen, die ›bevor die Natur sie dazu zwingt‹, Unzucht nachahmen *(fornicationem inter se imitantes),* wird eine leichtere Buße auferlegt als erwachsenen Mönchen über dem zwanzigsten Lebensjahr, die homosexuelle Beziehungen pflegen. (Eine deftige Kirchenbuße hätte auch der 1992 zurückgetretene Bischof von Galway, Eamonn Casey, zu gewärtigen gehabt: Der beliebte Kirchenfürst mußte zugeben, einen mittlerweile erwachsenen Sohn zu haben und dessen Mutter Geld aus der Kirchenkasse überwiesen zu haben.)

Neben diesen auf das Klosterleben zugeschnittenen Bestimmungen gibt Columban dem Priester, der sein Bußbuch benutzt, auch Anhaltspunkte für das Benehmen weltlicher Personen, beispielsweise für den rechten ehelichen Verkehr und die kirchlichen Zeiten, wann dieser untersagt ist. Die irischen *Rís,* die sich ja nicht der christlichen Einehe unterwarfen (s. S. 57), müßten, wären die Bußbücher voll zur Anwendung gelangt, eigentlich ununterbrochen gebüßt haben. Man scheint jedoch einen modus vivendi zwischen den alten heidnischen Stammessitten und der strengen und körperfeindlichen neuen Religion gefunden zu haben.

Daß die christlichen Kleriker mit sich reden ließen, zeigen jene den Bußbüchern seit dem 7./8. Jh. beigegebenen Umwandlungskataloge (*commutationes* oder *redemptiones*), die dem Reichen die Umwandlung einer Kirchenbuße in eine Geldleistung oder in Messen ermöglichte und es gar erlaubte, einen anderen an seiner Statt die Buße ausführen zu lassen. Man sieht, daß die Kirche sich damals in Irland recht tolerant zeigte, eine Toleranz, die wohl durch ihre wirtschaftliche Abhängigkeit vom irischen Adel entscheidend beeinflußt sein dürfte.

der Zeit der Verfolgung stammt auch die heute noch praktizierte Sitte der Hausmesse *(stations).* Die Volksfrömmigkeit zeigt sich in den leeren Straßen zu Messezeiten – obwohl die Besuchshäufigkeit in den letzten Jahren dramatisch gesunken ist –, den zahlreichen, auch jungen Betern und den gutbesuchten Wallfahrten; eine der wichtigsten ist die zum Marienheiligtum in Knock, an dem gleich 15 Gläubige 1879 eine Marienerscheinung hatten. Nachdem 1987 Tausende zur

Madonna von Ballinskelligs pilgerten, die sich, von mehreren Dorfbewohnern beobachtet, bewegt hatte, brach im ganzen Land eine wahre ›Wanderwelle‹ unter den Marienstatuen aus.

Das öffentliche Leben in Irland ist, besonders stark auf dem Bildungssektor, von der Kirche geprägt. Bis 1972 war die Rolle der Kirche als ›Wächter des Glaubens‹ sogar in der Verfassung verankert. Während sich in den großen Städten eine am übrigen Europa orientierte Liberalisierung abzeichnet, verharren die ländlichen Gebiete noch fest im Glauben.

Der 1990 verstorbene Kardinal und Primas O'Fiaich, ein sehr populärer, volksnaher Kirchenfürst, mischte sich gern und oft in die Politik seines Landes ein. So wurde er von britischer und nordirischer Seite aufgrund seines Einsatzes für politische Gefangene wie die zu Unrecht inhaftierten (1991 rehabilitierten) ›Birmingham Six‹ angefeindet. O'Fiaich setzte sich weiterhin für das Verbot jeglicher Verhütungsmittel ein: Heute darf ein *ruisgean measan gaol*, eine ›Haut der Frucht der Liebe‹, zwar verkauft werden, aber nur in sinnenfeindlichem Einheitsgrau. Doch selbst im katholischen Irland regt sich, vor allem in Dublin, Widerstand gegen die klerikale Bevormundung. Zahlreiche Skandale von unehelichen Bischofskindern bis zu den immer zahlreicher ans Licht kommenden Mißbrauchsfällen von Schülern und Schülerinnen durch ihre priesterlichen Lehrer erschüttern die Glaubwürdigkeit der Kirche.

Auch auf Gesetzesebene bröckeln die katholischen Hardliner-Positionen: Homosexualität ist seit 1993 (!) endlich nicht mehr strafbar. Bei den Referenden von 1992 und 1995 sprach sich eine Mehrheit für die Liberalisierung des Abtreibungsrechtes bzw. die Legalisierung der bis dahin verbotenen Scheidung aus, aber nur für den Fall, daß die Ehepartner zuvor fünf Jahre lang getrennt gelebt haben.

Vom Dolmen zur Neogotik: Irische Kunst durch fünf Jahrtausende

Vor- und Frühgeschichte

Die spektakulärsten Relikte der Jungsteinzeit in Nordeuropa (ca. 4000–2500 v. Chr.) sind die **Megalithgräber**, denn von den Behausungen der Menschen dieser Kultur blieben nur spärliche Reste erhalten (s. S. 120 und 172). Der für den Besucher attraktivste Typ sind die Ganggräber (*passage graves,* z. B. Newgrange), bei denen ein langer Gang durch einen runden Stein- oder Erdhügel in die von einem Gewölbe oder einem einzelnen flachen Stein bedeckte Grabkammer führt. Die Dolmen (z. B. Browneshill) bestehen aus drei oder mehr Monolithen, auf die die neolithischen Erbauer mit Hilfe von Erdrampen einen bis zu 100 Tonnen wiegenden Deckstein plazierten.

In der Bronzezeit (ca. 2500–300 v. Chr.) entstanden dann die **Steinkreise** (z. B. Drombeg). Diese runden bis ovalen Setzungen von Monolithen unterschiedlicher Größe, Form und Anzahl dienten teils als Kult- und Versammlungsstätte der Sippe, teils auch als Markierungen zur Gestirnsbeobachtung. Irland war in dieser Zeit einer der größten Metallexporteure und Hersteller von **Bronze-** sowie **Goldarbeiten.** Das Repertoire reicht von den genuin irischen *Lunulae* über *Torques,* Fibeln (Spangen) und sonstigen Schmuck bis zu bronzenen Waffen und Gebrauchsgegenständen (s. S. 80f.).

In der Eisenzeit (von ca. 300 v. Chr.–450 n. Chr.) errichteten die eingewanderten Kelten die spektakulären **Hügel-** oder **Steinforts** (z. B. Grianán of Aileach), Wallanlagen auf Hügelkuppen oder steil ins Meer abfallenden Landzungen (*promontory forts,* z. B. Dun Aenghus), die mehrere Hektar Land umschlossen. Sie dienten zum Schutz einer Sippe und als Sitz der keltischen Priester-Könige. Die Kelten brachten vom Kontinent den sog. La Tène-Stil mit, der aus antiker Ornamentik eine äußerst dekorationsfreudige Kunst entwickelt hatte. Mit den typischen Pflanzen- und Spiralmotiven verzierten sie Bronze- und Eisengegenstände, aber auch Kultsteine. Der La Tène-Stil beeinflußte bis ins 9. Jh. hinein die irischen **Metallarbeiten** wie die Tara-Fibel oder die christlichen Reliquiare und liturgischen Geräte wie Krummstäbe, Glocken und Kelche (s. S. 80f.).

Einer der zahlreichen Dolmen in Irland

Frühe christliche Zeit

Mit der Einführung des Christentums entwickelten sich die Klöster zu Zentren der Gelehrsamkeit, Kunstproduktion und Bildung; weitere Funktionen als Handwerksstandort, Markt, Münzstätte und Pilgerziel lassen es gerechtfertigt erscheinen, diese Klöster ›Proto-Städte‹ oder ›Klosterstädte‹ zu nennen. Die heute erhaltenen **Klosteranlagen** (z. B. Clonmacnoise, Glendalough und Monasterboice) datieren größtenteils aus einer späteren Zeit. Von den die streng asketische Lebensweise der Mönche widerspiegelnden frühen Klöstern gibt vielleicht Skellig Michael den besten Eindruck: Um eine oder mehrere Kirchen fügen sich die sog. Bienenkorbhütten (*bee-hive huts*), die Wohnstätten der Mönche; eine Mauer faßt den Klosterbezirk ein.

Die frühesten irischen **Kirchen**, einräumige Oratorien in Trockenbauweise (ohne Mörtel), entstanden wohl um das 9./10. Jh. (z. B. Gallarus Oratory). Typisch für diese noch die ältere Holzbauweise spiegelnden Gotteshäuser sind die Anten, ebenso die nach oben abnehmende Größe der Steine sowie die rechteckigen, mit einem flachen Türsturz versehenen Eingänge, die sich nach oben leicht verjüngen. Das steile Steindach stellt wohl den originellsten Beitrag Irlands zur europäischen Kirchenarchitektur dar. Um die Last dieser Steindächer abzustützen, baute man über dem Hauptraum einen zweiten Raum mit einem starken Gewölbe, das den Druck ableitete (z. B. Kells). Um die Jahrtausendwende wurde an viele alte Kirchen ein rechteckiger Chor angefügt (z. B. St. Kevin's Church, Glendalough).

Auch die berühmten **Hochkreuze** stellen eine eigenständige irische Entwicklung in der Sakralkunst dar. Am Anfang standen einfache, nur mit wenigen primitiven Figuren geschmückte Steine in grober Kreuzform (7./8. Jh., z. B. Carndonagh). Daraus entwickelten sich die großen Bibelkreuze des 9./10. Jh. mit ihren zahlreichen Bildfeldern und Figuren sowie dem typischen Kreuzring. Der keltische *horror vacui* duldete keine freien Flächen, sondern füllte auch noch den letzten Winkel mit geometrischen Mustern, Tier- und Jagdszenen, wie sie die großartigen Hochkreuze von Monasterboice und von Clonmacnoise zeigen. Zum 12. Jh. hin löste sich das Relief immer mehr vom Hintergrund, die Anzahl der plastischer gewordenen Figuren allerdings reduzierte sich, oft auf eine Christus- und eine Bischofsdarstellung (z. B. Dysert O'Dea).

Neben den Hochkreuzen wird der Reisende vor allem die nadelförmigen **Rundtürme** als typisch irisch empfinden. Diese *Cloigtheachs* (Glockentürme) wurden von ca. 900 bis ins 12. Jh. gebaut und dienten zweifellos nicht nur als – immer frei von der Kirche stehender – Campanile, sondern auch als Schutz der Mönche und ihrer Kirchenschätze. Der mindestens

Das Muiredach Cross

Die Bilderwelt der irischen Hochkreuze

Das Südkreuz von Monasterboice verdankt seinen Namen einer Weihinschrift am Schaftsockel der Westseite, die besagt, daß ein gewisser Muiredach – wohl der zweite Abt dieses Namens, der das Kloster von 887–923 leitete – das Kreuz errichten ließ: *»Or Do Muiredach Las Ndernad Chrossa«*. Mit dem 5,40 m hohen, massiven Kreuz haben wir eine entwickelte Form des irischen Hochkreuzes, das in Bildern ›sprechende‹ Bibelkreuz, vor uns.

Die irischen Hochkreuze, die, immer streng geostet, den Klosterbezirk in allen vier Himmelsrichtungen markierten, kennzeichneten nicht Gräber, sondern Orte der Versammlung, der Predigt und vor allem des Gebetes. Für die leseunkundigen Laien ersetzten die Bilder aus der Bibel die Lektüre derselben, gleichsam ein mittelalterlicher Comic Strip. Da der weiche Sandstein dieses Kreuzes wesentlich einfacher zu bearbeiten war als der harte Granit von Moone, erscheinen die Figuren hier detaillierter und, in Maßen, naturalistischer ausgeführt.

Das Bildprogramm der Westseite zeigt im Zentrum die Kreuzigung in der für Irland typischen Form: Christus nicht am Kreuz hängend, sondern aufrecht stehend und mit ausgebreiteten Armen selbst das Kreuz bildend – nicht als Leidender, sondern als siegreicher Überwinder (was offensichtlich der keltischen Mentalität näher stand), zu seinen Seiten Schwamm- und Lanzenträger. Die vier dreifigurigen Reliefs zeigen von unten nach oben: Gefangennahme Christi; der ungläubige Thomas; Traditio Legis (Christus übergibt die Macht in Kirche und Lehre an Petrus und Paulus); Moses bestürmt, von Aaron und Hur unterstützt, den Himmel im Gebet.

Die Ostseite schließlich zeichnet sich im Gegensatz zur Westseite durch eine Fülle von – natürlich kleinformatigeren – Figuren aus, die, vor allem in den Kreuzarmen, oft schon wieder eine abstrakt-geometrische Rasterwirkung erzielen. Die fünf Relieffelder zeigen (von unten nach oben): Adam und Eva sowie Kains Brudermord, eine seltene Zusammenziehung dieser beiden Szenen; David und Goliath; Moses schlägt für die staunenden Israeliten Wasser aus dem Fels; die Anbetung durch die Hl. Drei Könige; das Treffen der Eremiten (hl. Paulus und hl. Antonius) in der Wüste.

Das Weltengericht auf der Ostseite

Im Zentrum des Kreuzringes befindet sich das Kernstück, das Jüngste Gericht: zur Rechten des Weltenrichters die Seligen, zur Linken die von einem Teufel angetriebenen Verdammten; direkt rechts neben Christus der harfespielende David, links die Sibylle von Erithrea, zu seinen Füßen der Erzengel Michael mit der Waagschale. Die hier genannten Szenen finden sich auf vielen irischen Kreuzen wieder, doch muß man, vor allem bei früheren, roher ausgeführten Reliefs schon sehr genau hinsehen, um die gemeinte Bibelszene zu identifizieren.

Auch an Süd- und Nordseite stehen noch einige Bibeldarstellungen, daneben aber auch geometrische Ornamentflächen mit Ranken und Flechtwerk. Auf dem sehr verwitterten Sockel, dem auch heilsgeschichtlich ›niedrigsten‹ Symbolbereich des Kreuzes, tauchen Jäger, Tiere und wiederum vegetabile Arabesken auf. Den oberen Abschluß des Kreuzes dagegen bildet die Darstellung einer Kirche, natürlich in der für Irland typischen Form des spitzgiebeligen Oratoriums.

Dem mittelalterlichen Betrachter stand so, in faßbaren Bildern dargestellt, die christliche Deutung der Welt und des menschlichen Lebens vor Augen. Über der Jagdszene, dem Symbol der heidnisch ungezügelten Welt, stehen diejenigen Bibelszenen, die noch am meisten mit dem schlechten Einfluß des Irdischen behaftet sind: Sündenfall, Brudermord, Gefangennahme Christi. Nun erfolgt der Übergang zum Heilsgeschehen: der zweifelnde, aber überzeugte Thomas, der gegen das Böse siegende David, die Rettung Israels in der Wüste. Direkt unter dem Heilsgeschehen (Jüngstes Gericht und Kreuzigung) werden dem Gläubigen Akte der Frömmigkeit vor Augen gehalten: die Anbetung der Könige, die frommen Apostel. Und als Verkünder und Bewahrer des Heilsgeschehens sogar noch über diesem thronend, es gleichsam zusammenfassend, erhebt sich das Symbol der Kirche und in ihr die heiligen Männer, die durch Gebet und Askese den Glauben bewahren – die Apotheose der irischen Mönchskirche.

3 m über Bodenniveau liegende Eingang, die wenigen Fenster (in jedem Stockwerk eins, vier oder fünf unter dem konischen Dach) und die fluchtburgartige Baukonzeption lassen diese Funktion deutlich erkennen (z. B. Kilkenny).

Vom 7. bis zum frühen 9. Jh. blühte in den Klöstern die Kunst der **Handschriftenherstellung**. Für eine Bibel, einen Psalter oder ein Evangeliar wurden die Häute von ca. 150 Kälbern benötigt. Flecht- und zoomorphe Muster, keltische Spiral- und Trompetenformen begegnen uns in den Handschriften neben statuarischen, starr blickenden Menschendarstellungen (z. B. Book of Durrow) oder den agilen Katzen des Book of Kells.

Die Beschaffung der Farben für den Illuminator war schwierig und kostspielig. So gewann man beispielsweise Rot aus einer im Mittelmeergebiet beheimateten Schildlausart, bestimmte Blautöne aus Lapislazuli. Das kostbare Manuskript erhielt natürlich einen ebensolchen Einband. Im Mittelalter wurde den Handschriften magische Wirkung zugeschrieben: Der *Cathach* (›Kämpfer‹)-Psalter beispielsweise begleitete die O'Donnells als Talisman und Reliquie in jeden Kampf.

Romanik und Gotik

Im 12. Jh. hielten Einflüsse aus der kontinentalen Romanik in begrenztem Umfang Einzug in die irische Kunst (z. B. Cormac's Chapel, s. S. 130f.). Beim **Kirchenbau** äußerte sich dies vor allem in rundbogigen Eingängen, Fenstern und Chorbogen sowie in originellem Bauschmuck wie phantastischen Wesen und geometrischen Motiven; Zickzackfriese hingegen stellen Übernahmen aus der normannischen Romanik Englands dar. Mit dem Portal der Kathedrale von Clonfert und dem Reliefzyklus von Ardmore erreicht die Bauskulptur Irlands dann ihren Höhepunkt. Ein Vergleich mit romanischer Plastik des Kontinents zeigt freilich rasch, wie kleinformatig, vereinfachend in der Darstellung, ja archaisch die irischen Formen wirken.

Mit den **Reformklöstern der Zisterzienser** wurde erstmals die Gotik in Irland eingeführt (z. B. Mellifont Abbey). Der peinlich genau geregelte Tagesablauf der Mönche erforderte eine höchst funktionale Baukonzeption: Um den Kreuzgang als Zentrum des monastischen Lebens gruppieren sich im Norden die Kirche, im Osten Sakristei und Kapitelhaus, im Süden Refektorium (Speisesaal) und Küche, im Westen die Lagerräume und im zweiten Stock die Dormitorien (Schlafräume). Der hier gepflegte Lebensstil wirkte auf die irischen Mönche so anziehend, daß sie zu Scharen die alten und unbequemen Klöster verließen und zu den Zisterziensern ›überliefen‹.

Auch Kathedralen und Dorfkirchen entstanden im gotischen Stil (z. B. die beiden Kathedralen in

Dublin); Spitzbogen und hohe Lanzettfenster mit filigranem Maßwerk schmückten nun die irischen Gotteshäuser. In der Periode von 1400 bis 1535, unter dem Patronat der mächtigen Butler von Ormond und der Geraldines von Kildare (s. S. 35), erfolgte eine neue Blüte der Kirchenbaukunst, meist vom Franziskaner-Orden getragen (z. B. Ross Errilly). Die Mehrzahl aller irischen Kirchen oder besser Kirchenruinen stammt aus dieser Zeit und weist zumindest spätgotische Zusätze und Umbauten auf.

Die **Kreuzgänge** dieser Gotteshäuser zeigen Säulen mit dem Grundriß einer römischen ›I‹ (man könnte auch meinen, zwei hintereinanderstehende Säulchen seien zu diesem pfeilerähnlichen Gebilde verschmolzen worden), einer typisch irischen Erscheinung (z. B. Jerpoint). Vom 15. bis ins 17. Jh. hinein herrschte ein **Grabmaltyp** vor, dessen Seiten nebeneinander-

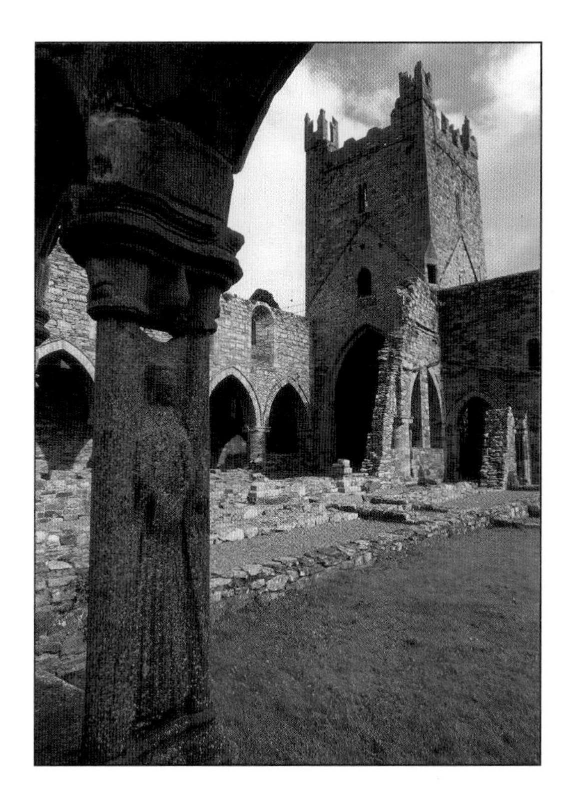

Das Qualitätvollste, was irische Plastik zu bieten hat: die Figuren im Kreuzgang von Jerpoint Abbey

gereihte, recht starr wirkende Heiligenfiguren schmückten; besonders qualitätvoll sind die Arbeiten Rory O'Tunneys in der Umgebung von Kilkenny (z. B. Jerpoint).

Ebenso wie die Kunststile von Romanik und Gotik war der Bau der **Burgen** eine von außen, in diesem Fall durch die normannischen Eroberer nach Irland importierte Entwicklung. Zur Kontrolle des unterworfenen Landes bauten sich die neuen Herren ab etwa 1200 Festungen mit meist quadratischem Bergfried inmitten eines starken Mauerrunds (z. B. Trim). Im 15. Jh. kam dann der Typ des **Tower House** auf, eines rechteckigen, mehrstökkigen Gebäudes, an einer Ecke des befestigten Burghofes gelegen oder auch alleinstehend, das sowohl zur Verteidigung wie als Wohnhaus diente und rasch von den irischen Clanführern übernommen wurde (z. B. Carrickahowley Castle, ein Tower House des O'Malley Clans). Die Renaissance als Stil der englischen Eroberer setzte sich in Irland nie durch. Das elisabethanische Schloß der Butler von Ormond in Carrick-on-Suir, das die politische Verbindung der Erbauer mit der englischen Königin dokumentierte, blieb eine singuläre Erscheinung.

Von georgianischer Zeit bis heute

Mit der Vorherrschaft der Engländer gelangte in der zweiten Hälfte des 17. Jh. der kontinentale Klassizismus nach Irland. Die neuen protestantischen Herren errichteten **Forts** (z. B. Charles Fort) sowie im palladianischen Stil Nutzbauten (z. B. Royal Hospital, Dublin) und vor allem prächtige **Landsitze** wie Castletown House als Ausdruck ihres Wohlstands und Selbstbewußtseins. In Dublin entstanden ganze Stadtviertel, Plätze und zahlreiche öffentliche Bauten im dezenten georgianischen Stil (s. S. 82). Einen besonderen Aufschwung nahmen in jener Zeit die dekorativen Künste (Stukkatur-, Marmor- sowie Holzschnitzarbeiten, Silber und Glas) sowie die von England übernommene Mode der **Landschaftsgärten** (z. B. Powerscourt Gardens).

Nach der Gleichstellung der Katholiken 1829 entstanden überall im Lande **Kathedralen** in dem damals vorherrschenden neogotischen Stil (z. B. Cork). Die Kirchen enthalten oft Fenster der in den 50er Jahren des 19. Jh. blühenden irischen Glasmalschule. Die Reichen des Landes ließen sich neogotische Traumschlösser errichten (z. B. Ashford Castle bei Cong).

Genre-, Historien- und Landschaftsmaler der romantischen und historistischen Schule wie William Mulready (1786–1863) wurden um die Jahrhundertwende wie im übrigen Europa auch von naturalistisch oder impressionistisch beeinflußten

Höhepunkt georgianischer Architektur: Stadthaus am St. Stephen's Green

Malern wie Walter Osborne (1859–1903), William Orpen (1878–1931) und John Butler Yeats (1839–1922) abgelöst. Irlands genialster Maler aber ist zweifellos **Jack B. Yeats** (1871–1957), der Sohn des letzteren und Bruder des Literaturnobelpreisträgers, dessen Werk sich mit zunehmendem Alter immer weiter der Abstraktion und der reinen Farbwirkung zuwandte (Nationalgalerie, Dublin).

Nachdem die irischen Künstler – mit einiger Verspätung – den jeweils auf dem Kontinent vorherrschenden Stilrichtungen vom Kubismus bis zur abstrakten Malerei gehuldigt hatten, ist in den letzten zehn Jahren vermehrt eine Rückbesinnung auf ›Irisches‹ festzustellen. Hier wäre z. B. an Anne Madden mit ihren »Megalith Series« oder **Louis Le Brocquy**, den international wohl anerkanntesten irischen Künstler, mit seinen Illustrationen zur »Táin« (s. Literaturempfehlungen) zu denken.

Daneben spielt die soziale und politische Realität, d. h. die Rolle der Kirche in Irland, die wirtschaftlichen Nöte und vor allem die Teilung des Landes, eine prominente Rolle in den Werken junger irischer Künstler. Obwohl der eher konservative irische Kunstgeschmack das gute alte Ölgemälde als die wertvollste Form des Kunstschaffens schätzt, arbeiten **die ›Jungen‹** viel mit Papier, Fotografie sowie im aktuellen Material- und Medienmix (Felim Egan, Paul Mosse, Tina O'Connell).

Sprache im Brennpunkt der Politik

Irland leistet sich den Luxus von zwei Amtssprachen: Die erste ist **Gaelisch**, die zweite Englisch. Das Gaelische gehört der keltischen Sprachfamilie an. Man unterscheidet einen goidelischen und einen brythonischen Zweig, auch Q-Keltisch (geschrieben heute c) und P-Keltisch genannt: In ersterem heißt ›Sohn‹ z. B. *Mac*, im letzteren *Map*. Das schottische Highland-Gaelisch und das irische Gaelisch bilden den goidelischen, das Walisische und Bretonische den brythonischen Zweig.

Bis zum 17. Jh., als die alte gaelische Lebensform endgültig zerschlagen wurde, beschränkte sich das Englische auf die Städte, und noch in der ersten Hälfte des 19. Jh. war Gaelisch die Muttersprache der Hälfte aller Iren. Wer jedoch, in welchem Berufsstand auch immer, Karriere machen wollte, mußte Englisch sprechen. Dazu kamen teils barbarische Verbotsmaßnahmen wie der um den Hals der Kinder gehängte *Tally Stick*, in den die Eltern zu Hause Kerben schnitzen mußten, wenn ihr Kind Gaelisch gesprochen hatte – in der Schule folgten dann die Prügel (benutzt bis gegen 1870). Die *Hedge Schools*, von katholischen Priestern ›im Untergrund‹, in Hainen und Feldern, abgehalten, verzeichneten regen Zulauf. In dieser Epoche wurde die bis heute fest verankerte Verbindung von Nationalismus und Katholizismus begründet.

1893 wurde die **Gaelic League** zur Förderung der gaelischen Sprache gegründet. Ihre prominentesten Agitatoren Douglas Hyde (der Märchensammler und spätere Präsident), Eoin Mac Néill und Padraig Pearse (einer der Märtyrer des Osteraufstandes) verfolgten freilich vorrangig politische Ziele – ähnlich wie die Briten einst mit der Zwangseinführung des Englischen. Wie politisch die Sprache in Irland war, zeigt eine Episode aus dem Jahr 1927: Als Éamon de Valera erstmalig in den Dáil einzog, mußte er den (1933 dann abgeschafften) Eid auf den britischen König durch Unterschrift leisten. Er zog sich aus der Affäre, indem er in Gaelisch, das die wenigsten verstanden, erklärte: »Ich leiste keinen Eid.« Wie politisch sie immer noch ist, zeigt schließlich Gerry Adams' Forderung an John Major, Gaelisch in Nordirland dem Englischen gleichzustellen.

Trotz oftmals nationalistisch angehauchter Bemühungen des Staates – Gaelisch ist Pflichtfach in der Schule, es gibt ein *Gaeltacht*-Ministerium und ein Amt für irische Sprache – benutzen heute nur gut 100 000 Menschen in ihrem täglichen Leben die gaelische Sprache (davon können 10 000 überhaupt kein Englisch). Ca. 1 Mio. sog. Bilingualer, die ihr Gaelisch wie eine Fremdsprache in der Schule gelernt haben, verstehen es mehr oder weniger gut. Kein Offizieller, zuletzt z. B. Mary Robinson bei ihrer Amtseinführungsrede, wird vergessen, unter Hinweis auf die »wundervollen Reichtümer« der gaelischen Sprache für deren bessere Beherrschung zu werben.

Als weitaus durchsetzungsfähiger hat sich die gaelische Sprache auf dem Gebiet der Ortsnamen erwiesen, von denen 86 % auf gaelischen Ursprung zurückgehen, z. B. die Vor- oder Nachsilben *baile* (= Hof, Dorf; anglisiert *bally*), *rath* (Erdbefestigung), *dun* (Fort) und *cill* (Kirche). Die *Gaeltacht*-Gebiete liegen, bis auf kleinste Areale um Waterford und im Co. Meath, vor allem im Westen des Landes, in Kerry und Dingle, um Galway und an der wilden Donegal-Küste um Gortahork, Gweedore, Glencolumkille oder Carrick. Der Autofahrer wird in diesen Gebieten einen irritierenden Wechsel zu einsprachig gaelischen Ortsschildern notieren. Trotz großzügiger Subventionen für Industrieansiedlungen gehören diese Landstriche bis heute zu den wirtschaftlich rückständigsten und ärmsten der Insel.

Gaelischsprachige Literatur

Die *Filid,* die Barden, brachten in Form von Preisliedern auf ihre adligen Gönner die früheste, nur mündlich überlieferte Form der keltischen Dichtkunst hervor. Die ersten mündlichen Tradierungsstufen können zwar schon auf die Zeitenwende datiert werden, doch erst

»Táin Bó Cúailnge«

und die frühe irische Gesellschaft

Das frühirische Prosaepos »Táin Bó Cúailnge« (Der Rinderraub von Cuailnge, heute Cooley, Co. Louth) ist uns in seiner frühesten Version in einer von christlichen Mönchen aufgeschriebenen Fassung des 11. Jh. erhalten. Erstmals wurde diese Heldensage des Ulster-Zyklus wohl im 7. Jh. aufgezeichnet, und davor ist noch eine ungefähr 300jährige mündliche Überlieferung anzusetzen. Obwohl sich in der Sage historische Ereignisse wie die Abdrängung der Ulaid in die nordöstlichen Gebiete der Insel durch die Connaughter spiegeln, lassen sich konkrete geschichtliche Figuren an den Personen des Epos nicht festmachen. Vielmehr liefert es uns eine zwar idealisierte, aber doch verläßliche Darstellung des Lebens der keltischen Oberschicht im Zeitraum vom 2. Jh. v. Chr. bis ins 4. Jh. n. Chr. Oberflächlich christianisierende Tendenzen, die die Mönche bei ihrer Abschrift einfügten (so soll König Conchobar bei der Nachricht vom Kreuzestod Christi vor Gram gestorben sein), sind klar als solche zu erkennen und verändern den genuin heidnischen Tenor des Epos nicht.

Das Thema der »Táin« ist der Raub des Stiers Donn Cuailnge (Der Braune von Cooley), den die Connaughter unter ihrer Königin Medbh (Maeve) aus Ulster entführen; das sog. ›Kopfkissengespräch‹ zwischen der Königin und ihrem Mann Ailill hat ihr gezeigt, daß sie kein gleichwertiges Prestigeobjekt zu Finnbennach (Der Weißhörnige), dem Stier ihres Mannes, besitzt. Da die Helden von Ulster sich gerade in einem ihrer geheimnisvollen periodischen Schwächezustände befinden, muß die Verteidigung allein in die Hände des siebzehnjährigen Cuchullainn gelegt werden. Seinen ausführlich beschriebenen Heldentaten folgt am Ende der Kampf der beiden Heere und der beiden Stiere, die die Männer und der Stier aus Ulster für sich entscheiden – wonach der geschwächte ›Braune‹ jedoch verendet.

Die hier dargestellte oder besser gefeierte Gesellschaft ist eine durch und durch kriegerische, Ruhm zu erlangen das höchste Ziel. Mit der *Gaisced* (Speer und Schild) kämpft der Krieger, der adlige auf einem zweirädrigen Streitwagen, dessen Wagenlenker, im sozialen Rang unter dem Krieger stehend, sein engster Vertrauter ist. Gern schlägt der Held den besiegten Gegnern die Köpfe ab und sammelt sie als Zeichen seiner Stärke – ein uraltes Ritual, dessen später Reflex sich noch in den Köpfen des Kirchenportals von Clonfert widerspiegeln mag.

In immerwährenden Auseinandersetzungen bestätigt sich der Wert des Kriegers und der Rang des Königs, der möglichst viele Helden an seiner Tafel versammelt. Auf den Gelagen in den großen Festhallen aus Holz (z. B. in der Festhalle auf dem Hügel von Tara, s. S. 103ff.) wird fürstlich mit gebratenem Schweinefleisch, Met, frischer Milch und Bier getafelt, künden Barden vom Ruhm des jeweiligen Königs und seiner *Túath* (Stamm, Gefolgschaft). Die *Filid* (Dichter, Seher), die sich im 12. Jh. dann zu Bardenschulen unter einem *Ollam* (Meister) zusammenschließen und zu einer regelrechten Kaste entwickeln sollten, besaßen einen hohen Rang in der gaelischen Gesellschaft: 120 Stück Großvieh, für die damalige Zeit ein königliches Vermögen, kostete die Tötung eines Sängers.

Die hohe Wertschätzung der Beredsamkeit, ja des Wortes an sich kann man als Kennzeichen einer ›keltischen‹ Mentalität – böse Zungen sagen auch den heutigen Iren einen ausgeprägten Hang zur Redseligkeit nach – oder als Relikt aus einer frühen, noch auf die Wirksamkeit der Wortmagie vertrauenden Kultur verstehen. Auf alle Fälle haben die Lobreden der Barden auf ›ihren‹ König und ihre Schmähreden auf dessen Gegner eine handfeste soziale Funktion, dienen zur Erhöhung des Prestiges. Ebenso wie seine Helden, Barden und Rinderherden vermehrt eine möglichst große Zahl schöner Frauen den Ruhm eines Königs: Schwarze Haare, blaue Augen, rote Wangen und weiße Zähne entsprachen dem keltischen Frauenideal. Ein König hatte in dieser Hinsicht freie Auswahl, denn das gaelische Recht gestattete ihm drei Ehepartnerinnen: eine Hauptfrau, eine Konkubine und eine Geliebte.

Zwischen ehelichen und unehelichen Kindern wurde in der Erbfolge kein Unterschied gemacht: Wer zur *Rígdomnae* gehörte, also Führungsqualitäten zeigte, konnte zum *Tánaise*, zum Nachfolger, werden. Die Vorteile dieses ›Verdienstprinzips‹ gegenüber dem auf dem Boden des christlichen Eherechts fußenden Primogeniturrecht, wie es in den kontinentalen Dynastien praktiziert wurde, liegen auf der Hand – irgendeinen Nachfolger gab es immer, auch wenn der Rivalitätskampf in der *Rígdomnae* groß war und bei einem langen Leben des alten Königs zu einer gewissen Ausdünnung der Nachfolgeberechtigten führen konnte.

im 12. und 13. Jh. wurden die gaelischen Epen von christlichen Mönchen, die diesem alten heidnischen Stoff erstaunlich unvoreingenommen begegneten, aufgeschrieben.

Nach dem Vorbild des lateinischen Alphabets hatte sich schon im 5. Jh. n. Chr. die **Oghamschrift** entwickelt, eine Kombination von Punkten und kurzen Strichen auf und beiderseits einer Mittellinie, als die oft die scharfe Kante eines Steins diente. Gelesen wird von oben nach unten; bis zu fünf Striche bilden einen Buchstaben, die nach Bäumen benannt waren (z. B. *Beithe* – Buche = B). Gaelisch ist so nach Griechisch und Latein die dritte schriftlich überlieferte europäische Sprache – die allerdings fast nur für Grab- oder Gedenksteine verwendet wurde.

Die vier großen **Sagenkreise** der irischen Literatur sind der Ulster-Zyklus (hierunter die »Táin«), der Mythologische Zyklus (der von den keltischen Göttern und ihrem Kampf mit den bösen Dämonen, den Fomoriern, handelt), der Historische oder Königszyklus und schließlich der Fenische oder Ossianische Zyklus mit den Geschichten um Finn und die *Fiann* (z. B. »Die Verfolgung von Gráinne und Diarmuid«, s. S. 104).

Diese älteste keltische Literatur besteht hauptsächlich aus Prosa mit kleineren lyrischen Einschüben, bevorzugt die Kleinform von episodenhaften, oft nur durch die Figur des Helden verbundenen Geschichten. Eine besondere Vorliebe für (parodistisch gemeinte?) Übertreibungen, rege Phantasie, ein ungewöhnlich differenzierter Farbsinn, die große Nähe zur Natur und zum Unheimlichen, Übernatürlichen lassen sich durchgängig in den großen keltischen Epen feststellen.

Das ganze irische Mittelalter über gab es dann einen großen Reichtum an religiöser Literatur, meist mit schier unglaublichen Wundern ausgeschmückte Heiligenlegenden. In den Klöstern entstanden aber auch Chroniken, so im 17. Jh. die berühmten »Annals of the Four Masters« (s. S. 212), abenteuerliche Reisebeschreibungen oder Lyrik.

Vom 13.–16. Jh. blühte die **Bardische Dichtung,** in ihren starren, in Lehrbüchern festgeschriebenen und in Bardenschulen weitergegebenen, überaus komplizierten und kunstvollen Strophen- und Reimschemata den deutschen Meistersingern nicht unähnlich. Märchen, Reiseromane und vor allem volkstümliche Variationen der Finn-Sage waren die ›Bestseller‹ im 16. und 17. Jh., während unter der englischen Unterdrückung (17.–19. Jh.) patriotische Volksdichtung in Form von Ballade und Heldenlied dafür sorgte, daß die Iren wenigstens im Lied das eine oder andere Mal über die Besatzer triumphieren konnten.

Als Douglas Hyde 1893 im Zuge des *Gaelic Revival* die Gaelic League gründete, schenkte dieser nationale Reflex auf die eigene Sprache dem vom Aussterben bedrohten keltischen Sprachzweig neue Kraft. Den ›klassischen‹ zeitgenössischen

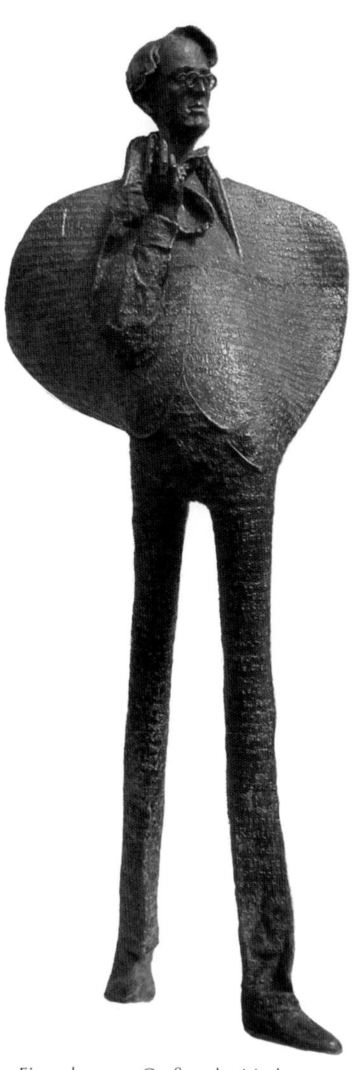

Einer der ganz Großen der irischen Literatur steht gußeisern in Sligo, seiner Geburtsstadt: William Butler Yeats

Schriftstellern wie Sean O'Ríordán oder Martin O'Laoire gesellen sich heute eine wachsende Zahl von jüngeren Autoren und Autorinnen wie Nuala Ní Dhomhnaill hinzu, die traditionelle irische Formen und Inhalte mit feministischen und psychologischen Fragestellungen im Medium Lyrik zu verbinden wissen.

Englischsprachige Literatur – Von Swift bis Joyce

Die große Zeit der angloirischen Literatur lag, ganz wie in der Baukunst, im 18. Jh. Ihr herausragendster Vertreter, **Jonathan Swift** (1667–1745), verfaßte 1721–27 als Dekan der Dubliner St. Patrick's Cathedral eines der meistgelesenen Bücher der abendländischen Literatur, den utopisch-satirischen, unter dem Kurztitel »Gullivers Reisen« bekannten Roman. Die amüsante Phantastik der Reisebeschreibung kann jedoch nicht über den beißenden Spott hinwegtäuschen, den der Satiriker und Misanthrop Swift ausgießt. Menschlicher lassen ihn sein »Tagebuch für Stella« (1784; gemeint ist seine Lebensgefährtin Esther Johnson) und die Streitschrift der »Drapier's Letters« (1724) wirken. In letzterer wendet er Spott und Hohn gegen die Engländer und ihre Ausbeutungsmethoden, insbesondere ihrer Tuchhändler. Dies trug dem in England geborenen Schriftsteller noch heute nachwirkende – am Swift-Devotionalien-Kult abzulesende (s. S. 86) – Beliebtheit bei den Iren und den Ehrentitel ›Der irische Dichter‹ ein.

Weitere bedeutende Vertreter dieser ›klassischen‹ Epoche der irischen Kultur sind der konservative Politiker, Staatstheoretiker und Historiker **Edmund Burke** (1729–1797) sowie **Oliver Goldsmith** (1728–1774), dessen vielgelesene Idylle »Der Landprediger von Wakefield« (1766) z. B. Goethes »Werther« beeinflußte.

Die zweite große Epoche englischsprachiger irischer Literatur war die der spätromantisch-bürgerlichen Zeit um die Jahrhundertwende, die mit Yeats (1923) und Shaw (1925) gleich zwei irische Nobelpreisträger hervorbrachte. **William Butler Yeats** (1865–1939) kennt die Literaturgeschichte als Lyriker und als Gründer, Leiter und Autor des Irischen Nationaltheaters (s. S. 75). Seine Einakter wie »Cathleen ni Houlihan« (1902) oder das späte »Cuchullainns Tod« (1939) zeigen eine starke Beeinflussung durch die irische Mythologie.

John Millington Synges (1871–1909) »Reiter ans Meer« (1904), das das harte Leben der Fischer auf den Aran-Inseln zu mythischer Unerbittlichkeit stilisiert, und seine weitaus bekanntere Tragikomödie »The Playboy of the Western World« (1907), die heute zu den Klassikern des Welttheaters gehört, wurden im Abbey Theatre uraufgeführt. Yeats mußte diese Aufführung mit Polizeigewalt durchdrücken, denn die irischen Patrioten sahen durch das als hinterwäldlerisch gezeichnete Mayo das Bild des irischen Volkes in den Schmutz gezogen. Zudem nahm man moralischen Anstoß an dem Wort *Shift* (Damenhemd), das der verhinderte Vatermörder Christie Mahon, der Protagonist des Stücks, auf der Bühne in den Mund zu nehmen hatte.

Auch **Sean O'Caseys** (1880–1964) Dramen erlebten am Abbey Theatre ihre Premiere. Der Durchbruch gelang ihm mit »Juno und der Pfau« (1924), einer im Dubliner Arbeitermilieu angesiedelten deftig-bitteren Komödie, die eindringlich die Wirren des irischen Bürgerkriegs und die Auswirkungen des bigotten katholischen Sittenkanons auf das Leben der Frauen schildert.

George Bernhard Shaw (1856–1950) ist ein ganz Großer nicht nur der irischen, sondern der Weltliteratur, bekannt weniger aufgrund seiner Kunstkritiken und philosophischen Abhandlungen als aufgrund seiner Dramen. Die bissige Gesellschaftskritik seiner Werke in der Nachfolge Swifts kann Shaws zutiefst moralische, ja eigentlich naiv-puritanische Überzeugung nicht verbergen (»Saint Joan«, 1923).

Ein typisch irischer und wohl außerhalb seines Heimatlandes auch nicht übermäßig bekannter Autor ist **Brian O'Nolan** (1911–1966) alias Myles na Gopaleen – unter diesem Pseudonym schrieb er eine beliebte, überaus bissige satirische Kolumne in der irischen Times – alias Flann O'Brien. Sein turbulent-bohèmehafter Roman »Zwei Vögel beim Schwimmen« (1939) wird oftmals mit dem »Ulysses« verglichen.

Ihm und seinem Schriftstellerkollegen **Brendan Behan** (1923–1964) gemeinsam war neben übermäßigem Alkoholkonsum die illusionslose Sicht der irischen Gesellschaft. Brendans autobiographischer Bericht »Borstal Boy« (1958) schildert seinen Aufenthalt in der britischen Strafanstalt, in der er wegen IRA-Mitgliedschaft inhaftiert war. Sein Drama »Die Geisel« (1958) beschäftigt sich ebenfalls mit der nationalen Problematik.

Mit **Samuel Beckett** (1906–1989) auf dem dramatischen und **James Joyce** (1882–1941; s. S. 76) auf dem Sektor des Romans können sich die Iren zweier Giganten der literarischen Moderne rühmen. Becketts »Warten auf Godot« (1953) setzt mit seiner sprachlichen, psychologischen und handlungsmäßigen Reduktion einen Endpunkt für das moderne Drama, während Joyces »Finnegans Wake« (1939) in seiner freudvoll verschlüsselten und polyvalenten, mit mythischen, historischen und privaten Assoziationen gespickten Sprache eine Schallmauer in der Romankunst darstellt.

Seit 1995 hat Irland seinen vierten Nobelpreisträger **Seamus Heaney**, geboren 1939 im Co. Derry. In seiner Lyrik finden sich einfühlsame Naturbilder ebenso wie Reflexionen über die politisch-menschliche Dimension des Bürgerkrieges in Nordirland und des Schreibprozesses. Spätestens seit Irland 1996 Schwerpunktthema auf der Frankfurter Buchmesse war, boomt die irische Literaturszene auch in Deutschland. ›Wilde‹, meist **junge Autoren** wie Roddy Doyle, Frank Ronan, Joseph O'Connor, John McCabe oder Frank McCourt zeichnen ein respektloses, oft sarkastisches Bild des modernen Irland, fernab idyllischer Klischees. Die Grande Dame der irischen Literatur, **Edna O'Brien** (geb. 1932), schreibt aus der Sicht der Frauen eine wundervoll melodische, ein wenig melancholische Prosa – eine würdige Nachfolgerin der großen irischen Autoren.

James Joyce, der Vater des »Ulysses«

Der Name verpflichtet: Livemusik im Matt Molloy-Pub in Westport, dessen Besitzer Mitglied der Chieftains ist

Irische Musik

Vor allem in den ländlichen Regionen Irlands war das *Céilí-* oder *Scoraíocht*-Haus in der Vergangenheit der einzige Treffpunkt für Jung und Alt, um die Freizeit zwischen dem letzten Melken des Viehs und dem Schlafengehen hinzubringen. Hier spielte man Karten, sang, musizierte und tanzte. Der traditionelle irische Kontertanz wird in Gruppen von vier Paaren aufgeführt, wobei es vor allem auf die richtige Fußarbeit, das *Battering*, ankommt – ein dem Steppen nicht unähnliches, sehr schnelles und rhythmisches Aufstampfen.

Viele der Lieder – so die Tänze wie Polkas und Jigs oder die alten schottischen und englischen Tänze *Reels* und *Hornpipes*, aber auch Märsche, langsame Vokalstücke und die *Planxties*, alte irische Harfenweisen, stammen aus dem 18./19. Jh., die Harfenstücke gar aus dem 17. Jh. Das genuin irische Instrument ist der Uilleann-Dudelsack (gael. *uilleann* = Ellbogen), so genannt, weil dem Instrument durch einen unter dem Ellbogen gepreßten Blasebalg die Töne ›eingehaucht‹ werden. *Tin Whistle* (Blechflöte), Geige, zweireihiges Akkordeon, die hölzerne Konzertflöte, Banjo und die *Bodhran*, eine mit Ziegenfell bespannte Handtrommel, stellen die beliebtesten Begleitinstrumente dar. Künstler wie die Wolfe Tones, die Chieftains, Clannad, Planxty, Tír na nÓg oder die Dubliners haben durch Einbeziehung moderner Musikelemente – womit sie sich den Zorn der Traditionalisten zuzogen – irische Folkmusik auch bei uns populär gemacht.

Im Land kann man traditionelle irische Musik auf den *Fleadhanna Cheoil* (Musikfesten und -wettbewerben) erleben, die seit dem ersten Fest in Mullingar im Jahr 1951 alljährlich von der Comhaltas Ceoltóirí Éireann (Vereinigung der Irischen Musiker) veranstaltet wird. Ab Mai beginnen die Wettbewerbe auf County-Ebene, und die Gewinner sämtlicher Provinz-*Fleadhs* treten dann auf dem Ende August in wechselnden Städten stattfindenden *Fleadh Cheoil na Éireann* gegeneinander an.

Hautnah erleben Sie Singing Ireland in Singing Pubs, in denen während der Saison fast allabendlich örtliche Musiker ihre Harfen, Bodhrans und Banjos auspacken und englische oder gaelische Weisen anstimmen. Mitsingen ist erlaubt, und vielleicht trägt ein älterer Herr ein paar a capella-Ständchen vor.

Die irischen Interpreten, die im internationalen Rockgeschäft Erfolg haben, sind Legion: so zum Beispiel Van Morrison und Them, Pogues, Chris de Burgh und Rory Gallagher, Boomtown Rats, Cranberries, Altan, Enya u. v. a. Auf den Spuren von U 2 oder Sinead O'Connor führt der Rock'n'Roll Stroll (s. S. 90) durch Dublins Pubs und zahlreiche Music Halls. Sie alle zehren, wie auch der Altmeister Christy Moore, von den Traditionen der Folkmusik und behandeln irische Themen wie die Große Hungersnot, Arbeitslosigkeit und den Bürgerkrieg in Nordirland.

Sport

Der europäische Fußball *(Soccer)* genießt immer größere Beliebtheit, besonders seit die irische Nationalmannschaft sich mit Hilfe des englischen Trainers Sir Jack Charlton 1990 erstmals für das Hauptfeld der Weltmeisterschaft qualifizieren und dort sogar bis ins Viertelfinale vordringen konnte.

Bildungs- und Arbeitsministerium sowie Lehrergewerkschaft plädierten dafür, den Arbeitsalltag dem Terminkalender der WM anzupassen – in Dublin ist man ohnehin daran gewöhnt, daß der Busverkehr während internationaler Fußballspiele zum Erliegen kommt, da ja auch die Busfahrer die Ereignisse live verfolgen möchten. Leider machen sich auch in Dublin negative Auswirkungen des Fußballzirkus, etwa randalierende Fans, wenn auch weniger als auf der britischen Nachbarinsel und auf dem Festland, bemerkbar.

Eine ganz eigene Erfindung keltischen Sportsgeistes stellen dagegen der Gaelische Fußball, Hurling und Straßenbowling dar. Bei dem vor allem in den südlichen Grafschaften Cork, Limerick und Waterford betriebenen Straßenbowling versuchen zwei Kontrahenten, eine ca. 1 Pfund schwere Eisenkugel auf einer (öffentlichen!) Straße mit möglichst wenig Wurf- oder Rollaktionen über eine bestimmte Strecke zu bringen. Straßenbowling ist ein beliebter Wettsport,

Gaelische Ballspiele

Hurling und Gaelic Football

Schon in den alten Sagenzyklen Irlands spielt Hurling, dieser ureigene gaelische Ballsport, eine prominente Rolle: Gráinne soll den magischen ›Liebesfleck‹ an ihrem Diarmuid während eines Hurling-Spiels entdeckt haben, und Cuchullainn benutzte vor allem in seiner heldischen Jugend Hurling-Stock und -Ball gerne als Waffe; einmal hat er auf einem Schlachtfeld sogar mit einem furchterregenden Geist anstelle eines Balles gespielt. Als Michael Cusack 1884 in Thurles die Gaelic Athletic Association (GAA) gründete, wurden mit der Propagierung dieser ›altirischen‹ Sportarten, ebenso wie bei Gründung der Gaelic League auf dem Gebiet der Sprache, handfeste politische, nationalistische Ziele verfolgt – Charles Stewart Parnell übernahm u. a. die Schutzherrschaft.

15 Spieler pro Mannschaft versuchen beim Hurling, diesem ›Spiel von Raufbolden für Raufbolde‹, eine etwa tennisballgroße Kugel, bestehend aus einem Korkkern, außen mit grob zusammengenähtem Leder bezogen, über oder besser noch unter ein ›Tor‹ zu schlagen. Dieses Tor besitzt wenig Ähnlichkeit mit dem gewohnten Fußballtor, besteht es doch lediglich aus zwei 7 m auseinanderstehenden Stangen mit einer Querlatte in ca. 2 m Höhe. Ein Tor über die Querlatte zählt einen, drunter durch drei Punkte. Der Ball wird mit Hilfe des *Hurleys* – nur in Ausnahmefällen mit der Hand – durch die Luft oder am Boden

vorangetrieben. Dieser ca. 1 m lange, flache Eschenholzstab läuft am Schlagende in eine Verdickung aus, die ihn ein wenig wie eine langgezogene Socke aussehen läßt. Viel Ballgefühl, Training und ein dikkes Fell erfordert dieses schnelle und harte Ballspiel, das vor allem im Süden des Landes und hier besonders intensiv in den Grafschaften Cork und Kilkenny gespielt wird. Wenn Damen Hurling spielen, heißt es Camogie.

Auch die Gaelic Football-Mannschaft setzt sich aus 15 Spielern zusammen. Vier mal 20 Minuten lang gilt es dann, auf einem wie beim Hurling organisierten Spielfeld Tore zu erzielen. Der Ball darf nach recht komplizierten Regeln mit dem Fuß oder mit der Hand bewegt werden, wobei er grundsätzlich nach sechs Schritten weitergekickt, weitergeschlagen oder im vollen Lauf auf den eigenen Fuß gespielt und sofort wieder aufgefangen werden muß.

Die Finalkämpfe nach den auf Grafschafts- und Provinzebene ausgetragenen Ausscheidungswettkämpfen finden im September im Croke Park-Stadion in Dublin statt. Sämtliche Karten sind dabei regelmäßig schon früh ausverkauft. Seit neuestem hat die GAA im umgebauten und erweiterten Croke Park-Stadion ein Museum für die beiden irischen Sportarten eröffnet. Neben einer Ausstellung zur Geschichte und interaktiven Spielen kann man über Touchscreen-Monitore Wissenswertes abrufen (geöffnet Mai–September Di–So 10–17, Oktober–April 14–17). Die unten abgebildete Szene stammt aus dem Hurling-Finale 1993, als die gelb und schwarz gekleideten Kilkenny Cats in einem spannenden Spiel die purpur und weiß gewandeten Galwayaner schlugen. Mit 25 Siegen sind die ›Katzen‹ die absoluten Rekordgewinner unter den gaelischen ›Raufbolden‹.

Pferde- und Wettland Irland: Ein Roß wird auf der Dublin Horse Show begutachtet, eine Dame bangt um ihren Wetteinsatz bei den Galway Races

ähnlich wie Pferde- oder Windhundrennen – jedes auch noch so kleine irische Dorf besitzt eine Kirche, einen Pub und ein Wettbüro. Testen Sie einmal die fiebriggespannte Atmosphäre auf den Dubliner Windhundrennbahnen Shelbourne Park oder Harold's Cross.

Seit den 60er Jahren zur Finanzierung neuer Kirchenbauten von der katholischen Geistlichkeit (!) eingeführt, erfreut sich das vorwiegend von Frauen gespielte Bingo nach dem abendlichen Kirchgang großer Beliebtheit.

UNTERWEGS IN IRLAND

Dublin und der Osten
Der Süden
Im Westen
Vom Norden zur Seenplatte

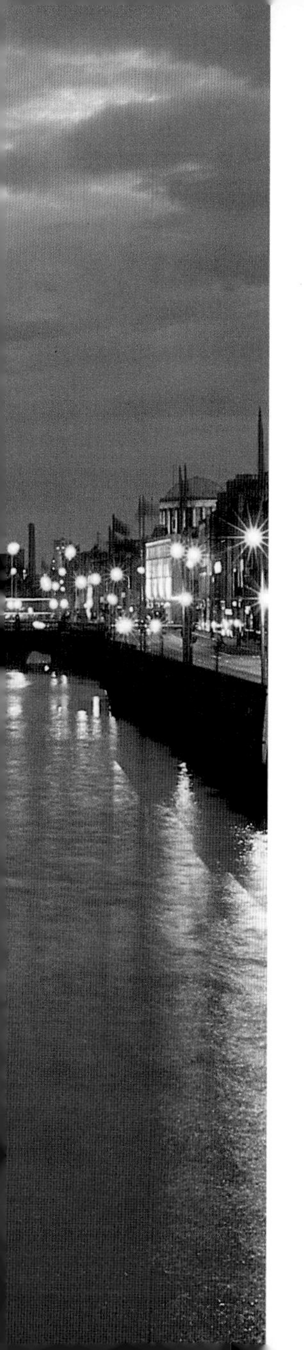

Dublin und der Osten

Georgianische Eleganz, gemütliche Pubs: alte, junge Liffey-Stadt

Megalithnekropole im Boyne Valley: Newgrange

Die schönen Berge von Wicklow: Parks und Wanderwege

Das Rom des Westens – Glendalough

Rössermekka Kildare

Die Liffey, Joyce' Anna Livia Plurabelle, im Nachtgewand

Dublin

Spazieren Sie durch großzügige Parks und elegante georgianische Straßenzüge, am Ufer von Liffey und Grand Canal entlang, zum Book of Kells und ins junge Temple Bar-Viertel, in Museen und Gourmetrestaurants. In den tausend Pubs fließt nicht nur das hier gebraute Guinness – James Joyce, Brian O'Nolan und Brendan Behan sind auf Schritt und Tritt gegenwärtig. Eine Metropole zum Erwandern, mit menschlichem Format.

Eine knappe Million Menschen, Tendenz steigend, wohnen in der Liffey-Stadt, die 1991 Europas Kulturhauptstadt war. Dublin ist unangefochten Herz und Kopf der Grünen Insel. Hier kommt alles zusammen: Das Eisenbahn- und Straßennetz, größter Flug- und Seehafen, protestantischer und katholischer Erzbischof, zwei Universitäten, alle Regierungsbehörden und höchsten Gerichte, kulturelle Institutionen, Industrie der Verbrauchsgüter-, Nahrungs- und Genußmittelbranche und nicht zuletzt die Touristen. Die für Letztere hauptsächlich interessante Innenstadt, von Royal Canal im Norden und Grand Canal im Süden annähernd eiförmig um- und von der Liffey einmal quer durchflossen, ist ein ideales Pflaster für Flaneure.

Schon vor 5000 Jahren siedelten neolithische Völker im geschützten Mündungsgebiet der Liffey. Mit der Ausbreitung des Christentums baute man kleine Kirchen an der Mündung des Poddle in die Liffey, wo ein *Linn Dubh*, ein ›schwarzer Teich‹, entstanden war – die ursprüngliche Siedlung hatte *Áth Cliath* geheißen (eine mit Zäunen aus Weidengeflecht geschützte Furt). Beide Namen lassen sich im heutigen ›Dublin‹ und seiner gaelischen Entsprechung *Baile Átha Cliath* wiedererkennen. 837 gründeten Wikinger von den Orkney-Inseln auf dem Areal um die heutige Christ Church Cathedral eine Siedlung. Da jedoch auch die Dubliner in diesem Jahrhundert nicht auf eine der so beliebten Jahrtausendfeiern verzichten wollten, nahm man das Jahr 988 als Gründungsdatum, das Jahr, in dem Máel Sechnaill II., ein irischer König, Dublin in dem zähen Ringen zwischen Wikingern und Iren wieder einmal erobert hatte.

In Clontarf, heute ein Vorort von Dublin, fand am Karfreitag, dem 23. April 1014, die sagenumwobene Niederlage der Wikinger gegen den Hochkönig Brian Boru statt. Heinrich II. (1154–1189) beanspruchte Dublin und Umgebung *(The Pale)* für die Englische Krone – die Stadt wurde mit zahlreichen normannischen Prunkbauten geschmückt (Christ Church Cathedral, St. Patrick's Cathedral, Dublin Castle u. a. m.) und zum Handelszentrum ausgebaut. Seit den Regierungszeiten Heinrichs VIII. (1509–1547) und Elisabeths I. (1558–1603) diente die Stadt an der Liffey der Englischen Krone als Stützpunkt der Reformation und der Unterwerfung des gaelisch-irischen Widerstandes.

Dublins Goldenes Zeitalter zog im 17. und vor allem im 18. Jh. herauf, als es sein georgianisches Gesicht erhielt und zu einer der großzügigsten und prächtigsten Städte Europas ausgebaut wurde. Im 19. Jh. verslumte die Metropole zusehends, war aber auch das Zentrum der politischen Bewegungen um Daniel O'Connell und Charles Stewart Parnell. 1916 fand hier der Osteraufstand statt, und auch im Verlaufe des darauffolgenden Bürgerkriegs wurden im Stadtbild große Verwüstungen angerichtet (z. B. Hauptpostamt und Custom House).

Vor allem in den 60er und 70er Jahren vernichtete baulicher Wildwuchs viel von der georgianischen Bausubstanz (s. S. 83), doch blieb immerhin so viel erhalten, daß man auch heute noch in Dublin die dichteste Konzentration georgianischer Architektur in ganz Europa bewundern kann. Der Stadtbereich im Südosten der Liffey mit seinen Wohnvierteln präsentiert sich als ›Schauseite‹ der Stadt, während viele Viertel im ehemals vornehmen Norden, vor allem an den westlichen Quays, aber auch um die beiden großen Kathedralen herum, zum Sanierungsgebiet geworden sind. Dem entspricht eine traditionell gewordene Abneigung zwischen den bürgerlichen Süd-Dublinern und den armen, oft arbeitslosen Nord-Dublinern.

Rund um die O'Connell Street

Am Beginn der Hauptgeschäftsstraße O'Connell Street, die in den nächsten Jahren umgestaltet werden soll, steht kurz vor der gleichnamigen Brücke das **Denkmal für Daniel O'Connell**, geschaffen 1854 von John Foley. Die vier großen historistischen Figuren mit Flügeln verkörpern Mut, Beredsamkeit, Treue und Patriotismus – Kugeln aus dem Bürgerkrieg stecken noch sichtbar u. a. in der rechten Brust des ›Siegs‹. Der Mittelstreifen der O'Connell Street beherbergt eine ganze Kollektion von Denkmälern: Das des berühmten Arbeiterführers James Larkin, der Organisator des großen antibritischen Streiks von 1913, das von William Smith O'Brien, einem der Führer

Der Pub:

das verlängerte Wohnzimmer der Dubliner

Die Zahl der Dubliner Pubs ist Legion. 750 sollen es sein oder dann wieder 1000. Dunkles, poliertes Mahagoni, sanft schimmerndes Messing, gedämpftes Licht, die Flaschenbatterien und Zapfhähne der Theke, Pubspiegel mit den Reklamen der verschiedenen Alkoholmarken, die hohen Bar- und niedrigen Lounge-Hocker, die plüschigen Sitzbänke – all dies schafft jene Dubliner Publuft, in der man sich auf Anhieb wohl und nie als Fremdling fühlt, in der man trinken, reden, lunchen, Zeitung lesen, Livemusik hören oder einfach nur entspannen kann. In der egalitären Atmosphäre des Bier- und Whiskeydunstes machen sich Arbeiter und Akademiker, Dubliner und Fremde gemein.

Der älteste Pub, *The Brazen Head* in der Lower Bridge Street, versinkt trotz oder wegen allabendlicher Musik-Sessions jedes Jahr ein wenig tiefer im weichen Liffey-Boden. Die viktorianischen Interieurs von *Doheny & Nesbitt, Henry Grattan* und *Toner's* in der Lower Baggot Street (ob ihrer Pubdichte stolz die ›Goldene Meile‹ genannt und mit entsprechenden T-Shirts vermarktet) werden in puncto Schmuckfreudigkeit nur vom *Stag's Head* in Dame Court übertroffen. Außerhalb des eigentlichen Stadtzentrums gelegen und vielleicht deshalb noch weitgehend ursprünglich erhalten sind neben *Ryan's* (Parkgate Street), dem »Pub des Jahres« 1990, und *Slattery's* (Capel Street), *The Brian Boru* (Prospect Road) sowie *Kavanagh's* (Prospect Square), beide im Stadtteil Glasnevin gelegen.

Im *O'Donoghue's* in der Merrion Row stimmten die Dubliners 1962 erstmalig ihre traditionellen Sauf-, Rauf- und Heldenballaden an und begründeten die Legende von Dublins wohl berühmtestem – und überlaufenstem – Singing Pub. An manchen Abenden verdecken Straßenzecher die ganz in den Guinness-Farben Schwarz und Weiß gehaltene Fassade, und bei der allabendlichen Livemusik hört man mehr deutsche und amerikanische als irische Stimmen. Im *Davy Byrne's* in der Duke Street (s. Abb. links), im *Bailey's* gleich gegenüber und *MacDaid's* in der Harry Street geht es zwar nicht weniger lebhaft zu als in jenen mythisch gewordenen Zeiten, als James Joyce, der rebellische Brendan Behan oder der große Satiriker Brian O'Nolan hier stritten, soffen und schrieben. Aber in den neu durchgestylten Interieurs sitzen ›nur‹ junge Leute und Touristen und keine großen Trinker-Dichter mehr. Gibt es den ›echten‹ Dubliner Pub überhaupt noch?

Es gibt zum Beispiel *Mulligan's* in der Poolbeg Street. Am Interieur von der Mitte des vorigen Jahrhunderts ist seit Joyces Zeiten, als der Pub noch Burke's hieß, nichts geändert worden. Dubliner Arbeiter und in den Sommermonaten die Teilnehmer des Literary Pub Crawl füllen die etwas kahle Bar und die mit Bildern und Spiegeln gemütlich ausstaffierte Lounge, um das angeblich beste Guinness der Stadt zu schlürfen. Was sich glücklicherweise seit Joyce' Zeiten geändert hat: Der Pub ist nicht mehr, wie im vorigen Jahrhundert, eine Domäne der Männer. Drangvolle Enge, die den Gang zur Toilette zu einem Geschicklichkeits- und Kraftspiel werden läßt, herrscht auch in der *Palace Bar* in Fleet Street, einem Nebensträßchen der Magistrale O'Connell Street. Hier schimmern das polierte Holz und das Messing der Theke um die Wette, klassizistisch übergiebelte Spiegel dienen als Trennwände, und am Eingang steht noch ein Snug, ein geschlossenes Trinkerabteil für Frauen, Priester und andere Menschen, die einst in der Öffentlichkeit nicht beim Trinken gesehen werden durften oder wollten.

Machen Sie Ihren Pubbummel allein, mit Freunden oder im Rahmen des empfehlenswerten *Literary Pub Crawl* (s. S. 90). Zwei Schauspieler vom Abbey Theatre führen Sie während der Saison in verschiedene Public Houses und an literarisch beleumundete Freiluft-Spots, wo dann etwa aus »Warten auf Godot« gespielt, Oscar Wilde rezitiert oder ein Dubliner Gassenhauer gesungen wird. Die tiefe Wahrheit von Brian O'Nolans Lobeshymne auf Irlands ebenholzfarbenes Starkbier begreift sich am besten über einem Pint: »When money's tight and is hard to get / And your horse has also run. / When all you have is a heap of debt / A PINT OF PLAIN IS YOUR ONLY MAN!«

des ›Jungen Irland‹, ferner Brunnen und Statue der Flußgöttin Anna Livia Plurabelle (die Liffey) aus James Joyces »Finnegans Wake«, von den Dublinern ›Flittchen im Whirlpool‹ genannt.

Das **Custom House** (Hauptzollamt), 1781–91 von James Gandon im klassizistischen Stil erbaut, besitzt seit kurzem hinter der beeindruckenden, langgestreckten Prachtfassade ein Besucherzentrum (geöffnet Mo–Fr 10–17, Sa/So 14–17). Beachtenswert sind die Statuen an der Südfassade, u. a. allegorische Darstellungen der vier Kontinente (ohne Australien), der irischen Flüsse sowie der Hoffnung auf der 40 m hohen Kuppel. Östlich vom Zollamt erstreckt sich der Dubliner Hafen, auch er größtenteils durch die ›Urban Renewal Bill‹ von 1986 als Sanierungsgebiet ausgewiesen. Am Custom House Quay entstand in Glas und Postmoderne das internationale Finanzzentrum Dublins.

Das **Abbey Theatre**, Marlborough Street, ist heute ein funktionaler moderner Bau von 1966, der das alte, 1951 durch einen Brand zerstörte Theatergebäude ersetzt. 1898 hatten Augusta Lady Gregory, William Butler Yeats und Edward Martyn die Abbey Theatre Company gegründet, die ab 1904 in dem alten Abbey Theatre die Stücke von Yeats selbst, von John Millington

O'Connell-Brücke und -Denkmal

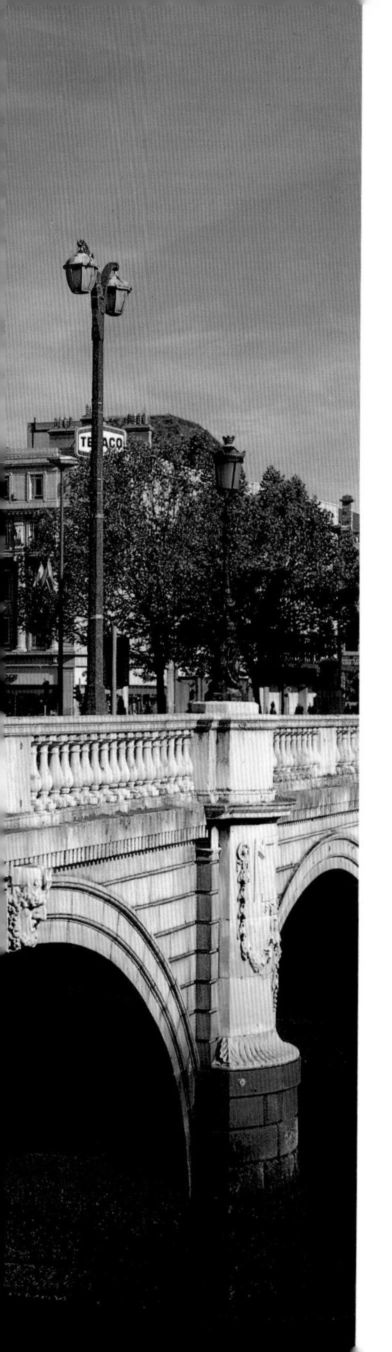

Synge, Sean O'Casey u. a. (ur)aufführte. Die ungeschminkte, satirisch-pessimistische Darstellung des irischen Patriotismus, die sich in Stücken wie z. B. O'Caseys »Der Pflug und die Sterne« (1926) niederschlug, paßte den nationalistisch gesinnten Dublinern der 20er Jahre nicht. William Butler Yeats, bis zu seinem Tode Direktor des Theaters, rief bei den Tumulten anläßlich der Uraufführung verzweifelt ins Publikum: »Soll sich denn ewig das gleiche wiederholen, wenn sich ein neuer irischer Genius ankündigt?« Heute ist das Abbey Irisches Nationaltheater!

Im **General Post Office** (GPO, Hauptpostamt) in der Mitte der O'Connell Street lag 1916 das Zentrum des Osteraufstands; die bis 1990 noch sichtbaren Schießspuren dieser Kämpfe sind seit der Renovierung des Gebäudes getilgt. Statuen von John Smyth bekrönen die neoklassizistische Fassade mit ihren gewaltigen Säulen. Im Innern symbolisiert das Bronzedenkmal des sterbenden Cuchullainn die Opferbereitschaft der Aufständischen (geöffnet Mo–Sa 8–20).

Die Hauptkirche der Katholiken Irlands, **St. Mary's Pro-Cathedral**, Marlborough Street, wurde 1815–1825 im neoklassizistischen Stil erbaut. Aufgrund von Interventionen der Protestanten wurde die Kathedrale, die ursprünglich in dominierender Lage an der O'Connell Street entstehen sollte, in diesen ›Hinterhof‹ verbannt, in dem das gigantische dorische Portal überdi-

James Joyce'
Dublin

James Joyce, 1882 in Rathgar, einem Stadtteil von Dublin, geboren, war einer der bedeutendsten Schriftsteller unseres Jahrhunderts. Mit dem ›Ulysses‹ und dem Spätwerk ›Finnegans Wake‹ setzte er neben Proust und Musil die Maßstäbe des modernen Romans. Kein anderes Joyce'sches Werk (»Ein Porträt des Künstlers als junger Mann«; »Dubliner«) greift indes so viel von der Dubliner Stadtgeographie auf wie der »Ulysses«.

Obwohl die irische Geschichte – Joyce war z. B. ein glühender Verehrer Charles Stewart Parnells – und Mythologie neben der Topographie Dublins seine Werke maßgeblich bestimmten, lebte Joyce seit 1912 durchgehend im selbstgewählten Exil, vor allem in Paris, zeigt sich also auch hierin als ›typischer Ire‹. Als er 1922 in Paris den »Ulysses« veröffentlichte, wurde in Irland gerade der Freistaat ausgerufen. Trotzdem haben ihn Politik und Zeitgeschichte nie sonderlich interessiert; Louis Gillet, ein Freund und Biograph, behauptet sogar, er habe nie auch nur ein einziges Wort von Joyce über die Welt, in der sie lebten, vernommen: »Diese ganze Wirklichkeit war nicht so stark wie sein Traum.« Der war es, im »Ulysses« gleichsam als Demiurg eine neue Welt zu schaffen, und da auch der begabteste Weltenschöpfer dies schlecht aus dem Nichts tun kann, benutzte er neben anderen Bausteinen Dublins Topographie und legte sie seiner Welt als Fundament zugrunde.

Heute begehen Hunderte hartgesottener Joyceaner alljährlich den ›Bloomsday‹, jenen 16. Juni 1904, an dem im »Ulysses« die beiden Odyssee-Routen des jungen Stephen Dedalus und des nicht mehr ganz so jungen Leopold Bloom nebeneinander her laufen, sich kreuzen und schließlich wieder trennen. Zu Fuß pilgern die Joyceaner die Kreuzwegstationen ihrer Helden ab, ein Glaubenseifer, der dem der irischen Gottespilger auf den Croagh Patrick in nichts nachsteht. In Dublin wird dem nachgeholfen mit 14 im Pflaster des Stadtzentrums eingelassenen Bronzetafeln, die die Episoden des 8. Kapitels in touristenwirksame Realität rückverwandeln.

Man beginne am Martello Tower (s. S. 106), an dem sich das erste Kapitel des Romans, benannt ›Telemachus‹, abwickelt: Der 21jährige Stephen Dedalus, Dichter, Knabenlehrer und Pessimist, nimmt mit dem zynischen Medizinstudenten Buck Mulligan und dem »schwerfälligen Angelsachsen« Haines, einem Touristen in Sachen irischer Kultur, das Frühstück ein. Der Frühstücksraum und die Kanonenplattform oben auf dem Turm, auf der Mulligan den irischen Barden die Farbe »Rotzgrün« ans Herz legt, sind noch im Originalzustand belassen. Joyce verbrachte hier im September 1904 sechs Tage mit zwei Freunden und lebte so eigenhändig die lässig-ärmliche Bohème seiner jugendlichen Helden vor.

Wer nicht sklavisch den Schritten Dedalus' und Blooms folgen, sondern einen Eindruck vom 300 000-Seelen-Dorf Dublin um 1904 gewinnen möchte, der sehe sich die Eccles Street an, hier aber nun gerade nicht die berühmte No 7, das Wohnhaus Blooms und seiner Gattin Molly, das in den 70er Jahren einem Neubau weichen mußte, sondern die das ursprüngliche Aussehen bewahrenden georgianischen Häuser auf der gegenüberliegenden Straßenseite, z. B. No 77. Die Originaltür von No 7 steht heute im Café des besuchenswerten, in dem eleganten georgianischen Stadthaus des Grafen von Kenmare untergebrachten James Joyce Centre (35, North Great George's Street, geöffnet April–Oktober Mo–Sa 9.30–17, So 12–17, November–März Di–Sa 10–16.30, So 12.30–16.30). Mit Kunstausstellungen, einer Blibliothek, Bildern von Joyce, den ›Originalen‹ des »Ulysses« und des alten Dublin sowie Stadtführungen durch die nördliche Innenstadt kommt das Zentrum seinem Auftrag, der Verbreitung von Joyce' Leben und Werk, nach.

Lohnend ist auch ein Ausflug zum Glasnevin-Friedhof (s. S. 90), auf dem neben Joyces Eltern auch die berühmten Söhne des irischen Freiheitskampfes, Daniel O'Connell und Charles Stewart Parnell, ihre letzte Ruhe gefunden haben. Paddy Dignams Begräbnisprozession, übrigens die einzige im Roman nicht zu Fuß zurückgelegte Strecke, fährt an der Statue Daniel O'Connells (s. S. 71), der georgianischen Rotunda, dem Royal Canal (den Joyce dem griechischen Totenfluß Styx gleichsetzt; s. S. 89 f.) und dem Pub Brian Boroimhe House (1 Prospect Terrace) vorüber. Blooms und Dedalus' Spuren verlieren sich im Circe-Kapitel für den zeitgenössischen Pilger, denn den berühmten Rotlichtbezirk Dublins um den heutigen Busbahnhof gibt es nicht mehr.

Jedwedem Hungerbedürfnis kann man joyceanisch mit einem Lunch in Davy Byrne's Pub in der Duke Street begegnen. Das von Bloom gewählte Gorgonzola-Sandwich steht indes nur am Bloomsday auf der Speisekarte. Und in der Drogerie Sweny am Lincoln Place kann derjenige, der es Leopold Bloom an Sauberkeit gleichtun will, noch heute Zitronenseife erstehen.

mensioniert wirkt. Darüber prangen die Statuen Marias, des hl. Patrick und des hl. Laurence O'Toole, des Schutzpatrons Dublins.

Am oberen Ende der O'Connell Street, am Parnell Square, steht vor dem georgianischen **Rotunda Hospital** Charles Stewart Parnell auf hohem Sockel. Er blickte auf die Nelson-Säule – bis die IRA sie 1966 sprengte. Hier, in der nördlichen Innenstadt, lag James Joyce' ›Revier‹ (**James Joyce Centre,** s. S. 77).

Die **Municipal Gallery of Modern Art** (auch Hugh Lane Gallery), Parnell Square North, zeigt in gediegenen georgianischen Hallen neben französischen Impressionisten und Niki de St-Phalle irische Malerei und Skulptur des 20. Jh., z. B. Jack B. Yeats, William Orpen und Louis Le Brocquy (geöffnet Di–Fr 9.30–18, Sa bis 17, So 11–17 Uhr). Wenige Häuser weiter sieht man sich im **Dublin Writers Museum** Devotionalien, Autographen und Erstausgaben von Irlands literarischen Größen an, z. B. Presseausweis und Schreibmaschine von Brendan Behan. Im kostbaren georgianischen Saal im Obergeschoß sind sie in Bild und Plastik verewigt (geöffnet ist täglich 10–17, Sommer bis 18). Gleich um die Ecke erinnert der **Garden of Remembrance** an die Patrioten des Osteraufstands.

King's Inns, Henrietta Street, ein ebenfalls von James Gandon erbauter Komplex im klassizistischen Stil (1795–1817), ist auch heute noch Gerichtsstand.

Das ›Museumsviertel‹ und die georgianischen Plätze

Bis 1801 tagte in der heutigen **Bank of Ireland**, College Green, das Irische Parlament; der klassizistische Bau mit seinen imponierenden geschwungenen Säulengängen und den drei Portalen entstand 1729–1739 unter Edward Lovett Pearce; James Gandon trug spätere Ergänzungen bei. Man sollte es sich nicht entgehen lassen, im prunkvollen Schalterraum, einst die Tagungsstätte des Unterhauses, seine Schecks zu wechseln und das einstige Oberhaus zu besichtigen (Mo–Fr 10–16, Do bis 17).

Das **Trinity College** am College Green wurde 1592 durch Elisabeth I. als Bollwerk des englischen Protestantismus gegründet; Katholiken ließ man erst 1873, Frauen gar erst 1904 zu. Im Gegenzug verbot die katholische Kirche ihren Mitgliedern bis in die 60er Jahre hinein den Besuch der als liberal verschrienen Universität – woran sich allerdings viele Katholiken wegen der hohen Qualität der hier gebotenen Ausbildung nicht hielten. Berühmte Absolventen waren Oliver Goldsmith, Jonathan Swift, Robert Emmet, Henry Grattan, Theobald Wolfe Tone sowie Samuel Becket. Die heutigen Gebäude stammen größtenteils aus georgianischer Zeit oder aus dem 19. Jh. Trinity mit seinen Grünanlagen stellt in der hekti-

Im eleganten Powerscourt Town Centre

schen City eine Oase der Ruhe dar, die viele Dubliner in ihrer Mittagspause oder während des Einkaufsbummels zum Erholen oder Picknicken nutzen. In der 1712–32 erbauten Bibliothek läßt die eichenholzgetäfelte Long Hall mit 200 000 schweinsledergebundenen Büchern (s. Abb. S. 40/41) Bibliophilenherzen höher schlagen. Das ›schönste Buch der Welt‹, das **Book of Kells,** hat nun seine eigene Ausstellung, die es zusammen mit dem Book of Durrow und dem Book of Armagh in den Kontext der zeitgenössischen Goldschmiede-, Email- und Steinmetzkunst stellt. Es wurde um 800, vermutlich im schottischen Kloster Iona, in Majuskeln, Großbuchstaben, geschrieben und enthält den Text der vier Evangelien. Satt nachgedunkelte Farben, üppiges Ornamentflechtwerk, kunstvolle Initialen und schalkhafte Randzeichnungen wie z. B. Kätzchen – dies ist der Gipfel irischer Buchmalerei (geöffnet Mo–Sa 9.30–17, So 12. Juni–September 9.30–16.30).

Die **Grafton Street**, Dublins noble Einkaufsmeile, ist das Haupteinsatzgebiet der *Buskers,* die vor Selbstbedienungsrestaurants und gediegenen Herrenausstattern auf dem vielgetretenen Pflaster musizieren. Am oberen Ende der Grafton Street steht das Bronzedenkmal der resoluten Fischhändlerin Molly Malone, von den Dublinern verächtlich »*The tart with the cart*« (die Nutte mit dem Wagen) genannt. 1771–74 entstand **Powerscourt Town Cen-**

tre, South William Street, das Stadtpalais von Lord Powerscourt mit elegantem überdachtem Innenhof und Galerien. Seit 1983 beherbergt es ein beliebtes Einkaufszentrum mit zahlreichen Geschäften, kleinen Restaurants und Galerien. Das **Mansion House**, Dawson Street, dient seit 1715 als Wohnsitz des Lord Mayors, des für ein Jahr gewählten Bürgermeisters. Die Dawson Street säumen traditionsreiche, gutsortierte Buchhandlungen, Galerien und schicke Cafés.

Der größte Platz Europas, **St. Stephen's Green**, bietet einige schöne Beispiele georgianischer Stadthäuser (s. Abb. S. 53). Das elegante **Newman House,** einst Sitz der katholischen Universität, kann man in all seiner Stuckpracht besichtigen (Haus No. 85/86, geöffnet Juni–September Di–Fr 10–16, Sa 14–16.30, So 11–14). Im Shelbourne Hotel von 1867 wurde im Raum 112 die Verfassung des Irischen Freistaates ausgearbeitet. Vor und in dem Park stehen zahlreiche Denkmäler und Statuen (u. a. ein William Butler Yeats-Memorial von Henry Moore). Vom Rentner über den Geschäftsmann bis zum Touristen trifft sich hier ›tout Dublin‹ zum Spazierengehen, Zeitunglesen oder Entenfüttern.

Das **Nationalmuseum**, Kildare Street, besitzt die bedeutendste Sammlung altirischer Kunst. Besondere Aufmerksamkeit verdienen die Metallschmiedearbeiten im *Treasury:* der Hort von Ardagh mit dem berühmten Sakralkelch (8. Jh., aus Silber und Bronze), Bronzearbeiten und Fibeln, unter denen die sog. Tara-Fibel, eine silbervergoldete Ringfibel aus dem 8. Jh., hervorsticht. Das Dekor zeigt auf der Vorderseite Tierornamente und einfaches Flechtmuster in Gold-

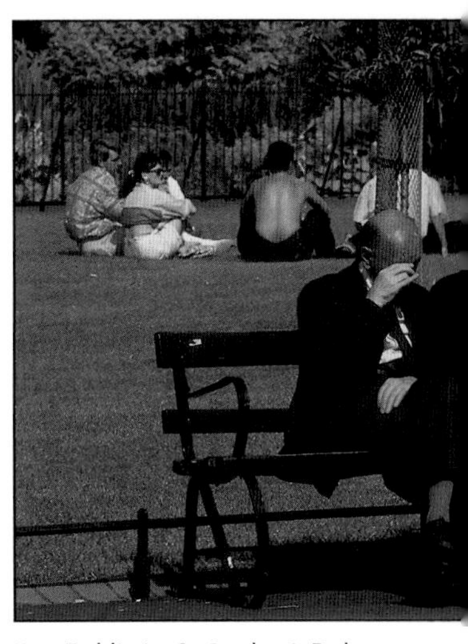

Tout Dublin im St. Stephen's Park

filigran, auf der Rückseite gegossenen, imitierten Kerbschnitt im spätesten La Tène-Stil. Weitere kunstvolle Zeugnisse aus der altirischen Zeit sind der Krummstab von Clonmacnoise (11. und 15. Jh.), Reliquiare, auch für Bücher (besonders schön der Einband für das Stowe-Missale), und die eiserne Glocke des hl. Patrick (6.–8. Jh.). Die insgesamt kleinformatigen Objekte enthüllen erst bei genauerem Hinsehen ihren enormen Dekorreichtum. Der an sich schon interessante viktorianische Museumsbau zeigt u. a. noch kostbare Funde aus megalithischer Zeit, z. B. einen kleinen Axtkopf aus Knowth, Dokumente zum Osteraufstand und einen neu konzipierten Wikinger-Saal (Di–Sa 10–17, So 14–17).

Zwischen dem Nationalmuseum und der **Nationalbibliothek**, deren alten Lesesaal man besichtigen kann (Mo 10–21, Di/Mi 14–21, Do/Fr 10–17, Sa 10–13), liegt das **Leinster House**, Kildare Street. Der heutige Sitz des *Dáil Éireann*, des irischen Parlaments, war ursprünglich ein für den Grafen Kildare 1745–48 von Richard Cassels erbautes Stadtpalais. An den für das Festjahr 1991 gereinigten **Regierungsgebäuden** (s. Abb. S. 32) vorbei gelangt man zum **Naturkundemuseum**, in dessen noch ganz von der Museumsdidaktik des 19. Jh. geprägten hehren Hallen die – ausgestopfte – irische Tierwelt und u. a. ein Skelett des berühmten Irischen Riesenhirsches präsentiert werden (geöffnet Di–Sa 10–17, So 14–17).

Am Merrion Square West zeigt die **Nationalgalerie**, eine 1864 von dem irischen ›Eisenbahnkönig‹ Dargan gestiftete Sammlung, heute neben 2000 Gemälden europäischer Meister des 14.–20. Jh. (u. a. Goya, Gainsborough, Rembrandt, Rubens,) vor allem die berühmte ›Irische Schule‹ mit Werken von Nathaniel Hone, William Mulready, Walter F. Osborne, William J. Leech, William Orpen, John B. Yeats und auch den kühnen expressionistischen Bildern aus der Spätphase des Jack B. Yeats (geöffnet Mo–Sa 10–17.30, Do bis 20.30, So 14–17; Restaurant s. S. 92).

Der längliche **Merrion Square** gilt zu Recht als Juwel georgianischer Wohnarchitektur. Durch die verschiedenfarbigen Türen, die berühmten ›Dublin Doors‹, konnten die ehemaligen Bewohner eine individuelle Note in die ansonsten vorgeschriebene backsteinerne Stadtarchitektur einbringen. Plaketten geben genaue Auskunft, wo welche Berühmtheit wann gelebt hat, so z. B. William Butler Yeats im Haus No. 82. Dieses ›Aushänge-

Georgianische Stadthäuser in Dublin

Im 18. Jh., zur Zeit der protestantisch-englischen Vorherrschaft (Protestant Ascendancy), wurde Dublin zu einer der elegantesten europäischen Hauptstädte, planvoll angelegt wie später Paris unter Napoleon III. Den 1757 per Gesetz – erlassen von dem noch eigenständigen irischen Parlament in der heutigen Bank of Ireland – berufenen ›Wide Street Commissioners‹ oblag es, alte, heruntergekommene Gebäude abzureißen, breite neue Durchfahrtstraßen und einheitliche Straßenzüge und Plätze zu schaffen und über die Sauberkeit der neuen ›Planstadt‹ zu wachen. Die Ideale dieser nach den drei Georgs auf dem englischen Königsthron (1714–1820) benannten georgianischen Epoche waren Harmonie und Eleganz, Regelmäßigkeit und Symmetrie, Vernunft und verfeinerter Lebensstil.

All dies spiegelt sich in den Stadthäusern der Zeit wider, den Wohnsitzen des Adels und des (sehr) reichen Bürgertums. Von außen wirken die drei- bis vierstöckigen Ziegelhäuser einheitlich, beinahe monoton: ein für Dienstboten und Küche vorgesehenes Souterrain (heute oft von Restaurants, Bars oder Galerien genutzt), ein mit Schiefer gedecktes Spitzdach mit unzähligen Kaminschloten, granitene Treppen, die zur nicht zentral gelegenen Eingangstür führen, hohe, weißgestrichene, durch Sprossen unterteilte Fenster.

Bei näherem Hinsehen erst bemerkt man die feinen Unterschiede, mittels derer die Besitzer die von der Städtebaukommission vorgeschriebene Grundbauform zu variieren verstanden: die fächerförmigen Oberlichter über den Türen, die Messingtürklopfer (s. Abb. oben), die Eisengeländer über dem Souterrain oder vor den Fenstern, die Fußabtreter oder die Deckplatten für die Kohleöffnungen. An manchen Geländern sind noch die Eisenhalterungen für die Fackeln zu sehen, denn einst war jedes fünfte Haus verpflichtet, für die Straßenbeleuchtung zu sorgen. Bei Dämmerung, wenn das Innere der Häuser erleuchtet ist, kann man vor allem am St. Stephen's Green lohnende Streifzüge auf die Innenausstattung unternehmen. Insbesondere der Flur und der Salon zur Straße hin sind reich mit Stuck und in Pastelltönen gehaltenen Wandbemalungen verziert.

Die 200 000 Bewohner Dublins im 18. Jh. lebten in etwa innerhalb der Zone zwischen dem Grand Canal im Süden und dem Royal Canal im Norden. Dieses recht kompakte georgianische Kerngebiet erwandert man sich am besten zu Fuß; besonders lohnende Züge sind das Gebiet südöstlich der berühmten Plätze St. Stephen's Green und Merrion Square, vor allem Fitzwilliam Square, Lower Fitzwilliam Street und Lower Baggot Street. Am Herbert Place säumen zweistöckige Bürgerbauten – je geringer der gesellschaftliche Rang, desto weniger Stockwerke – den Grand Canal. In Privatbesitz liebevoll restaurierte Gebäude stehen neben stark heruntergekommenen, deren Öffnungen mit Brettern vernagelt sind. Eine der schönsten Wohnstraßen liegt südlich außerhalb der Kernzone: Wellington Place, ein von seinen betuchten Bewohnern vortrefflich gepflegter kompletter georgianischer Straßenzug mit weiten Vorgärten. Bei einem Bummel durch Dublin zeigt sich, daß Häuser im Besitz zahlkräftiger Firmen aus der Werbebranche gut in Schuß gehalten werden, während andere Gebäude, selbst in den ›besseren‹ Wohnvierteln, bedenklich verrotten. Auch Fassadenkosmetik läßt sich beobachten: Hinter georgianischen Schaufassaden zieht man moderne Bürohäuser hoch.

Als die angloirischen Aristokraten nach der Union von 1801 ihre Dubliner Stadtsitze mit solchen um London herum vertauschten, sank die gesellschaftliche Stellung der neuen Mieter sukzessive, bis die einst herrschaftlichen Palais schließlich in viele kleine Mietwohnungen aufgeteilt wurden. Der Mittelstand zog ebenfalls aus der City fort in südliche Vororte wie Donnybrook, Ranelagh und Rathmines oder Marino im Norden. Während des Ersten Weltkriegs wurden die Mieten für diese Altbauten per Gesetz eingefroren, kein Hausbesitzer steckte noch Geld in Reparaturen – die Bauten verfielen rapide.

Die Bausünden der 60er Jahre sind überall in Form von häßlichen, in ihrer Umgebung wie Fremdkörper wirkenden Büro- und Hotelkomplexen aufzuspüren – oder gar staatlichen Bauten wie dem der Energieversorgungsbehörde, der an der Fitzwilliam Street den längsten komplett georgianischen Straßenzug der Welt zerstörte. Die Urban Salvation Front verleiht alle drei Jahre die ›Nicolae Ceaucescu-Gedächtnismedaille‹ an Persönlichkeiten, die sich um die Zerstörung des alten Dubliner Stadtbildes besonders verdient gemacht haben: Die ›Gewinnerliste‹ liest sich inzwischen wie ein Who's Who der irischen Politprominenz.

schild‹ der Stadt präsentiert sich schmuck renoviert.

Im georgianischen **Number 29**, Fitzwilliam Street, wirft man einen Blick ins Alltagsleben einer gutsituierten Dubliner Familie aus dem 18. Jh. Vom Dienstbotenkeller über die Repräsentationsräume bis zu den Dachkammern für die Kinder ist alles originalgetreu eingerichtet und wird auf einer Führung detailliert und liebevoll erläutert (geöffnet Di–Sa 10–17, So 14–17).

Rund um Dublin Castle und Temple Bar

Dublin Castle, Cork Hill, entstand bereits unter den Normannen, im wesentlichen jedoch unter Johann Ohneland 1208–1220, wovon nur noch der Record Tower im Südosten zeugt. Die heute zu besichtigenden, um zwei Höfe gruppierten Gebäude stammen aus dem 18. und 19. Jh., als Dublin Castle Sitz des verhaßten englischen Lord Lieutenants war. Heute spielt sich u. a. die alle sieben Jahre stattfindende Amtseinführung des Staatspräsidenten in der St. Patrick's Hall ab. Für die EU-Präsidentschaft Irlands im ersten Halbjahr 1990 wurde Dublin Castle grundlegend renoviert und teilweise zu einem modernen Kongreßzentrum umgestaltet. Zu besichtigen sind die State Apartments (Führung), die historistische Kapelle im Stile der Spätgotik sowie die Ausgrabungen wikingischer und normannischer Fundamente (geöffnet Mo–Fr 10–17, Sa/So 14–17, bei Staatsbesuchen und Konferenzen geschlossen).

Das **Rathaus** (City Hall) in der Lord Edward Street diente zunächst als Börse; es entstand ab 1769 nach Entwürfen von Thomas Cooley im klassizistischen Stil mit korinthischem Portikus und überkuppelter Halle (geöffnet Mo–Fr 10–12.15 und 14–17, Sa/So 14–17). Die Lord Edward Street war der erste der von den ›Wide Street Commissioners‹ angelegten Straßenzüge (s. S. 82).

Das **Temple Bar-Viertel** zwischen Dame Street und Liffey, ein ehemaliges Sanierungsgebiet, ist Dublins quirligste und jüngste Attraktion: schreiend bunte Graffitis, alternative Läden und Restaurants, Pubs – abends tobt hier das Leben –, das Künstlerzentrum Projects Arts Centre, das Irish Film Centre mit empfehlenswertem Restaurant, Temple Bar Galerie und ein Plattenstudio, DESIGNyard und Kinderkulturzentrum The Ark. Gußeisern verschnörkelt schwingt sich vor dem Merchants' Arch, dem Eingangstor zu Dublins Kreuzberg-Viertel, die Fußgängerbrücke **Halfpenny Bridge** über die Liffey.

Als Wikinger verkleidete Schauspieler führen einen durch **Dublin's Viking Adventure** (Essex Street West, geöffnet Mo–Sa 10–16.30, So 11.30–17.30; kleines Museum). Das Spektakel macht vor allem

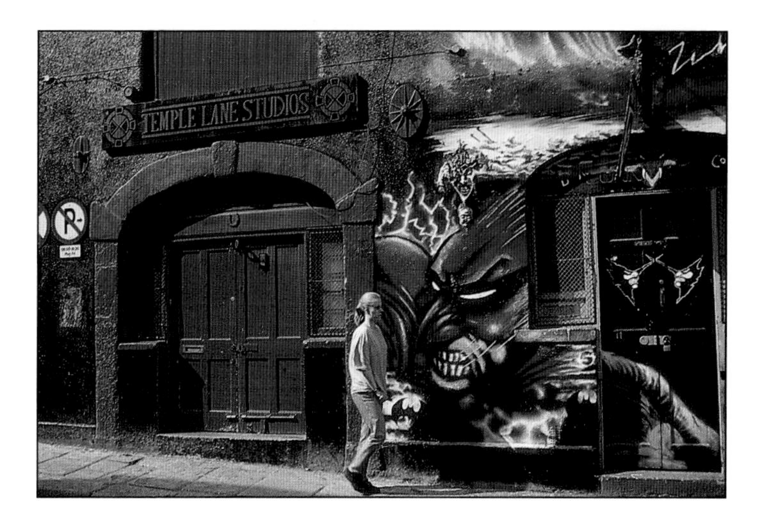

Kindern Spaß. Die echten wikingischen Hinterlassenschaften am Wood Quay wurden durch den Bau des postmodernen Gebäudes der Stadtverwaltung vernichtet.

Den Obersten Gerichtshof **Four Courts** am Inns Quay errichtete James Gandon Ende des 18. Jh. Der klassizistische Kuppelbau mit seiner bald 140 m langen Fassade dominiert die oberen Quays wie Custom House die unteren am Hafen. In der Nacht vom 13. auf den 14. April 1922 läutete die Besetzung des Gebäudes durch IRA-Truppen den irischen Bürgerkrieg ein. Father Mathew's Bridge – dieser Prediger führte im 19. Jh. eine erbitterte Kampagne gegen den irischen ›Spezialteufel‹ Alkohol – liegt an der Stelle jener Furt, der Dublin seinen gaelischen Namen verdankt. **St. Michan's Church**, Church Street, stammt vom Ende des 17. Jh. Auf der damals noch intakten Orgel in der Eingangshalle soll Händel 1742 anläßlich der Uraufführung des »Messias« gespielt haben. In den schaurigen Gewölben kann man noch etliche Mumien, angeblich Kreuzfahrer, ›besichtigen‹, die durch die dort herrschende trockene, säurehaltige Atmosphäre konserviert wurden (geöffnet Mo–Fr 10–12.45 und 14–16.45, jedoch derzeit geschlossen wegen Restaurierung). Im neuen audiovisuellen Spektakel der **Irish Whiskey Corner** geht, riecht und schmeckt man sich durch die Welt des Lebenswassers (geöffnet täglich 10–18). Das umliegende Viertel ist Gegenstand des neusten Stadtsanierungsprojekts.

Geht man an der im Ursprung normannischen **St. Werburgh**

Church die Bride Street hoch, gelangt man in die **Liberties**, Dublins ältestes Arbeiterviertel, in deren backsteinernen Mietskasernen sich der städtische Verfall besonders deutlich spiegelt.

Als Staatskirche der protestantischen Church of Ireland dient heute **St. Patrick's Cathedral**, Patrick Street, während Christ Church die Kathedrale des Erzbistums Dublin ist. John Comyn ließ diese dreischiffige Basilika mit Querschiff und rechteckig abschließendem Chor gegen Ende des 12. Jh. außerhalb der damaligen Stadtmauern errichten, um der in Christ Church herrschenden gerichtlichen Oberhoheit der Stadt Dublin zu entfliehen. Im 13. Jh. gestaltete man die Kathedrale im Early English-Stil um. Nach wechselvollen Zerstörungen – Cromwells Truppen diente das Gebäude als Pferdestall – und Umbauten stellte Sir Benjamin Guinness dann die Mittel zu ihrer Restaurierung zur Verfügung (1864–1869); sein Denkmal von John Foley ziert den Rasen vor der südlichen Außenwand der Kathedrale. Jonathan Swift (s. S. 59f.) wirkte von 1713 bis zu seinem Tode 1745 als Dekan von St. Patrick (Totenmaske, Kanzel u. a. Reliquien in der Swift-Ecke). Man beachte vor allem die vielen Grabdenkmäler, so auch Epitaph und Grab von Swift neben seiner Lebensgefährtin ›Stella‹ und die Gedenkplatte für den ›letzten Barden Irlands‹, Turlough O'Carolan (geöffnet Mo–Fr 9–18, Sa 9–17, So 10–11, 12.45–15).

Die sehenswerte **Marsh's Library**, St. Patrick's Close, war die erste öffentliche Bibliothek des Landes (gegründet 1701); die kuriosen Gitterverschläge sollten den Diebstahl von Büchern verhindern (geöffnet Mo, Mi–Fr 10–12.45, 14–17, Sa 10.30–12.45).

Die heute ebenfalls im Besitz der Church of Ireland befindliche **Christ Church Cathedral**, Christ Church Place, wurde 1038 von Dunan, dem ersten Bischof Dublins, auf einem Grundstück gegründet, das ihm der Wikinger-König Sigtryggr (›Silberbart‹) überlassen hatte. Aus der ersten Bauphase der von Strongbow und dem Dubliner Erzbischof, dem hl. Laurence O'Toole, begonnenen normannischen Kathedrale blieb die Krypta erhalten, die einzige in Goßbritannien und Irland, die sich unter der vollen Länge des Hauptschiffes entlangzieht. Auch das südliche Querschiff zeugt noch von diesem romanischen Bau. Obwohl der Normanne Strongbow (gestorben 1177) in der Kathedrale bestattet wurde, stellt die Grabfigur eines Ritters in Rüstung im südlichen Seitenschiff ihn entgegen der lokalen Tradition nicht dar. Die unter dem Druck der Steinmassen schon ganz einwärts gekrümmte Nordwand des Mittelschiffs ist noch das Original des 13. Jh., der überwiegende Rest jedoch Ergebnis der Restaurierungen in den 70er Jahren des 19. Jh. Besonders schön ist der Fußboden aus Bilderkacheln mit 63 verschiedenen Motiven, u. a. Füchse als Bettelmönche – wegen deren Schlauheit beim Almosensammeln –, im 19. Jh. nach gefundenen Originalen des 13. Jh. angefertigt. In Christ Church schworen der Lord Lieutenant und die hohen Kronbeamten ihren Treueid, hier trat das irische Parlament zusammen, und 1487 wurde der Kronprätendent Lambert Simnel hier als König Eduard VI. von England gekrönt – er endete als Küchenjunge bei König Heinrich VII. (geöffnet täglich 10–17).

In den stilvollen viktorianisch-neogotischen Räumen gegenüber dem Eingang von Christ Church wartet eine von Dublins neuesten Attraktionen: **Dublinia**. Man schlendert durch die liebevoll mit Puppen nachgestellten Stationen der Stadtgeschichte und bewundert die wikingischen Funde der Ausgrabungen am Wood Quay – wo leider gegen den Willen vieler Dubliner ein moderner Bürokomplex hochgezogen wird (geöffnet April–September täglich 10–17, Oktober–März Mo–Sa 11–16, So 10–16.30).

Zur alten **St. Audoen's Church** gelangt man vom Hintereingang in der Cook Street. Vorbei an den Resten der Stadtbefestigung mit dem einzigen erhaltenen Stadttor, dem St. Audoen's Gate, geht es ein paar Stufen hinauf zu der lange Zeit protestantischen Kirche. Älteste Teile stammen wohl vom Ende des 12. Jh., vielleicht sind sogar Partien einer frühmittelalterlichen Kirche des hl. Columkille eingearbeitet. Im Turm hängt Irlands älteste Glocke von 1423 (So zum Gottesdienst).

Außerhalb der City

In dem riesigen, 1704 gebauten Kasernenkomplex der **Collins Barracks,** Benburb Street, zeigt das National Museum seine bislang eingelagerten Schätze: Möbel, Musikinstrumente, mittelalterliche religiöse Plastik, Silber, Kleidung, Volkskunst wie die St. Brigit-Kreuze, Alltagsgegenstände wie alte Hurling-Bälle u.v.m. – ein wundervolles Museum, das noch wächst (geöffnet Di–Sa 10–15, So 14–15).

Die **Guinness Brewery**, James's Street, auf ihrem über 240 000 m^2 großen Gelände war bis 1935 die größte Brauerei der Welt und bildet noch heute eine ›Stadt in der Stadt‹; der hier entweichende Malzgeruch breitet sich bei entsprechendem Wind über ganz Dublin aus. Das Museum zur Firmen- und Biergeschichte ist trotz seines ausgeprägten Werbecharakters sehenswert. Besonders das Transportmuseum macht deutlich, wie sehr der Erfolg der Brauerfamilie davon abhing, sich den jeweils neuesten technischen Entwicklungen anzupassen (Crane Street; geöffnet täglich 9.30–16/17; s. S. 24).

Das älteste (letztes Viertel 17. Jh.) und größte klassizistische Gebäude Irlands, das **Royal Hospital**, Kilmainham, wurde dem Hôtel des Invalides in Paris nachempfunden und diente als Altersheim für Veteranen. Das vorbildlich restaurierte Gebäude mit sehenswerter Innendekoration beherbergt nun das Irische Museum für Moderne Kunst, das ständig wechselnde Ausstellungen zeigt (Di–Sa 10–17.30, So 12–17.30; Café).

Von 1796–1924 diente **Kilmainham Gaol**, Inchicore Road, als Inhaftierungsort für politische Häftlinge, u. a. für den späteren Minister- und Staatspräsidenten Éamon de Valera, der der Hinrichtung nur aufgrund seiner amerikanischen Staatsbürgerschaft – er wurde in New York geboren – entging. Heute befindet sich in der großen Gefängnishalle eine Ausstellung zu Irlands gescheiterten Aufständen.

Die Zelle, in der Robert Emmet die letzte Nacht vor seiner Hinrichtung verbrachte, Charles Stewart Parnells komfortables ›Zimmer‹, eine Zelle für Geisteskranke sowie eine ›Spukzelle‹ und die Gedenkstätte im Gefängnishof, wo die 15 Führer des Osteraufstands am 3. 5. 1916 hingerichtet wurden, sind mit Führung zu besichtigen. Wohl kein Besucher wird sich der beklemmenden Atmosphäre entziehen können (geöffnet Oktober–März Mo–Fr 9.30–17, So 10–18, April–September täglich 9.30–18).

Nördlich vom Stadtteil Kilmainham erstreckt sich auf über 4 km Länge und 2 km Breite der **Phoenix Park**, Dublins grüne Lunge, in der sich neben der Residenz des Staatspräsidenten und zahlreichen Sportanlagen (Polo s. S. 245) auch der **Zoo**, einer der ältesten Europas, befindet. Doch sogar seine Star-Löwen, die bei Metro-Goldwyn-Mayer Karriere gemacht haben, konnten die permanente Geldmisere des von der Schließung bedrohten Zoos nicht beheben (geöffnet Mo–Sa 9.30–18, So ab 10.30). Im Park, neben dem **Ashtown Castle**, einem Tower House aus dem 17. Jh., ist ein Besucherzentrum zu Ökologie und Geschichte der Grünanlage entstanden (geöffnet täglich 9.30–17/18, November–Mitte März nur Sa/So; Führungen durch das Präsidentenpalais).

Im Stadtteil Kilmainham beginnt auch der Dublin südlich im Halbkreis umschließende **Grand Canal**. Bereits im 18. Jh. gebaut, verband er Dublin mit dem Shannon und dem Westen Irlands; die Lastkähne auf dieser zur damaligen Zeit für den irischen Handel außerordentlich wichtigen Transportverbindung beförderten u. a. Torf und Ziegel sowie die Rohprodukte für das Guinness zur Brauerei an der St. James's Street und das fertige Stout von dort in alle Welt. Obwohl der Kanal 1960 geschlossen wurde, ist er zum Großteil für den Freizeitverkehr noch befahrbar, und auch viele der Schleusen, interessante industrietechnische Denkmäler, funktionieren noch. In Dublin scheint der Kanal als Wohngebiet wieder schick zu werden, wie teure Apartmenthäuser im Stil der Postmoderne z. B. um Portobello Harbour zeigen. Schöne Spaziergänge kann man von Windsor Terrace bis Portobello Harbour und vor allem von Wilton Terrace bis Warrington Place machen. Grand Canal und Royal Canal markieren

Patrick Kavanagh, Grand Canal

in etwa die Stadtgrenze des 19. Jh. und werden heute als ›Grenzen‹ der Innenstadt betrachtet.

Das ›schwimmende‹ **Waterways Visitor Centre** am Grand Canal Basin informiert über die 200jährige Geschichte von Irlands Binnenwasserwegen (geöffnet Juni–September täglich 9.30–18.30, sonst Mi–So 12.30–17).

Die **Chester Beatty Library and Gallery of Oriental Art**, 20 Shrewsbury Road, Ballsbridge, zeigt die sehenswerte Sammlung von Sir Alfred Chester Beatty, u. a. persische, armenische und spätmittelalterliche französische Handschriften, islamische Kunst und japanische Drucke (geöffnet Di–Fr 10–17, Sa 14–17; soll in Gebäude am Dublin Castle umziehen).

Im Norden Dublins, im Stadtteil Marino auf dem Weg nach Howth, liegt einer der schönsten georgianischen Bauten der Hauptstadt, das **Casino Marino**, Malahide Road. Die palladianische Villa mit ihrem Zentralgrundriß, vier Portiken und prächtigem georgianischen Dekor ließ Lord Charlemont 1758 errichten (geöffnet Februar–April und November So und Mi 12–16, Juni–September täglich 9.30–18.30, Mai und Oktober täglich 10–17).

Weiter südlich beginnt der **Royal Canal**, der, sozusagen, spiegelbildlich zum Grand Canal, einen nördlichen Halbkreis um Dublin schlägt. 1789 von Long John Binns als Konkurrenz zum Royal Canal begonnen, rentierte sich dieser künstliche Wasserweg jedoch nie so recht, denn auch er verbindet Dublin mit dem Shannon. Die Kanalumgegend ist heute indes viel trister als die des Grand Canal.

Im Stadtteil Glasnevin grenzt der **Glasnevin** oder **Prospect Cemetery** (Eingang Finglas Road) an den Royal Canal. Unter einem nachgebauten Rundturm liegt hier Daniel O'Connell, der ›Liberator‹, und unter einem neomegalithischen Granitklotz Charles Stewart Parnell begraben. Das Meer der keltischen Grabkreuze des 19. Jh. zeugt deutlich vom patriotischen Bürgerstolz jener Zeit. Interessant bis makaber ist die große Rotunda mit den Grüften der reicheren Familien im ›Souterrain‹. Am Eingang des Friedhofs steht noch einer der ehemaligen Wachtürme, deren Mannschaften einst gegen Leichenräuber vorgehen sollten (geöffnet täglich 8.30–17; Heritage Map; Führungen: ✆ 01/8 30 11 33).

Das Gebiet des Friedhofs geht nach Norden zu in den **Botanischen Garten** über – der Eingang liegt an der Botanic Road. Der 1795 gegründete Park steht seit 1878 unter staatlicher Leitung. Über 20000 Pflanzenarten gibt es in diesem beliebten Dubliner Erholungsgebiet zu sehen. Die viktorianischen Glasgewächshäuser, deren Gußeisensprossen leider wohl zu verrottet sind, als daß man sie noch restaurieren könnte, sollte man sich ansehen, solange das noch möglich ist (täglich geöffnet, Sommer: Mo–Sa 9–18, So 11–18; Winter: Mo–Sa 10–16.30, So 11–16.30).

Praktische Hinweise für den Dublin-Besuch

Tourist Information: Dublin Tourism Centre, Suffolk Street, (2), ✆ 01/6 05 77 00, Fax 01/6 05 77 57, in neogotischer St. Andrew's Church: Buchungen, Infos, Broschüren, z. B. zu ausgeschilderten Stadtrundgängen (Georgian, Old City, Malton, Cultural, Rock'n Stroll), Café. Temple Bar Information Centre: 18 Eustace Street, ✆ 01/6 77 22 55, Fax 01/6 77 25 25. Literary Pub Crawl, Beginn The Duke, Duke Street, ✆ 01/4 54 02 28 oder Dublin Tourism. Musical Pub Crawl, Beginn Oliver St. John Gogarty's, ✆ 01/47 01 93. Veranstaltungskalender: »In Dublin«, alle zwei Wochen Do; »Hot Press«, zweiwöchig, Musiktermine u. m.

Zug: Hauptbahnhof Connolly Station, Amiens Road; Heuston Station (8, Richtung Süden/Südwesten); Auskunft ✆ 01/8 36 33 33.

Bus: Hauptbusbahnhof Store Street, hinter dem Custom House; Auskunft ✆ 01/8 36 61 11. Dublin Bus, 59 Upper O'Connell Street, ✆ 01/8 73 42 22. Recht preiswert mit dichter Busfolge, an manchen Haltestellen kein genauer Fahrplan; verkehrt von werktags 6.30 und So 9.30 bis 23.30; Tickets beim Fahrer. **Dart** (Dublin Rapid Transit System) die einzige Schnellbahnlinie der Welt mit Lyrikaufschriften neben den Reklameschildern, verbindet im 15-Minuten-Rhythmus alle Vororte entlang der Dubliner Bucht von Howth im Norden bis Bray im Süden (7–24 Uhr). Von Dublin gehen Zug- und Expresswaystrecken in alle Richtungen. Dublin Bus und Bus Eireann bieten Touren nach Glendalough, in die Wicklow Mountains, ins Boyne-Tal, zum Shannon u. a.

Flugzeug: Dublin Airport, 9 km nördlich, ✆ 01/8 44 49 00, Unterkunft, Restaurants, Busse nach Dublin.

Fähre: Von Liverpool Anlegestation bei Clontarf, von Holyhead in Dun Laoghaire.

Fahrradverleih: Square Wheel Cycleworks, Temple Lane (2); weitere Verleiher s. S. 242.

Service: Autoverleih: Argus, 59 Terenure Road East, (6), ✆ 01/4 90 44 44; Eurodollar, Stillorgan Road, (4), ✆ 01/2 60 37 71. Beide u. v. a. auch am Flughafen. Taxi: ✆ 01/6 77 22 22.

Unterkunft: (Ziffern in Klammern beziehen sich auf die Bezirke von Dublin City).
Hotels: ***** Shelbourne, St. Stephen's Green, ✆ 01/6 76 64 71, (2), Irlands traditionsreichstes Hotel, s. S. 80; **** Davenport, Merrion Square, ✆ 01/7 07 35 00, (2), frisch renoviert, Luxus unter georgianischer Kirchenfassade; **** Gresham, 20/22 Upper O'Connell Street, ✆ 01/8 74 68 81, (1), hier wohnte schon Marlene Dietrich, Heiratslokal der Dubliner Society; *** Blooms, Hotel, 6 Anglesea Street, Temple Bar, ✆ 01/6 71 56 22, (2); *** Longfields, 9/10 Lower Fitzwilliam Street, ✆ 01/6 76 13 67, (2), empfehlenswert, intimer Luxus in georgianischem Stadthaus; *** Sachs, Morehamptom Road, ✆ 01/6 68 09 95, (4), ruhig, georgianisches Haus; Merrion Square Manor, 31 Merrion Square, ✆ 01/6 62 85 51, georgianisches Stadthaus, innen ganz neu und geschmackvoll renoviert, phantastisches Frühstücksbuffet, mittlere Preise; ** Georgian House, 18 Lower Baggot Street, ✆ 01/6 61 88 32, (2), und ** Landsdowne, 27 Pembroke Road, ✆ 01/6 68 25 22, (4) – zwei schöne georgianische Häuser; * Kelly's, 36 South Great George Street, ✆ 01/6 77 92 77, (2), preiswert, familiär.
Guest Houses: **** Anglesea Town House, 63 Anglesea Road, ✆ 01/6 68 38 77, (4), preisgekrönt, edwardianischer Bau; *** Fitzwilliam, 41 Upper Fitzwilliam Street, ✆ 01/ 6 60 04 48, (2), empfehlenswert, georgianisch; *** Mount Herbert, 7 Herbert Road, ✆ 01/6 68 43 21, (4), mit Sauna; Number 31, 31 Leeson Close, ✆ 01/6 76 50 11, (2),

Wenn die Beine nicht mehr wollen: Dublin verfügt über ein ausgezeichnetes Busnetz

georg. Haus, eine Oase. **B & B:** Es gibt ca. 200 private Unterkunftsmöglichkeiten in Dublin, die jedoch oft kein Schild draußen haben; Preise im Schnitt einige Pfund höher als anderswo; etwas außerhalb in Stadtteilen Ballsbridge (4), Ratfarnham (14), Rathmines, Ranelagh und Rathgar (6); an Straße nach Howth und in Dun Laoghaire. Empfehlenswert, in historischen Häusern in Ballsbridge (4) und Gehentfernung zur Innenstadt: Mrs. M. Egan, 49 Haddington Road, ✆ 01/6 60 09 74; Mrs. S. Matthews, 5 Pembroke Park, ✆ 01/6 60 29 31; Mrs. T. Muldoon, 4 Pembroke Park, ✆ 01/ 6 60 60 96.

Jugendherbergen und Hostels, Selbstversorger: Dublin International Youth Hostel, 61 Mountjoy Street, ✆ 01/8 30 17 66, (7), in umgebautem, alten Kloster; »Goin' My Way«, 15 Talbot Street, ✆ 01/8788484, (1); ISAAC's, 2–5 Frenchman's Lane, ✆ 01/8 55 62 15, (1), Einzel- bis Mehrbettzimmer, in altem Weinlagerhaus; Kinlay House, 2–12 Lord Edward Street, ✆ 01/6 79 66 44, (2); UCD Village, University College, Belfield, ✆ 01/2 69 71 11, (4); Trinity College, Accommodation Office, ✆ 01/6 08 11 77, (2) – Selbstversorger und Uni-Unterkunft.

Restaurants: Dublin hat sich in den letzten Jahren zu einem kulinarischen Zentrum mit irischer und internationaler Küche gemausert: **Gourmet:** L'Ecrivain, 109 Lower Baggot Street, ✆ 01/6 61 19 19, (2), frankoirisch, *perfect*; Muscat, 64 South William Street, ✆ 01/6 79 76 99, (2), locker, im Basement, superbes Essen; Number 10, 10 Lower Fitzwilliam Street, ✆ 01/6 76 13 67, (2), georgianisch elegant. **Jung, innovativ, preiswerter:** Chapter One, 18/19 Parnell Square, ✆ 01/8 73 22 81, (1), im Writers Museum; Cornucopia, 19 Wicklow Street, ✆ 01/6 77 75 83, (2), vegetarisch; Elephant & Castle, 18 Temple Bar, ✆ 01/6 79 31 21, (2), quirlig bis chaotisch, lecker, eine Institution; Gallagher's Boxty House, 20/21 Temple Bar, ✆ 01/6 77 27 62, (2), Kartoffelpfannkuchen, touristisch-rustikal; Mermaid Café, 69/70 Dame Street, ✆ 01/6 70 82 36, (2), informelle Atmo, köstliches Essen; Morels Bistro, 14–17 Lower Leeson Street, ✆ 01/6 62 24 80, (2), nachbarschaftlich, brasserieähnlich; 101 Talbot, 100–102 Talbot Street, ✆ 01/8 74 50 11, (1), beliebt, schmackhaft, preiswert. **Ethno:** Caesar's, 16 Dame Street, ✆ 01/ 6 79 70 49, (2), italienisch; Chameleon, 1 Fownes Street Lower, Temple Bar, ✆ 01/6 71 03 62, (2), indonesisch; Rajdoot Tandoori, 26–28 Clarendon Street, ✆ 01/6 79 42 74, (2), indisch; Tante Zoe's, 1 Crow Street, Temple Bar, ✆ 01/6 79 44 07, (2), kreolisch. **Mittagslunch:** Mitchell's, 21 Kildare Street, (2), Kellergewölbe unter alteingessener Weinhandlung; Museumscafés in Nationalgalerie (›Fitzers‹), Nationalmuseum, Hugh Lane Gallery; Winding Stair Bookshop & Café, 40 Ormond Quai Lower, (1), in Buchhandlung; in den Brasserie/Cafés des Powerscourt Town Centre; Bad Ass Café, 9/11 Crown Alley, Temple Bar, (2), Snacks, Pasta etc. morgens bis abends offen – wo Sinead O'Connor einst bediente ... Ein **Fast-Food** Restaurant neben dem anderen säumt die O'Connell Street; probieren Sie insulare Ketten wie Abrakebabra (Kebabs) und Beshoffs (Fisch; der Gründer der Kette überlebte Panzerkreuzer ›Potemkin‹) oder die besten Fish'n Ships in Dublins berühmtester Pommesbude: Leo Burdock's, 2 Werburgh Street, (2).

Cafés *(Tea and Coffee Houses):* Auch hier kann man Mittagssnacks und einen High Tea einnehmen, z. B. im berühmten Bewley's Oriental

Café (Selbstbedienung in unbedingt besuchenswerten, wartesaalähnlichen Räumen im Fin de Siècle-Stil), 15 Niederlassungen, u. a. in Grafton Street, Westmoreland Street, South Great George's Street. Auf jeden Fall sollte man im Shelbourne Hotel, St. Stephen's Green, einmal einen *Cream Tea* nehmen – die Klaviermusik (live) und der gediegene Rahmen lohnen die paar Pfund mehr.

Pubs: s. Pubkasten S. 72/73; weitere **traditionelle** Pubs: Horseshoe Bar, St. Stephen's Green, im Shelbourne Hotel – Politiker, gediegen, unique; International Bar, 23 Wicklow Street, (2); Kehoe's, 9 South Anne Street, (2); Long Hall, 51 South Great George's Street, (2); Neary's, 1 Chatham Street, (2), Theaterleute; Old Stand, 37 Exchequer Street, (2); O'Neill's, 2 Suffolk Street, (2). **Temple Bar (2):** The Norseman, 27/28 East Essex Street; Oliver St. John Gogarty, 57 Fleet Street; Porterhouse Brewing Company, Parliament Street, über mehrere Etagen, neu, gemütlich, Oyster Stout ist ein Gebräu dieser erfolgreichen jungen Kleinbrauerei; Temple Bar, 48 Temple Bar.

Diskotheken/Nachtclubs: Alkoholausschanklizenz nur bis 2 Uhr, daher schließen die meisten gegen 3, Eintritt um 8 Ir£. Mehrere etwas aus der Mode gekommene Clubs am ›Leeson Strip‹ (Lower Leeson Street). In sind z. B. Fibber Magee's, 80 Parnell Street, (1), Studenten, Rock; Kitchen, East Essex Street, alle neuen Musikrichtungen, gehört U2; Place of Dance (PoD), Harcourt Street, (2), einfallsreiches Design; Temple Theatre, Temple Street, (2), House in alter Kirche.

Theater: s. S. 255, Ticketline: 01/6 05 77 77. **Konzerte:** Whelans, 25 Wexford Street, ✆ 01/4 78 07 66, Folk, Rock, Jazz. National Concert Hall, Earlsford Terrace, ✆ 01/4 75 15 72, Klassik.

Ereignisse: März: Filmfestival; 17.: St. Patrick's Day (s. S. 201); Juli: Guinness Blues Festival; August: Kerrygold Horse Show, Ballsbridge (*das* gesellschaftliche Ereignis, auf dem Gelände der Royal Dublin Society; von dem schönsten Kohlkopf bis zu der hübschesten Besucherin wird alles prämiert – natürlich auch Pferde – s. Abb. S. 66; Abschluß und Höhepunkt ist das Springreiten um die hochdotierte Aga Khan Trophy); September: Finalspiele des Gaelic Football und Hurling; Liffey Swim; Oktober: Theaterfestival.

Einkäufe: Einkaufszentrum am Stephen's Green; The Kilkenny Shop, Nassau Street (2; alles, was das Touristenherz begehrt); Dublin Woolen Mills, 41 Lower Ormond Quay (1).

Bücher: Antiquarischer Büchermarkt jeden 1. Mo im Monat im Mansion House (s. S. 80); Fred Hanna, 27/29 Nassau Street (2; empfehlenswerte Buchhandlung). **Antiquitätenläden** findet man konzentriert an der Francis Street.

Märkte: Christchurch Festival Market, Flohmarkt, High Street, (8), Sa/So; Moore Street Market, Obst und Gemüse, täglich außer So; Smithfield Horse Fair, sehenswerter Pferdemarkt, Smithfield, (7), 1. So-Morgen im Monat, s. a. S. 245.

Nördlich von Dublin

Vor mehr als 5000 Jahren bauten die Menschen der Steinzeit ihren Herrschern inmitten der sanfthügeligen grünen Weidelandschaft ihre Grabpaläste. Von Tara aus regierten die Hochkönige ihre Insel, in Monasterboice und Kells beteten Mönche – eine Fülle kunsthistorischer Schätze erwartet hier heute den Besucher.

Von Howth nach Drogheda

Der pittoreske Hafenort **Howth** liegt auf einer vorgelagerten gebirgigen Halbinsel 12 km nordöstlich von Dublin. Zu sehen gibt es die von dem Wikinger-König Sigtryggr zu Beginn des 11. Jh. gegründete St. Mary's Church, deren erhaltene Gebäude jedoch größtenteils erst aus dem 14./15. Jh. stammen. In der Burg von Howth wird noch heute ein Gedeck für den ›unbekannten Gast‹ aufgelegt, da der Legende zufolge Grace O'Malley nach erfolgreicher Belagerung dem Burgvogt diese Vertragsbedingung auferlegte. Der Schloßpark hinter dem Deerpark Hotel und Golfparcours ist der berühmteste und älteste Rhododendron-Garten Irlands, in dem sich mit dem Aideen-Dolmen ein gigantisches Megalithgrab befindet; schöne Spazierwege führen durch den Dschungel (geöffnet täglich 8 Uhr bis Sonnenuntergang; Rhododendron-Blüte im Mai/Juni: ein einziges Farbenmeer).

Spaziertip vor dem Fischessen: Die Hauptstraße Howth Road vom Hafen bis zum Parkplatz hinter dem Summit Inn (schöner Biergarten) hochfahren. Einen der Steige abwärts kraxeln, bis man auf den parallel zur Küste verlaufenden, ausgetretenen Pfad des Cliff Walk kommt. Da die Klippen nicht sehr steil sind, ist der Weg auch gut für Schwindelanfällige begehbar. Nach rechts oder links spaziert man je etwa 3 km durch Heide und Ginster in der frischen Seeluft, zur Rechten liegt auf einer Landzunge der Bailey-Leuchtturm. Nach links gelangt man nach ca. einem Stündchen zum Hafen von Howth.

Restaurants: Howth ist berühmt für frischen Fisch. King Sitric, East Pier, ✆ 01/832 52 35, eine Institution, empfehlenswert; Adrian's, 8 Abbey Street, ✆ 01/839 16 96, moderner; Casa Pasta, 12 Harbour Road, ✆ 01/8 39 38 23, modern, preiswert, beliebt.

Strahlenförmig laufen die Straßen in **Malahide** auf den schmucken Stadtkern zu, sanft fallen sie zum Meer hin ab. Inmitten eines großzügigen Parks erhebt sich das einzige irische Schloß, das durchgängig (bis 1976) von einer Familie, den Talbots, bewohnt wurde. Die letzte Erbin mußte den Besitz wegen des horrenden Steuersatzes an den Staat verkaufen, der hier Bilder der National Portrait Gallery zeigt. Besonders beeindruckt der einzige ›echt‹ mittelalterliche Großsaal, der sich in Irland erhalten hat: 14 männliche Talbots sollen hier ihre ›Henkersmahlzeit‹ vor der Schlacht am Boyne eingenommen haben. Das Prunkstück des Schlosses ist der sog. Eichensaal mit einzigartigen Holzschnitzarbeiten und originalen Wandvertäfelungen des 16. Jh. Die spätgotische Madonna über dem Kamin, der ›Talisman‹ der Familie, soll während der Vertreibung der Talbots durch Cromwell verschwunden und erst nach ihrer Rückkehr wieder aufgetaucht sein (geöffnet Mo–Fr 10–17, November–März Sa/So 14–17, April–Oktober Sa/So 11–18). Sehenswert ist auch das liebevoll präsentierte Fry-Modelleisenbahnmuseum auf dem Parkgelände (geöffnet April–September Mo–Do 10–18, Sa 11–18, So 14–18; Juni–September auch Fr 10–18; Oktober–März nur Sa/So 14–17).

Die hoch über dem Boyne thronende, von den Wikingern 911 ge-

Nördlich von Dublin

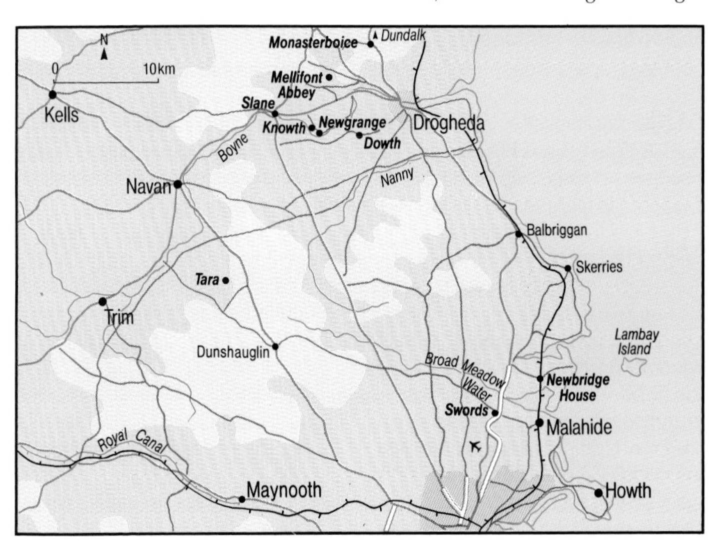

Der Aufstand von 1641

Zur englischen Kolonialpolitik im Zeitalter Cromwells

Oliver Cromwell

»Politische Klugheit gebietet, das Königreich Irland in einer möglichst abhängigen und untergeordneten Stellung gegenüber England zu halten. Und wenn wir die Iren an der Herstellung von Wolle hindern und sie auf diese Weise dazu zwingen, ihre Kleidung aus England zu beziehen, wie könnten sie sich dann von uns trennen, ohne dabei zu nackten Bettlern zu werden?« schrieb Sir Thomas Wentworth im Jahre 1640, kurz bevor er das Amt des Vizekönigs in Irland antrat.

Angesichts solcher Äußerungen englischer Machthaber ist es nicht weiter erstaunlich, daß sich gegen eine derartige Kolonialpolitik ein starker irischer Widerstand formierte: In Ulster begann der Aufstand von 1641 mit einem Massaker an den englischen Siedlern. Die Rebellion griff anschließend auch auf die Altengländer, die sog. Angloiren, über, die gemeinsam mit ihren irischen Verbündeten nun das königstreue Drogheda belagerten; eine Armee unter dem englandtreuen Grafen Ormond konnte es im März 1642 jedoch entsetzen. Auf Betreiben

gründete, geschäftige, aber etwas triste Provinzstadt **Drogheda** (25 000 Einwohner; gael. ›Brücke der Furt‹) war 1649 Schauplatz grausamer Verfolgungen durch Oliver Cromwell. Jakob II., der abgesetzte englische König, der mit seinen französischen Verbündeten und mit Hilfe der katholischen Iren die Krone wiederzuerlangen trachtete, hatte

der katholischen Bischöfe wurde der Bund von Kilkenny geschlossen – in der Stadt richtete man eine ›Generalversammlung für das Königreich Irland‹, eine Art von Parlament also, und eine Regierung ein. Die verlustreich und unter verschiedenen Kommandeuren geführten Kämpfe komplizierten sich zusehends durch den Ausbruch des englischen Bürgerkrieges im August 1642. Englische wie irische Verbände versuchten, Krone und Parlament zum eigenen Vorteil gegeneinander auszuspielen – feste Bündnisse kamen jedoch nicht zustande.

In dieser Situation landete Oliver Cromwell als vom Parlament ernannter Lord Lieutenant im August 1649 mit 12 000 Soldaten im englisch beherrschten Dublin. In den neun Monaten, die er in Irland verbrachte, besiegte er zwar die Rebellen nicht endgültig, schrieb sich jedoch mit der Grausamkeit seiner Feldzüge und der Rücksichtslosigkeit seiner Siedlungspolitik tief und schmerzlich in das nationale Bewußtsein der Iren ein. Cromwell selbst empfand sich als Rächer für das Massaker von Ulster und Vollstrecker von Gottes Willen an den ›Papisten‹.

Nach der blutigen Einnahme von Drogheda und der Hinrichtung von 200 Katholiken schrieb er: »Ich bin davon überzeugt, daß dies ein gerechter Urteilsspruch Gottes für jene barbarischen Lumpen ist, die ihre Hände mit dem Blut so vieler Unschuldiger befleckt haben.« Ireton und Ludlow, die Generale der Puritaner, schlossen die Unterwerfung Irlands ab, bis die letzten Aufständischen dann mit der Kapitulation von Galway im Mai 1652 die Waffen streckten.

Die einschneidendsten Folgen des verlorenen Krieges ergaben sich für die Iren auf dem Sektor des Landbesitzes. Ein englisches Gesetz wurde verabschiedet, das von jedem irischen Landbesitzer forderte, seine Ergebenheit für den englischen Staat während des Krieges nachzuweisen. Konnte er dies nicht, wurde er gezwungen, mit seinen ebenfalls katholischen Pächtern auf die sauren Böden von Connaught oder Clare überzusiedeln. Die gesamte, bis dahin überwiegend katholische Grundbesitzerschicht wurde so enteignet, die freigewordenen Güter gingen in die Hände puritanischer Offiziere und protestantischer englischer Republikaner über.

hier vor der Schlacht am Boyne sein Hauptquartier aufgeschlagen. Als sich der Vorteil des protestantischen Wilhelm von Oranien abzuzeichnen begann, floh James voreilig und überließ seinem Widersacher den Sieg, ein für die Geschichte Irlands wie Englands gleichermaßen einschneidendes Ereignis. Die nordirischen Protestanten begehen den Tag noch heute mit provokativen Festumzügen.

Der (einbalsamierte) Kopf des einzigen irischen Märtyrers, Oliver Plunkett, den Papst Johannes Paul II. auf seiner Irland-Reise 1979 seligsprach, befindet sich in der St. Peter's Church (West Street). Ein *Town Trail* führt zu weiteren Sehenswürdigkeiten wie mehreren spätmittelalterlichen Kirchenruinen. Das St. Lawrence-Tor aus dem 13. Jh., eine mächtige, aus zwei miteinander verbundenen Rundtürmen gebildete Anlage, gilt als das schönste seiner Art in Irland.

Tourist Information: Busstation, Donore Road, ✆ 041/3 70 70.

Unterkunft: Annesbrook, Duleek, ✆ 0 41/2 32 93, Hidden Ireland, erschwinglich, 9 km von Drogheda, mit Dinner; The Old Workhouse, Dunshauglin, ✆ 01/8 25 92 51, warmherziger Empfang, gutes, üppiges selbstgekochtes Frühstück und Dinner, *cosy rooms* in einem ehemaligen Workhouse. Beide optimal für Touren im Boyne-Tal.

Monasterboice Mellifont Abbey, Slane

Das Kloster **Monasterboice,** eines der hochberühmten Zentren irischer Gelehrsamkeit, wurde 521 vom hl. Buite gegründet und existierte über die Wikinger-Eroberungen hinaus bis 1122. Heute ist die Stätte bis auf das einsame Häuschen des Verwalters, der den Schlüssel für den Turm hat, verlassen inmitten der sanft gewellten Wiesenlandschaft. Vor der Westseite der in Ruinen gefallenen Nordkirche erhebt sich der 1097 mitsamt der Klosterbibliothek ausgebrannte Rundturm, den man heute wieder besteigen kann. Neben dem Muiredach Cross (s. S. 48), dem Höhepunkt der Hochkreuzkunst, steht das sog. Tall Cross, ebenfalls aus dem frühen 10. Jh. stammend, doch stärker verwittert. Auf ihm sind u.a. die Szenen des Isaak-Opfers, der Himmelfahrt und David den Löwen tötend auf der Ostseite zu erkennen, auf der Westseite die Kreuzigung, der Judaskuß und die Soldaten am Grab Christi. In der nordöstlichen Ecke des Friedhofs findet man ein weiteres schlichtes Hochkreuz mit einer Kreuzigungsszene sowie eine mittelalterliche Sonnenuhr.

Mellifont Abbey wurde 1142 als erstes irisches Zisterzienser-Kloster gegründet; der hl. Bernhard von Clairvaux, der Initiator der zisterziensischen Reformbewegung, sandte der irischen Tochtergründung den vom Kontinent stammenden Architekten Robert zum Bau der 1157 fertiggestellten Kirche. Die Gründung Mellifonts fiel in die Phase der Reform der iroschottischen Kirche mit ihrer erneuten Hinwendung zu Rom und setzte ein Zeichen für den Anschluß Irlands an Kontinentaleuropa.

Der Baustil ist denn auch gänzlich ›unirisch‹, eben von der nordfranzösischen Gotik geprägt. Von der Anlage blieb wenig erhalten, nur einige Bogen des Kreuzgangs (um 1200), das Kapitelhaus (14. Jh.) und vor allem die Hälfte des achteckigen Brunnenhauses (um 1200), in dem die Mönche sich die Hände wuschen, bevor sie im nahebei gelegenen Refektorium speisten. Von Mellifont gingen zahlreiche Tochtergründungen irischer Zisterzienser-Klöster aus, doch schon bald gab die laxe Moral der hiesigen Mönche Anlaß zu wiederholten päpstlichen Visitationen. 1494 scheinen örtliche Adlige die Anlage geplündert zu haben, doch Mellifont existierte bis zum Jahre 1743 weiter, als schließlich sein letzter Abt starb (die Ruinenanlage ist täglich geöffnet: Mai–Mitte Juni und Mitte September–Oktober 10–17, Mitte Juni–Mitte September 9.30–18.30).

An Stelle der heute auf dem **Hill of Slane** stehenden Reste eines Franziskaner-Klosters aus dem 16. Jh. soll im Jahre 433 der hl. Patrick das erste Osterfeuer entzündet haben. Die Tradition will es, daß der Hochkönig und seine Druiden diese christliche Herausforderung von Tara aus erschrocken beobachteten, denn der uralte heidnische Brauch verlangte das Löschen aller Feuer in dieser Nacht. Erst am Tag darauf wurde durch ein großes Feuer der Sieg des Frühlings über den Winter gefeiert. Patricks Osterfeuer, zu unrechter Zeit auf diesem Hügel entzündet, war als Symbol des Triumphes der neuen über die alte Religion gedacht. Ein kleiner Spaziergang führt durch Kuhfladen den grünen Hügel hinan. Der noch großteils georgianische Ort selbst wurde im 18. Jh. von einem englischen Lord planmäßig angelegt.

Kells, Tara

Bei dem heutigen Provinzstädtchen **Kells** (2500 Einwohner, gael. *Ceanannas*) gründete der hl. Columkille um 550 ein Kloster. Mehrfach wurde es von den Wikingern geplündert, und 1152 fand in seinen Mauern die Synode von Kells statt, die mit der endgültigen Einteilung Irlands in Diözesen der Bischofskirche zum Sieg über die mehr monastisch geprägte irische Frühkirche verhalf. Der bekannte-

Megalithische Nekropolis im Boyne-Tal: Newgrange, Knowth

Westlich von Drogheda, innerhalb eines großen Bogens, den der Fluß Boyne beschreibt, liegt die größte prähistorische Kult- und Begräbnisstätte Irlands. Die fruchtbare, sanft gewellte Landschaft eignete sich besonders gut als Weide für die Viehherden und für den Weizenanbau, Lebensgrundlagen der Erbauer dieser ›heiligen Zone‹. Unter den vielen, teils noch nicht ausgegrabenen Hügelgräbern und Henge-Monumenten steht auch eines der berühmtesten Denkmäler Irlands, das auf etwa 3200 v. Chr. datierte Ganggrab von **Newgrange.** Keltische Sagen bringen den *Brú na Boinne* (Heim am Boyne) in Verbindung mit dem höchsten Gott Dagda, mit Aenghus von den Tuatha Dé Danann und mit Diarmuid und Gráinne (s. S. 104), doch läßt sich seriöserweise kein historisches Volk und erst recht keine einzelne Herrschergestalt diesem Bauwerk zuordnen.

Der etwa eiförmige Cairn (aus Steinen aufgeschichteter Hügel) von 11–13 m Höhe und 79–85 m Breite verdankt sein heutiges Aussehen der in der zweiten Hälfte der 70er Jahre abgeschlossenen Restaurierung; bis 1962 lag der steinzeitliche Totentempel unter einem Hügel, der sich kaum von seiner pastoralen Umgebung abhob. Von außen sticht zunächst die 3 m hohe Verkleidung aus glitzernd-weißen Quarzsteinen und beinahe fußballgroßen Granitkugeln ins Auge, die wohl nicht nur eine dekorative, sondern auch eine symbolische Funktion im Totenkult der Megalither einnahmen.

Die irischen Megalithgräber zeichnen sich besonders durch ihre einzigartigen, in flachem Relief herausgearbeiteten Schmuckmuster aus, die von Doppel- und Dreifachspiralen, Rauten, napfförmigen Vertiefungen, Dreiecken, Zickzack- und Wellenlinien bis zu Farnkrautmotiven reichen. Besonders aufwendig ist der sog. Schwellenstein vor dem Eingang dekoriert – das hier vorherrschende Motiv der Dreifachspirale lebt in der keltischen Kunst, beispielsweise im Schmuck des Book of Kells, weiter. Bei der mit der Restaurierung einhergehenden archäologischen Untersuchung fand man zum Erstaunen der Fachwelt heraus, daß auch die nicht sichtbaren Rückseiten der Einfassungsplatten dekoriert wurden, was Sibylle von Reden als Hinweis auf die magische Funktion der Zeichen auffaßt: Der Tote soll von ihnen am Überschreiten der Schwelle, an der Rückkehr in die Welt der Lebenden also, gehindert werden.

Die größte Entdeckung jedoch war eine Konstruktion oberhalb des Eingangs, eine Art Steinbox mit Schlitz, deren Bedeutung Professor O'Kelly, einer der Ausgräber, entschlüsseln konnte: In der dunkelsten Zeit des Jahres, der Wintersonnenwende (zwischen dem 14. und 28. Dezember), fallen die Sonnenstrahlen eine gute Viertelstunde lang durch den Schlitz direkt in die ansonsten dunkle Grabkammer. Während der Führung wird dieses beeindruckende Schauspiel mit Hilfe einer künstlichen Lichtquelle nachgestellt.

Auch mehrere der insgesamt 43 Tragsteine auf beiden Seiten des 19 m langen, aber nur 1 m breiten und durchschnittlich 1,5 m hohen Grabganges sind mit den bereits erwähnten Motiven verziert. Der Gang selbst steigt zur kleeblattförmigen Grabkammer 2 m an, so daß dadurch kein Licht in die Kammer fällt – diese hat exakt dieselbe Höhe wie eine Landmarke auf dem gegenüberliegenden Boyne-Ufer, über die die Sonne am Tag der Wintersonnenwende aufsteigt! Bis zur Höhe von 6 m erhebt sich die Bienenkorbkuppel über der zentralen Kammer. Die in Trockenmauerweise sorgsam gefügte Kuppel bedarf nie einer Reparatur – Kammer und Gang blieben 5000 Jahre lang trocken. Die beachtliche Kenntnisse erfordernde Bautechnik setzt eine straffe Organisation, ergo eine arbeitsteilige und hierarchisierte Gesellschaft voraus.

Seit 1963 haben die Archäologen am Hügel von **Knowth** gegraben und ihn mitsamt der im Laufe der Jahrtausende fast völlig eingeebneten Satellitengräber zumindest teilweise rekonstruiert. Auch hier gibt es zahllose mit geometrischen Ritzmustern dekorierte Steine zu sehen – das Boyne-Tal besitzt die größte Ansammlung megalithischer Reliefsteine in ganz Europa. In den Grabkammern der Satellitenhügel fand man Knochen von 7 bis 50 Individuen, was auf eine Bevölkerungsdichte von 1000–1500 schließen läßt. Im Haupthügel waren die wenigsten Toten bestattet – wohl die Sippe des Häuptlings.

Ab Frühjahr 1997 **muß** man den Besuch von Newgrange (das ganze Jahr geöffnet) und Knowth (geöffnet Mai–Oktober) im **Brú na Boinne Visitor Centre** beginnen, der an der L 21, 2 km westlich von Donore liegt (geöffnet täglich November–Februar 9.30–17, März/April und Oktober 9.30–17.30, Mai und Mitte–Ende September 9–18.30, Juni–Mitte September 9–19; letzte Tour zu den Denkmälern 1 1/2 Stunden vor Schließung). Es gibt keinen direkten Zugang zu den Denkmälern mehr. Das lange Zeit umstrittene Besucherzentrum bietet eine informative, schön anzusehende Ausstellung zu megalithischer Kunst und Lebensweise und ist äußerst geschmackvoll gestaltet.

ste Schatz von Kells, das Book of Kells (s. S. 79), wurde 1007 gestohlen, zweieinhalb Monate später jedoch unbeschädigt wiedergefunden – die mittelalterlichen Räuber hatten es allerdings seines kostbaren Einbandes beraubt.

In dem über 30 m hohen Rundturm mit seinen fünf hochgelegenen Fenstern fand 1076 Murchadh Mac Flainn, ein Prätendent auf die Würde des Hochkönigs, den Tod durch die Hand eines Mörders. Daneben zeigt das Südkreuz u. a. Adam und Eva, Kain und Abel, die drei Jünglinge im Feuerofen, Daniel in der Löwengrube und das Isaak-Opfer sowie auf der Westseite Kreuzigung und Jüngstes Gericht. Außerhalb der Friedhofsmauern (kleine Straße links beim Herausgehen aus dem Hauptfriedhofseingang; Schlüssel bei Mrs. Carpenter auf dieser Straße, die die Besucher mit einer fachkundigen Führung zu dem Kirchlein begleitet) sollte man unbedingt das Haus des hl. Columkille besuchen, ein frühes Oratorium mit steil gewölbtem Dach. Die niedrige, dreigeteilte, durch eine Leiter zu ersteigende Kammer war der Schlafraum der Mönche und diente ferner zur statischen Stütze des schweren Steindaches. Die Legende will es, daß in der winzigen Kammer bei Kälte und schlechtem Licht das berühmte Buch zu Ende geschrieben wurde.

Tara: 1 Ráth Gráinne 2 ›Banketthalle‹ 3 Menhire 4 St. Patrick's Church 5 Ráth of the Synods 6 Grave Mound of the Hostages 7 Cormac's House 8 Lia Fáil (Königsstein) 9 Royal Seat 10 Royal Enclosure 11 Ráth Laoghaire 12 Gehweg 13 Café

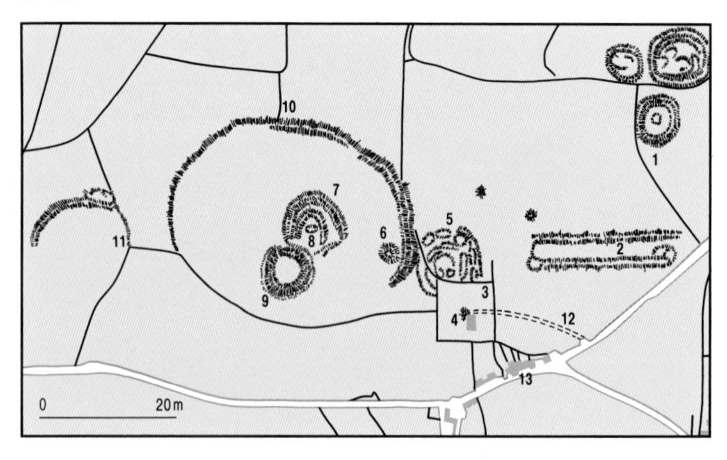

Tara, einstiger Sitz der Hochkönige

Unterkunft: Mrs. P. Mullan, Lennoxbrook, ✆ 0 46/4 59 02, B & B 5 km nördlich von Kells.

Die religiöse Bedeutung von **Tara,** des legendären Sitzes der Hochkönige von Irland, datiert bereits aus prähistorischen Zeiten; ins Licht der ›Geschichte‹ trat er jedoch erst im 3. Jh. mit dem ebenfalls legendären König Cormac Mac Airt. Ab dem 11. Jh. wurde Tara aufgegeben, und die aus Holz und mit Lehm beworfenem Flechtwerk errichteten Gebäude zerfielen. So sind heute nur noch Erdwälle sichtbar. 1843 rückte Tara noch einmal ins Zentrum des Interesses, als Daniel O'Connell hier ein ›Monster Meeting‹, eine Massenkundgebung der katholischen Emanzipationsbewegung, abhielt.

Im Zentrum einer Hügelfestung (Royal Enclosure) liegen zwei Ringforts, Royal Seat und Cormac's House. In letzterem finden Sie den Königsstein Lia Fáil, der der Überlieferung zufolge gebrüllt haben soll, wenn der ›rechte‹ König sich auf ihn setzte. Der Name des bronzezeitlichen Ganggrabs Mound of the Hostages steht möglicherweise mit der politischen Gepflogenheit in Verbindung, daß die Unterkönige zum Zeichen ihrer Unterwerfung dem Hochkönig Geiseln stellten. Im Norden der Royal Enclosure gibt es eine längliche, ca. 200 m lange und 30 m breite Erhebung, die sog. Banketthalle, die die Phantasie des Betrachters mit Bänken und Tischen, Barden und Hofleu-

Gráinne und Diarmuid

›Wo ist Gráinne, die Goldene, die Schöne?‹
Und wie flutende Wogen des Meers riefen andere:
›O wo ist Gráinne, die Goldene, versprochen zwar,
Doch niemals Eheweib?‹ Und eine traurige Stimme sprach:
›Ach, Gráinne, die Goldene, die Schöne, ist tot,
Und Staub sind ihre roten Lippen.‹ Klagten die Krieger,
Sanken vornüber, wie zum Schlaf. Da sprang auf
Gráinne, die Süßstimmige, und lachend rief sie aus:
›O Männer, erbleichet seid ihr, Pappeln gleich beim
Regensturm! Ihr schlummert ein und ängstigt euch
Vor Träumen!‹

Cormac Mac Airt, Hochkönig von Irland auf Tara, versprach dem großen Helden Finn seine Tochter Gráinne, die Goldene. Und Finn kam nach Tara mit seiner *Fiann,* seinen sechs Gefolgsleuten, darunter auch Oisín, der Barde, und der Recke Diarmuid. Denn es war nötig in diesen Zeiten, vor der Vermählung die Zustimmung der Frau zu erlangen. Doch Gráinne schenkte den Gasttrunk an alle außer Oisín und Diarmuid, und als die Helden in Schlaf gefallen waren, setzte sie sich zwischen die beiden Jungen und sprach, Finn sei alt und gezeichnet von seinen Kämpfen, doch Oisín oder Diarmuid wolle sie gerne heiraten. Da Oisín den großen Finn, seinen Vater, nicht entehren wollte, belegte Gráinne Diarmuid mit einem *Géis,* einem magischen Zauber, der bei Nichtbeachtung den Tod nach sich zieht: »Ich zwinge dich unter uralte Fesseln, bringe mich fort von diesem schalen Fest. Ich wähle. Ich rufe dich unter Liebesbande, in Gefahr und in Dunkelheit mich zu lieben, mich zu verteidigen, Diarmuid O'Duibhne.«

So beginnt »Die Verfolgung von Diarmuid und Gráinne«, denn der erboste Finn und seine *Fiann* jagen die Flüchtenden durch das ganze Land. Zunächst berührt Diarmuid Gráinne nicht; bei der Überquerung eines Baches spritzt Wasser an Gráinnes Beinen hoch: »Dieses Wasser ist kühner als Diarmuid!« spottet sie, bis er bei ihr schläft. In zahlreichen gefahrvollen Situationen muß Diarmuids Pflegevater Aenghus aus dem *Brú na Boinne* den Liebenden zu Hilfe eilen, bis schließlich Diarmuid unwissend seinen *Géis* bricht: Er tötet den wilden Eber von Beann Ghulban, der einst Menschengestalt besaß, und kommt selbst dabei um.

ten ausstatten muß (s. S. 57). Westlich davon liegen drei weitere Ringforts, deren eines, Ráth Gráinne, auf die tragische Liebesgeschichte von Cormacs Tochter Gráinne und ihrem Diarmuid anspielt.

Bei gutem Wetter kann man weit nach Norden, ins Boyne-Tal und nach Slane blicken. Seien Sie nicht enttäuscht, daß von Irlands einstiger Königsherrlichkeit nur grasüberwachsene Erdwälle übrigblieben – wie so oft auf der Insel der Dichter, kann erst die Phantasie der Realität den richtigen Glanz geben.

Trim

In Trim (2000 Einwohner), einem beschaulichen Landstädtchen, steht die besterhaltene **Normannen-Burg** Irlands, schon in der frühesten Zeit der normannischen Eroberung von Hugh de Lacy in Form einer Motte-Anlage mit Holzturm gegründet (1172). Nach einem Brand entstand dann die heutige Steinburg, deren krönender Abschluß, der dreistöckige Bergfried, 1220 fertiggestellt war. Mel Gibson drehte hier Teile von »Braveheart« – ein großes Ereignis für Trim, das sich touristisch mausern möchte und dazu seine Burg restauriert und neben der Touristinfo ein **Visitor Centre** mit einer witzigen aufklappbaren Geschichtswand errichtet hat.

Die Stadt war ursprünglich mit in die Befestigung einbezogen, wovon Reste des Sheep Gate auf der gegenüberliegenden Seite des Flusses zeugen. Weiter stadtauswärts kann man inmitten der Ruinen der **Newtown Trim** auch diejenigen der Kathedrale aus dem 13. Jh. besichtigen, die einst 30 m länger war.

Am westlichen Stadtrand lohnt der Besuch des jungen **Butterstream Garden,** der von modernen Gartenkennern für den phantasievollsten Garten Irlands gehalten wird (geöffnet April–September 11–18).

Tourist Information: Mill Street, ✆ 046/3 71 11.

Restaurant: Dunderry Lodge, Dunderry, 6 km nördlich, ✆ 0 46/ 3 16 71, berühmt und gut.

Pub: Marcy Regan's, Newton, zweitältester Pub Irlands.

Südlich von Dublin

Durch die schönen, moderat hohen Wicklow-Berge, ein Paradies für Wanderer, geht es auf den Great Sugar Loaf, zu den Powerscourt Gardens und zur Klostersiedlung Glendalough. Über die Hochkreuze von Castledermot und Moone, Pferdemekka Kildare und georgianisches Castletown House zurück nach Dublin.

Dun Laoghaire

Diesen atmosphärevollen Hafenort 11 km südöstlich der Hauptstadt mit seinen ›gutbürgerlichen‹, aus georgianischer und viktorianischer Zeit stammenden Wohnvierteln lernt derjenige als erstes Stück Irland kennen, der die ›Landbrücke‹ über Holyhead gewählt hat. Das **National Maritime Museum** in der ehemaligen Mariners' Church zeigt Nautisches (geöffnet Mai–September Do–So 13–17, Oktober nur So). Gegen die drohende Invasion durch Napoleon errichteten die Briten an der Küste eine Verteidigungslinie aus Martello Towers, deren einer, der **James Joyce Tower** in Sandycove, ein Museum des weltberühmten Dichters beherbergt (s. S. 76f.; geöffnet April–Oktober Mo–Sa 10–13 und 14–17, So 14-18). Bei Wind und Wetter bibbern Männer, Kinder und, ja, jetzt auch Frauen in der Forty Foot-Badestelle zu Füßen des Turms, einst eine Alt-Männer-Enklave.

Tourist Office: Terminal Building, ✆ 01/2 84 47 68 (Infos für Spaziergänge).

Unterkunft: Mrs Nancy Malone, Chestnut Lodge, 2 Vesey Place, Monkstown, ✆ 01/2 80 78 60, phantastisches B & B, 5 Min. von der Fähre, nicht billig

Die Wicklow Mountains

Die Wicklow-Berge mit ihrem für Irland so seltenen Wald (Eichen, Buchen, Stechpalmen), tief eingeschnittenen Tälern, Wasserfällen, Hochmooren und dem zweithöchsten Berg der Insel, dem Granitgipfel des Lugnaquillia (926 m), sind ein beliebtes Ausflugsziel – und seit 1992 der vierte Nationalpark der Republik mit einem Gebiet von 3700 ha um Glendalough. In dem erzreichen Gebiet wurde seit prähistorischen Zeiten Gold abgebaut, heute entstehen immer mehr Indu-

Die Travellers

Die »Fahrenden« Irlands

Die *Travellers* (Wanderer), wie sie sich selbst nennen, werden auch oft als *Tinkers* (Kesselflicker, als die sie in früheren Zeiten ihren Unterhalt verdienten) bezeichnet, ein Begriff, der heute jedoch eher abwertend klingt. Sie sind ungefähr 3500 Familien stark – oder 30 000 Individuen, was knapp 1 % der Bevölkerung entspricht. Sie gelten als die ›Zigeuner‹ Irlands, mit denen sie zwar nicht ethnisch verwandt, in bezug auf ihre soziale Stellung und die Akzeptanz in der Gesellschaft jedoch sehr wohl zu vergleichen sind.

Bis in die 60er Jahre fuhren die Travellers noch in den Pferdewagen, die heute, auch in den Wicklow Mountains, an Touristen vermietet werden (s. S. 247), über die Insel; heute ist die Hälfte von ihnen bereits seßhaft – meist in Sozialwohnungen –, oder sie benutzen wie die europäischen Zigeuner motorisierte Wohnwagen. Die Travellers stammen vermutlich von Bevölkerungsgruppen ab, die irgendwann von ihrem Besitz vertrieben wurden, also von im Zuge der englischen Umsiedlungspolitik enteigneten Bauern oder Clan-Angehörigen. Vielleicht darf man in ihnen auch Nachkommen der altirischen Barden se-

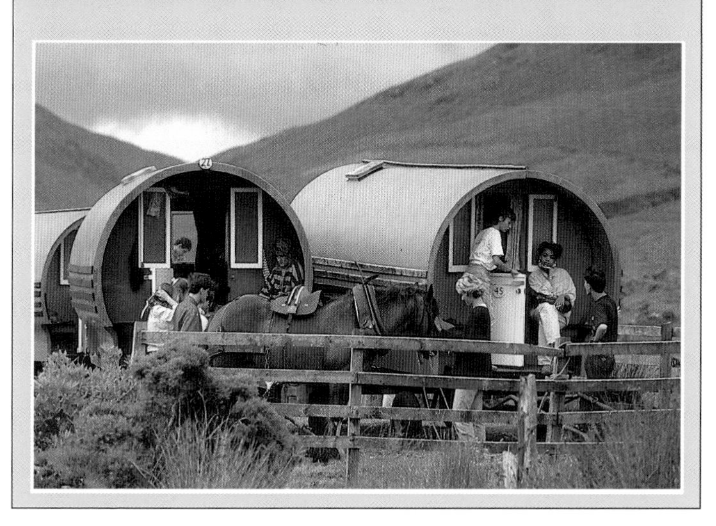

hen, die einst schon durch das Land zogen, bis die Engländer sie in den Untergrund trieben. Die in Stämme gegliederten ›Wanderer‹ sprechen eine eigene Sprache, das *Shelta* oder *Gammon;* sie ziehen zu den Jahrmärkten und Festen, verkaufen Schrott und Trödel, und die Frauen und Kinder betteln in den großen Städten. Seit einigen Jahren bemüht sich die Selbsthilfeorganisation ›Minceir Misli‹ um bessere Lebensbedingungen.

Versuche der Regierung, die unbequeme Bevölkerungsgruppe seßhaft zu machen und den Analphabetismus zu bekämpfen, scheiterten bislang. Meist kampieren sie, unübersehbar und unter teilweise menschenunwürdigen Bedingungen auf Parkstreifen und an Straßen vor den Städten. Die Iren haben sich zwar mit ›ihren‹ Tinkers, die seit Jahren an den Rändern bestimmter Dörfer leben, angefreundet, reagieren jedoch meist ungehalten auf fremde Traveller-Gruppen.

strieanlagen und Steinbrüche. Hier wird auch die Liffey zum größten Wasserreservoir der Republik, dem Blessington Lake, aufgestaut, an dem ein Elektrizitätswerk für die Stromversorgung der Hauptstadt arbeitet.

Tourist Office: Fitzwilliam Square, ✆ 04 04/6 91 17, Wicklow.

Unterkunft: **** Tinakilly Country House Hotel, Rathnew, ✆ 04 04/6 92 74, viktorianischer Luxus; **** Old Rectory Country House & Restaurant, Wicklow, ✆ 04 04/6 70 48, luxuriöses Guest House; beide Häuser mit entspannter Atmosphäre und exzellenten, nicht billigen Restaurants.

Jugendherberge: Stone House, Glencree, Enniskerry, ✆ 01/2 86 40 37.

Restaurants: s. Unterkunft; Tree of Idleness, Sea Front, Bray, ✆ 01/2 86 34 98 (zypriotisch); köstliche, immer volle Selbstbedienungsrestaurants der Avoca Handweavers in Kilmacanogue bei Bray und im Powerscourt House (mittags und zum Kaffee).

DART von Dublin bis Bray. Zugstationen in Arklow, Wicklow (✆ 04 04/6 73 29), Bray.

Fahrradverleih: Harris, 87C Greenpark Road, Bray.

Einkäufe: Avoca Handweavers: Wolliges und Touristisches in Kilmacanogue und geschmackvolles Kunsthandwerk; Wolliges u. v. m. im Erdgeschoß des Powerscourt House.

An der Küste reihen sich Badeorte mit schönen Sandstränden, so das ganz viktorianische, angenehme **Bray** (28 000 Einwohner). Im National Sealife Centre an der Strandpromenade kreucht und schwimmt Irlands submarine Fauna – ideal für Kinder (geöffnet 10–18). Schön wandern kann man auf Bray Head hinauf und auf dem Cliff Walk nach **Greystones,** dem nächsten, etwas tristen Badeort. Im netten **Wicklow** wurde das alte Gefängnis zu einer packenden, auch dem Aufstand von 1798 gewidmeten Attraktion umgebaut (Wicklow's Historic Gaol, geöffnet Mai–Oktober 10–18). Die prachtvollen Gärten Wicklows finden Sie auf S. 249 beschrieben.

Über die landschaftlich reizvolle Straße mit dem schönen Namen ›The Scalp‹ (poetisch für ›Bergkuppe‹) geht es zu den **Powerscourt Gardens,** einem der schönsten Schloßparks von Europa. Einen besonderen Reiz bildet der Gegensatz zwischen der in geometrischen Figuren gezähmten Natur im italienischen Garten und der dramatischen Kulisse des Great Sugar Loaf-Berges (504 m), den man am besten von der Terrasse des nach einem Brand restaurierten Schlosses genießt. Sehenswert sind auch der japanische Garten, der ›Pepperpot‹-Turm, die Pegasi-Statuen am See (das Wappentier der Schloßherren), die beeindruckenden alten Nadelbäume sowie Irlands einziger Friedhof für Haustiere.

Wenige Kilometer entfernt (Hinweise) stürzt der mit 121 m höchste irische Wasserfall zu Tale (geöffnet täglich 9.30–17.30, Wasserfall bis 19; Restaurant s. S. 108).

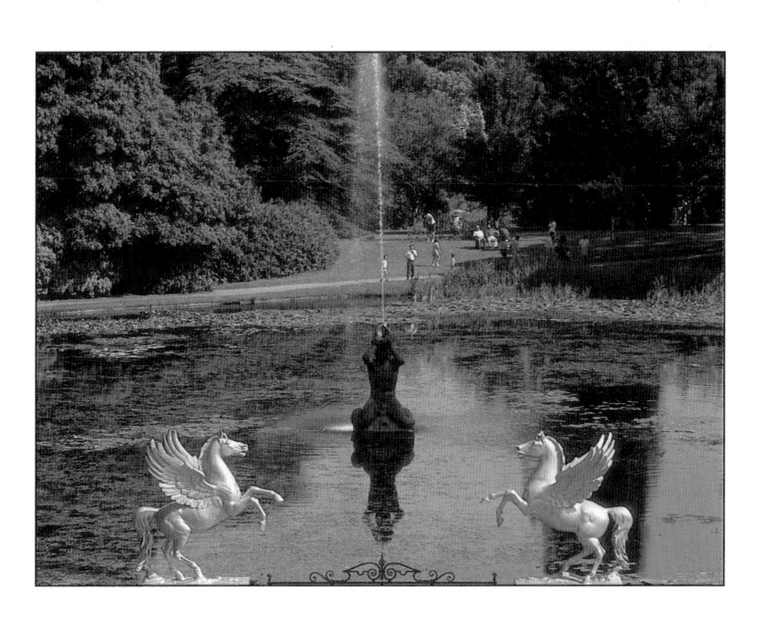

Die Pegasi im Powerscourt Garden

Am Fuße des Sugar Loaf Mountain

Wandertip zum Aufwärmen: Auf den nur 501 m hohen Zuckerhut der Wicklows, den **Great Sugar Loaf,** steigt man in gut einer Stunde hin und zurück. Ausgangspunkt ist ein Parkplatz im Süden des Bergs, über ein von der R 755 abzweigendes Teersträßchen zu erreichen. Meist geht's durch grüne Weiden, nur die Gipfelpyramide ist steil und steinig. Von oben schweift der Blick weit in die Runde, z. B. zu den Powerscourt Gardens.

Glendalough

Über den Sally Gap-Paß (505 m) zwischen den Bergen Kippure und Djouce geht es nach Glendalough, einem Tal, das landschaftliche und kulturelle Schönheiten miteinander verbindet (gael. *Gleann da locha* = Tal der zwei Seen). Am oberen See errichtete der hl. Kevin (gestorben um 618) ein Kloster. Im 8. Jh. erfolgte dann weiter talwärts am unteren See auf einer geräumigen und geschützten Terrasse, wo der Glendasan mit dem Glenealo zusammenfließt, eine Neugründung, von der ein Zeitgenosse bewundernd sagte: »Glendalough voller Herrlichkeiten ist das Rom des Westens.« Das Tal, das der hl. Kevin seiner Abgeschiedenheit wegen gewählt hatte, wuchs, Ironie der Geschichte, zu einer der größten geistlichen Siedlungen heran, zu einer Art Universität des irischen Frühmittelalters, an der nach vorsichtigen Schätzungen bis zu 3000 Mönche, Gelehrte, Studenten und ›Zulieferer‹ beteten, lehrten, lernten und arbeiteten. Ein Spaziergang durch Eichenwald führt zum Upper Lake mit schöner Aussicht in das sich verengende Gletschertal. Hier liegen u. a. die wohl bronzezeitliche Felshöhlung **St. Kevin's Bed,** am besten mit dem Boot zu erreichen, ein kleines Ringfort und Überreste mehrerer Kirchen, so auch die **Reefert Church** aus dem 11. Jh., die Grabeskirche der O'Tooles, der örtlichen Clanchefs.

Die interessantesten Denkmäler konzentrieren sich jedoch am Lower Lake: die **›Kathedrale‹** aus dem 10.–12. Jh., mit ihrem 15 × 9 m messenden Schiff eine der größten frühirischen Kirchen, in der Nähe ein **Rundturm** und das **Priester-**

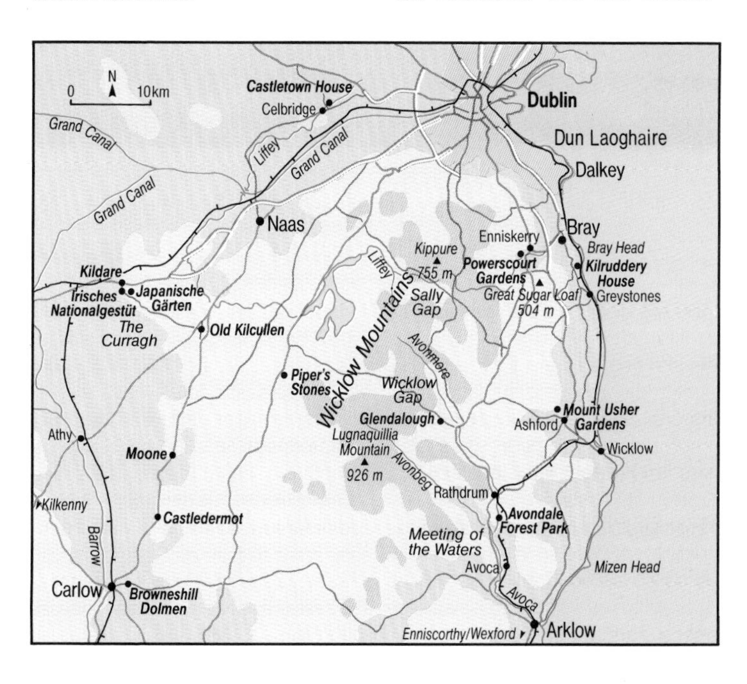

Südlich von Dublin

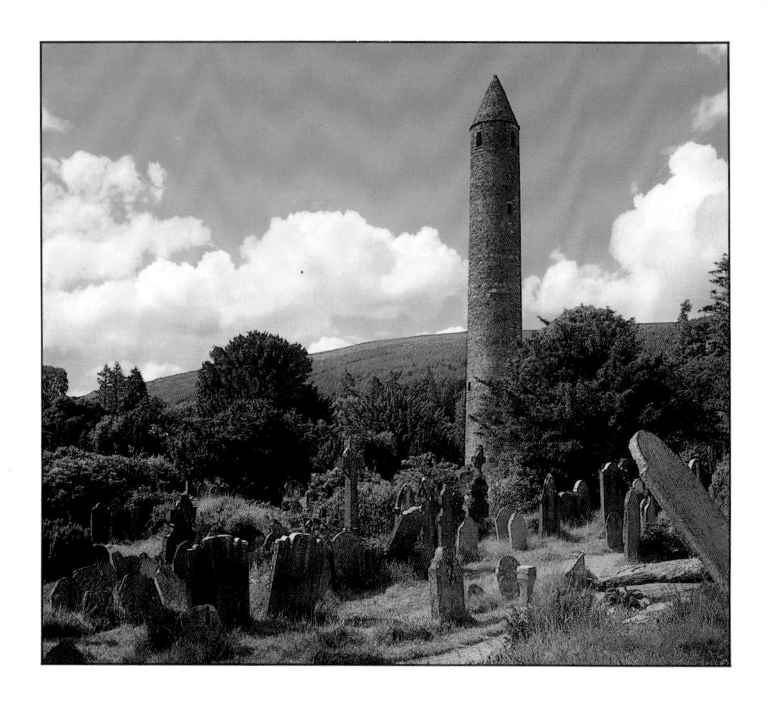

Der Rundturm von Glendalough

haus aus dem 12. Jh. mit einem interessanten Relief über der Tür. **St. Kevin's Kitchen,** ein Bau aus dem 11./12. Jh., erhielt seine legendäre Benennung wegen des kaminähnlichen Turmaufbaus über dem Eingang im Westen. Hier läßt sich der Konservativismus der irischen Architektur gut verfolgen, ist der Bau doch in derselben Weise wie die frühen Oratorien des 6. Jh. errichtet (s. S. 47). Alle Ruinen und Kirchen stehen inmitten eines malerischen Friedhofs mit Grabsteinen vom 18. Jh. bis heute.

Weiter aus dem Tal heraus trifft man auf die Erlöserkirche **St. Saviour** mit den im Tal qualitätvollsten Steinmetzarbeiten, die 1162 vom hl. Laurence O'Toole, der auch Abt von Glendalough war (s. S. 78), gestiftet wurde. In dem **Besucherzentrum** zeigt man eine informative Ausstellung zum irischen Klosterleben, ein Modell der einstigen Anlage sowie drei Hochkreuze, von denen das bedeutendste das sog. **Market Cross** aus dem 12. Jh. ist; typisch für diese Spätzeit sind die wenigen großen, beinahe

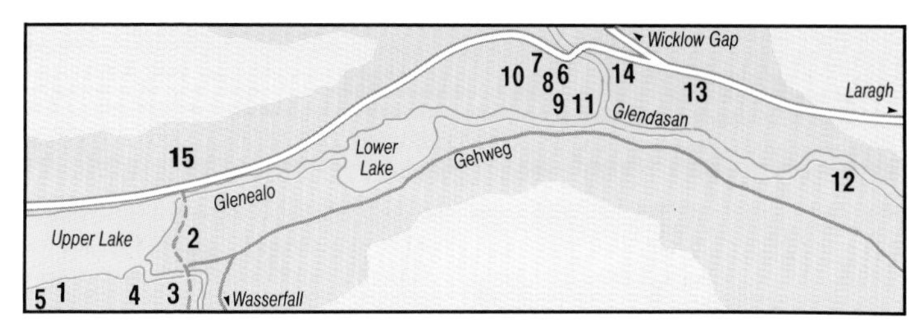

Glendalough: 1 St. Kevin's Bed 2 Ringfort 3 Reefert Church 4 St. Kevin's Cell 5 Temple na Skellig 6 ›Kathedrale‹ 7 Rundturm 8 Priesterhaus 9 St. Kevin's Kitchen 10 St. Mary's Church 11 St. Kieran's Church 12 St. Saviour's Church 13 Trinity Church 14 Besucherzentrum 15 Informationszentrum Wicklow Park

vollplastisch vom Hintergrund gelösten Figuren (Besucherzentrum täglich geöffnet 9/9.30–17/18.30; Gelände immer zugänglich). Das Informationszentrum des Wicklow-Nationalparks am Upper Lake führt in Geologie, Flora, Fauna und Bergbau der Region ein und hält Vorschläge für Wanderungen bereit. Der Wicklow Way ist überall mit braunen Holzpfosten mit gelbem Wandererlogo markiert.

Unterkunft: Mr. & Mrs. Vambeck, Derrybawn House, ✆ 04 04/4 51 34, charmantes, preiswertes Herrenhaus in eigenem Park, üppiges Frühstück.

Jugendherberge: Glendaloch International Hostel, The Lodge, ✆ 04 04/4 53 42, neues Flaggschiff von An Óige, 2-, 4-, 6-Bett-Zimmer *en suite.*

Restaurants: Mitchell's, Laragh, ✆ 04 04/4 53 02, modern-rustikal, einfach und gut, auch B&B.

Bus: St. Kevin's Bus, ✆ 01/2 81 81 19, zweimal täglich Verbindung mit Dublin, St. Stephen's Green West, Nähe College of Surgeons.

Vom Avondale Forest Park nach Moone

Im **Avondale Forest Park,** einem Naherholungsgebiet der Dubliner, sollte man das Geburtshaus von Charles Stewart Parnell besuchen, in dem sehenswerte Erinnerungsstücke an den berühmten Vorkämpfer der irischen Freiheit ausgestellt sind (geöffnet Juni–September 10–18, Oktober–Mai 11–17). Von hier geht es weiter zum **Meeting of the Waters,** wie Thomas Moore, ein viktorianischer Balladenschmied, den Zusammenfluß von Avonmore und Avonbeg zum Avoca nannte. Die Stätte gibt ähnlich wie Moores in Bronze verewigte

Strophen wenig her, ist aber touristisch voll erschlossen.

Ein prähistorischer Ausflug führt zum Browneshill Dolmen in der Nähe von **Carlow** (15 000 Einwohner), dem Zentrum des Rinderhandels. Der wahrhaft eindrucksvolle Portaldolmen von 2000 v. Chr. trägt auf drei Orthostaten – ein vierter steht frei davor – den enormen, an die 100 Tonnen wiegenden Deckstein, den angeblich schwersten in ganz Europa (ausgeschildert, kurzer Fußmarsch).

Tourist Information: Tullow Street, ✆ 05 03/3 15 54.

Auf dem Weg nach Kildare sollte man eine lohnende ›Hochkreuz-Trophy‹ mit Beginn in dem kleinen Ort **Castledermot** absolvieren, dessen zwei aus Granit gehauene Kreuze, bedingt durch das Material, recht vereinfachende Darstellungen aufweisen. Sie legen mit ihrem Figuren- und Szenenreichtum Zeugnis von der im 9. Jh. vorherrschenden Tendenz zur Glaubensveranschaulichung ab; daneben erheben sich ein Rundturm aus grob behauenen Granitquadern sowie ein romanischer Türbogen. Das Kloster wurde im 9. Jh. mehrfach von den Wikingern geplündert.

Unterkunft: **** Kilkea Castle Hotel, ✆ 05 03/4 51 56, in altem, im 19. Jh. umgebautem Schloß der Geraldines; Kilkea Lodge Farm, ✆ 05 03/4 51 12, Hidden Ireland, erschwinglich, im Park des Schlosses.

Das unbedingt sehenswerte Kreuz in **Moone** datiert ca. 100 Jahre früher und trägt gut erkennbare Szenen, die u. a. die Rettung der Christenseele durch Gott zum Thema haben: im Osten Daniel und die sieben Löwen, die Opferung Isaaks, Adam und Eva und eine Kreuzigung; im Westen die zwölf Apostel, eine zweite Kreuzigung und die Jungfrau Maria; im Norden die wunderbare Brot- und Fischvermehrung, die Flucht nach Ägypten und die drei Jünglinge im Feuerofen; im Süden schließlich die hll. Antonius und Paulus, die Versuchung des hl. Antonius und verschlungene Fabelwesen.

Das in seiner Archaik und schematisierten Ausdrucksweise anrührende Kreuz liegt überaus romantisch inmitten des dortigen Schloßfriedhofs, der zu dem nahegelegenen georgianischen Herrenhaus mit normannischen Burgresten gehört.

Kildare, Castletown House

Das Landstädtchen Kildare (3200 Einwohner), das Zentrum der irischen Pferdezucht, besitzt im Vorort Tully, ca. 2 km südlich des Zentrums, das **Irische Nationalgestüt** und ein Pferdemuseum, das die Geschichte der irischen *Equidae*-Gattungen von prähistorischen Zeiten bis in die anglonormannische Epoche verfolgt (berühmtes

Skelett von Arkle). Im Gestüt kann man die wertvollen Zuchthengste bewundern. In den ausgedehnten Grünflächen südlich von Kildare, **The Curragh,** reiht sich ein Gestüt an das andere; Golfplätze, die berühmte Rennbahn und immer wieder Reiter und Jockeys auf ihren Pferden machen dieses Gebiet zu einem lohnenden Ausflugsziel.

In direkter Nachbarschaft zum Irischen Nationalgestüt liegen die **Japanischen Gärten,** die ältesten und schönsten Anlagen ihrer Art in Europa; die von dem japanischen Gärtner Tassa Eida 1906–1910 angelegte Parklandschaft symbolisiert das menschliche Leben (Gestüt, Museum, Gärten, Besucherzentrum geöffnet 12. Februar–12. November täglich 9.30–18 Uhr).

Die heutige **Kathedrale** von Kildare, auf deren Friedhof sich ein besteigbarer Rundturm und ein einfaches Hochkreuz befinden, stammt vom Beginn des 13. Jh. und später, auch wenn man hier Fundamente zeigt, wo der Überlieferung zufolge die hl. Brigid (Symbol: Kreuz aus Binsen) das ›Heilige Feuer‹ Tag und Nacht in Gang gehalten haben soll. Sie hatte an Stelle der heutigen Kirche vermutlich im 5. oder 6. Jh. ein Kloster gegründet, das – für heutige Verhältnisse erstaunlich – von Mönchen und Nonnen gemeinsam bewohnt wurde. In der Figur der Brigid scheint noch ein Reflex auf die gleichnamige heidnische Fruchtbarkeits- und Muttergottheit auf, deren Wahrzeichen ebenfalls das ewige Feuer und ein Kreuz (ein Sonnensymbol) waren.

Tourist Information: Market Square, ✆ 0 45/52 26 96, Heritage Trail durch die Stadt erhältlich.

Unterkunft: Martinstown House, The Curragh, ✆ 0 45/44 12 69, Hidden Ireland, neogotisches Jagdhaus.

Restaurant: Silken Thomas, The Square, ✆ 0 45/52 22 32, Steaks in schickem alten Kino.

Vor den Toren von Dublin, in dem von der hauptstädtischen Hektik bereits angesteckten Cellbridge, liegt in vornehm-aristokratischer Zurückgezogenheit **Castletown House.** Dieser Herrensitz ist das schönste Beispiel des palladianischen Stils in Irland. Es wurde von dem italienischen Architekten Alessandro Galilei 1722 begonnen und von seinem irischen Kollegen Edward Lovett Pearce mit den Flügeln und elegant geschwungenen Kolonnaden versehen, hinter denen sich Stallungen und ehemalige Büros vornehm verbergen. William Connolly, der Sohn eines kleinen Gastwirts aus Donegal, konnte sich diesen Luxus leisten, nachdem er Vorsitzender des irischen Unterhauses geworden war (wegen Restaurierungsarbeiten meist geschlossen, Informationen unter ✆ 01/6 28 82 52).

The Atlantic Inn
BUSH
STONE T.V.
SALES SERVICE
Lounge

Der Süden

Die schöne sanfte Südküste entlang: Wexford, Waterford, Cork

Kunsthandwerkerstädtchen Kilkenny

Die steinernen Ritter von Jerpoint Abbey

Fels der Könige: Cashel

Wer nie den Blarney Stone geküßt . . .

Im Gourmetparadies: Von Kinsale nach Bantry

Fotogen: die St. Colman's Cathedral und die bunten Häuschen über dem Hafen von Cobh

Von Wexford nach Youghal

Mit dem unprätentiösen Wexford und dem Kunsthandwerkerstädtchen Kilkenny kommen wir in zwei der schönsten Orte Irlands, mit dem Rock of Cashel sowie den Abteien von Jerpoint und Dunbrody zu herausragenden Kunstschätzen. Die freundliche, sanfte Landschaft lädt zu Fahrradtouren, Wassersport und Wandern ein.

Wexford

Wexford (16 000 Einwohner), der Hauptort der gleichnamigen Grafschaft, die sich selbst die sonnigste von ganz Irland nennt, wurde von den Wikingern gegründet und von den Normannen zu einem blühenden Handels- und Hafenzentrum ausgebaut. Oliver Cromwell eroberte die Stadt 1649 und massakrierte an die 5000 Bewohner, darunter 300 Frauen, die sich hilfesuchend um das Marktkreuz versammelt hatten. Diese (heute) gemütliche, typisch irische Kleinstadt mit ihrer langen Hafenpromenade eignet sich gut als Standquartier vor und nach der Fährüberfahrt von Le Havre oder Cherbourg aus. Im mittelalterlichen Stadtkern ist im schön restaurierten **Westgate** mit angrenzenden Stadtmauerresten ein Besu-

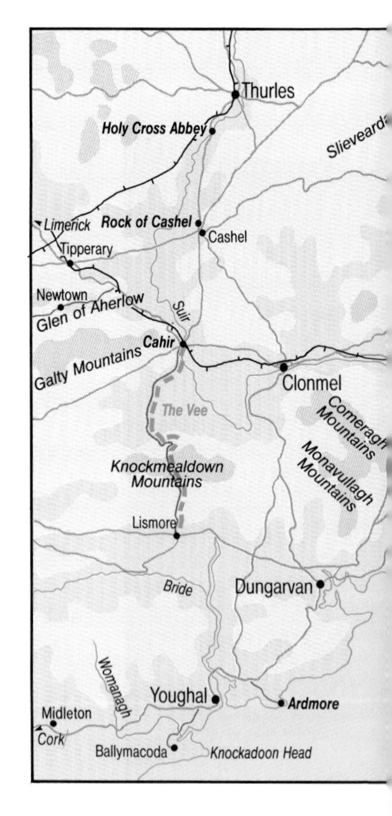

Von Wexford nach Youghal

cherzentrum untergebracht (geöffnet Mo–Sa 9.30–13, 14–17, Juli/August auch So 14–18). Daneben die Ruinen von **St. Selskar's Abbey** (13. Jh.), an der vor allem der massige Westturm beeindruckt. Der Name ›Selskar's‹ könnte eine Verballhornung des englischen *Saint Sepulchre* (Heiliges Grab) sein, wurde die Abtei doch von einer Dame gegründet, die ihren Gemahl in den Kreuzzügen verblichen wähnte. Als der Totgeglaubte nach langer Zeit dann doch zurückkehrte, fand er seine Frau als Nonne vor – worauf ihm nichts anderes übrigblieb, als nun seinerseits ein Männerkloster zu gründen und in diesem seinen Frieden zu suchen. Viel georgianische Bausubstanz, wenn auch nicht im entferntesten so prunkvoll wie in Dublin,

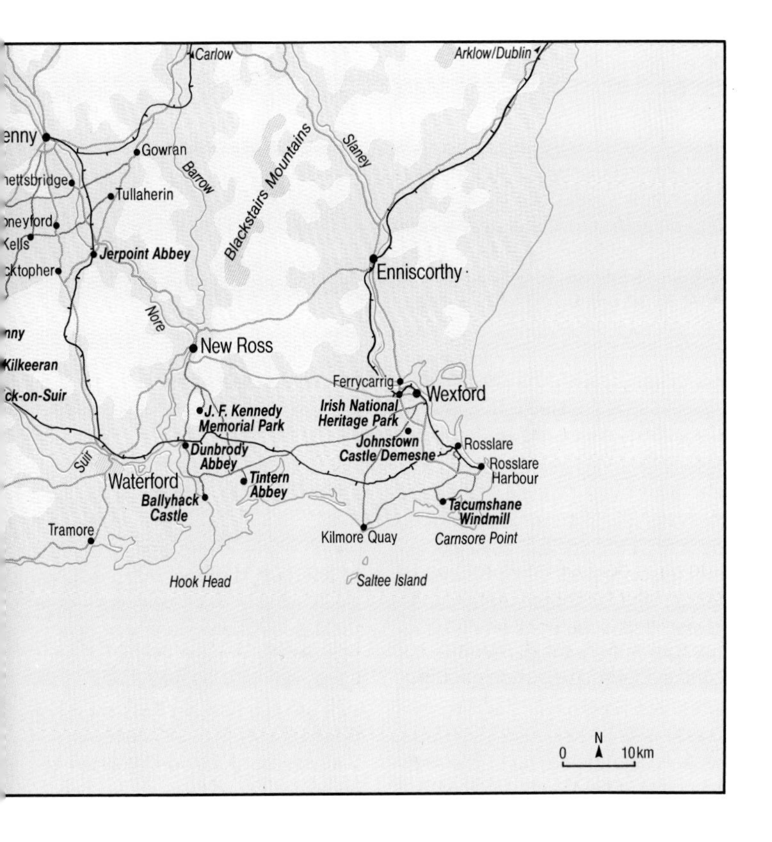

schmückt die enge, verkehrsreiche Hauptstraße der Stadt; ihre kleinen Läden mit vielen buntbemalten und teilweise handgeschnitzten Fronten finden sich so oder ähnlich in allen irischen Orten und Städten. Schnuppern Sie frische Seeluft bei einem Bummel an der Hafenmole.

Im **Irish National Heritage Park** (4 km nördlich von Wexford an der N11 nach Dublin) wurde das kulturelle Erbe Irlands inmitten einer stillen Sumpflandschaft liebevoll und übersichtlich nachgebaut: Der Spaziergang führt von den Fellzelten der ersten Jäger und Sammler vorbei an neolithischen Häusern, einer frühmittelalterlichen Klosteranlage und einer wikingischen Siedlung samt Langschiff bis hin zur originalgetreu nachgebauten normannischen Burg (geöffnet Mitte März–Oktober täglich 10–19).

In dieser reichen Region im Südwesten fällt verstärkt die rege Bautätigkeit auf. Auch die modernen Bungalows – durch die jeder Ire, der es sich leisten kann, sein ›romantisches‹ traditionelles Bauernhaus ersetzen wird – zeichnet noch die für die irische Bauweise typische Reihung der Räume nebeneinander aus. Im Augenblick ist neogeorgianisch gerade ›in‹: Sprossenfenster und Säulchen am Eingangsportal zieren die meisten Neubauten. Die in Irland typische Streubesiedlung sorgt dafür, daß außer den wildesten Regionen des Westens und Nordens kein Landstrich unbewohnt, unkultiviert, nicht von Hekken oder Steinmauern begrenzt ist.

Tourist Information: Crescent Quay, ✆ 0 53/2 31 11, vermittelt geführte Stadtrundgänge.

Unterkunft: Newbay House, ✆ 0 53/4 27 79, 3 km westlich, moderate Preise in Herrenhaus des 19. Jh.; Killiane Castle, Drinagh, ✆ 0 53/ 5 88 98, Farmhaus neben Schloß aus 13. Jh., 3 km südlich; Mrs. Cahill, Ardruadh, Spawell Road, ✆ 0 53/2 31 94, empfehlenswertes B & B in viktorianischer Villa, zentral.

Restaurant: Granary, Westgate, ✆ 0 53/2 39 35, rustikal, gut.

Pubs: Crown Bar, Monck Street, ältester der Stadt, ehemalige Postkutschenstation; Centenary Stores, Charlotte Street, junges Publikum, Folkmusik; Wren's Nest, Custom House Quay, traditionelle Musik.

Fahrradverleih: Bike Shop, 9 Selskar Street.

Ereignisse: Das weltberühmte Opernfestival im Oktober; Festival Office, High Street, ✆ 0 53/2 22 40.

Nach New Ross

In **Rosslare Harbour** legen die Autofähren vom Kontinent an – eine recht öde Ansammlung von Beherbergungsbetrieben. Weite, dünengesäumte Sandstrände erstrecken sich um den Badeort **Rosslare** 8 km nördlich von Rosslare Harbour sowie vom nördlich von Wexford gelegenen **Curracloe** nach Norden.

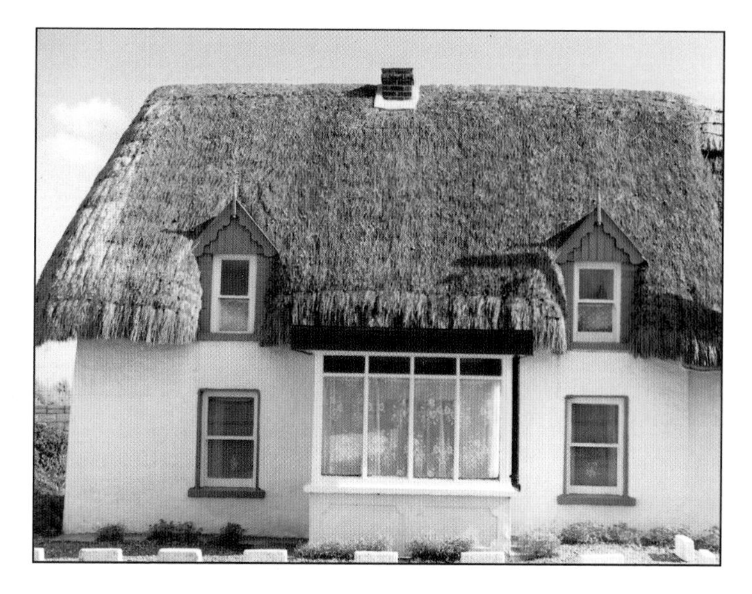

Reetgedecktes Cottage, Kilmore Quay

In den Lagunen vor der Windmühle von **Tacumshane** tummeln sich die Surfer, und die hübschen Fischerhäuschen des Hafenorts **Kilmore Quay** stellen die dichteste Ansammlung reetgedeckter Cottages dar, die Irland zu bieten hat. Von hier kann man Bootsüberfahrten zu den unbewohnten **Saltee Islands** buchen, einem der bedeutendsten Vogelreservate Irlands.

Die schöne flache Küstenlandschaft eignet sich vorzüglich für Radtouren. Ausgeschilderte Routen führen rund um die sanfte Bannow Bay und das Hook-Kap, wo der älteste Leuchtturm der Insel steht. Vögel und manchmal auch Seehunde lassen sich von den flach ins Meer gleitenden Felsen aus beobachten. Eine geruhsame Anus-Mundi-Atmosphäre herrscht auch im Fischernest **Slade** mit seinem Tower House aus dem 15./16. Jh. und im mittelalterlichen **Clonmines** mit zahlreichen Ruinen.

Tourist Information: Terminal, ✆ 0 53/3 36 22.

Unterkunft: Hotels und B & B's dicht an dicht, über dem Hafen und an Ausfallstraßen, z. B. S & P. Whitehead, Kilrane, ✆ 0 53/3 31 35, 1 km von Fähre. Jugendherberge: Rosslare Harbour Hostel, Goulding Street, ✆ 0 53/3 33 99, Fahrradverleih. Ansonsten: Es lohnt, nach Wexford zu fahren! **Kilmore Quay:** Kilturk Independent Hostel, ✆ 0 53/2 98 83.

Tintern Abbey und **Dunbrody Abbey,** zwei Zisterzienser-Gründungen vom letzten Viertel des 12. Jh., weisen die vom Kontinent importierte Gotik auf. Das 60 m lange Schiff von Dunbrody auf weiter grüner Wiese bietet eine der beeindruckendsten Abteiansichten Irlands. Die fast ohne jegliches Ornament auskommende Zisterzienser-Architektur wirkt streng und beinahe düster. Hoch über dem reizenden Hafenflecken **Ballyhack,** wo eine Fähre nach Waterford über das Barrow-Ästuar setzt, erwarten Puppen von Rittern und schönen Damen den Besucher im Tower House der Johanniter (geöffnet Juni–September Mo–Fr 10–13, 14–18, Sa/So 10–18).

Das **John F. Kennedy-Arboretum** ist dem berühmten amerikanischen Präsidenten gewidmet, der Irland kurz vor seiner Ermordung einen Besuch abstattete. Nahebei kann man das Cottage seiner Vorfahren in Dunganstown besichtigen (ca. 15 km nördlich von Waterford). 4500 Pflanzenarten, auf einer Fläche von 252 ha auch für den Laien übersichtlich geordnet, kann man sich hier auf erholsamen Pfaden erwandern. Besonders berühmt ist das Arboretum für seine kleingewachsenen Koniferen, seine Rhododendron und Azaleen sowie für die Eukalyptus-Bäume, deren Blätter als Futter für die Koala-Bären in den Dubliner Zoo wandern (geöffnet täglich Mai–August 10–20, April/September 10–18.30, Oktober–März 10–17; Restaurant/Café).

New Ross (5200 Einwohner), eine mit den gewundenen, oft steil den Berg hinaufführenden Gäßchen noch recht altertümlich wirkende Kleinstadt, wurde um 1200 von den Normannen als Handelsumschlagplatz gegründet. Ihre einstige wirtschaftliche wie ihre heutige touristische Bedeutung verdankt sie der Lage inmitten des Wasser-

Abtei auf grüner Wiese: die mächtigen Ruinen von Dunbrody Abbey

straßenlabyrinths des Barrow und seiner Nebenflüsse.

Man sehe sich das Tholsel-Rathaus, einen klassizistischen Bau von 1749 mit oktogonaler Kuppel und Uhrturm, sowie die aus dem 13. Jh. stammenden Reste der St. Mary's Church an, die heute mit einer Kirche des 19. Jh. – Hauptschiff, Querschiff und Chor liegen dachlos in Ruinen – verschmolzen ist. Die Marienkirche wurde zwischen 1207 und 1220 von William Marshall und seiner Frau Isabella von Leinster gegründet.

Unterkunft: ** Brandon House Hotel, ✆ 0 51/42 17 03, viktorianische Villa, moderate Preise.

Jugendherberge: Arthurstown Hostel, Arthurstown, ✆ 0 51/38 94 11.

Restaurants: A: Galley Cruising Restaurant, ✆ 0 51/42 17 23, durchschnittliches Essen auf einem kreuzenden Vergnügungsschiff; Neptune's Rest, Ballyhack, ✆ 0 51/3 92 84, relativ preiswert, sehr beliebt.

Waterford

Das 914 von den Wikingern gegründete und 1170 von Strongbow eingenommene Waterford (44 000 Einwohner, gael. *Port Láirge)*, wurde von Heinrich II. zur ›Königsstadt‹

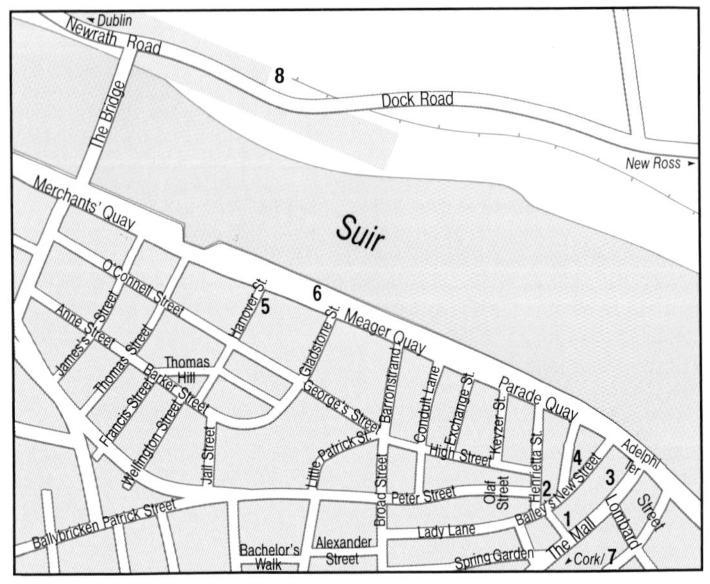

Waterford: 1 Rathaus 2 Christ Church Cathedral 3 Reginald's Tower 4 French Church 5 Tourist Information 6 Anlegestelle für die Restaurantboote 7 Glasfabrik 8 Bahnhof

erklärt. Fürderhin blieb es immer englandtreu – was sich auszahlte: Im 18. und 19. Jh. war Waterford das Zentrum einer blühenden Glasindustrie, die 1947 wiederbelebt wurde. Heute erinnern in der geschäftigen Stadt noch die **klassizistischen Häuserzüge** von The Mall, The Quay und Merchants Quay, das **Rathaus** sowie **Christ Church Cathedral**, die anstelle eines normannischen Vorgängerbaus Ende des 18. Jh. entstand, an diese Blütezeit. In der Kathedrale verdeutlichen ein klassizistisches und ein spätmittelalterliches Grabmal mit makabrer Effigie, die den Verstorbenen in Verwesung darstellt, eindringlich das unterschiedliche Lebensgefühl dieser beiden Epochen.

Die berühmteste Sehenswürdigkeit der Stadt, **Reginald's Tower**, soll 1003 von einem Dänen errichtet worden sein, stammt jedoch wohl aus dem 12. Jh. 100 m von dem mächtigen Turm lädt das **Heritage Centre** in der Greyfriars Street zum Besuch der wikingischen und normannischen Ausgrabungsfunde ein (beide geöffnet täglich

10–17, November–März Centre Sa/So, Tower So geschl.; Tower Juli/August Mo–Fr 10–20). Waterford läßt sich, wie alle irischen Städte, am besten zu Fuß erkunden, wobei ein Spaziergang die lange Uferpromenade am Suir entlang nicht fehlen sollte, der interessante Ausblikke auf den Hochseehafen mit seinen Containerschiffen bietet. Waterford gehört mit Wexford zu den überdurchschnittlich prosperierenden Zentren der ohnehin im gesamtirischen Vergleich schon gut abschneidenden Region South East.

Lassen Sie den schrillen Seebadeort Tramore mit seinem lärmigen Amusements links liegen und genießen Sie die ruhige Badeküste im kleinen **Annestown** wenige Kilometer westlich davon.

Tourist Information: 41 The Quay, ✆ 0 51/87 57 88, Stadtrundgänge; Operettenfestival, September. 1999 soll ein Besucherzentrum und Museum zur Stadtgeschichte öffnen.

Unterkunft: *****Waterford Castle Hotel, The Island, Ballinakill, ✆ 0 51/87 82 03, in einem zum Luxushotel umgebauten Schloß der Fitzgeralds, Insellage, Feinschmeckerrestaurant; ***Coach House Guest House, Butlerstown, ✆ 0 51/38 46 56, etwas außerhalb im Grünen. Annestown: Mr. & Mrs. Galloway, Annestown House, ✆ 0 51/39 61 60, wohltuend altmodisches B & B in viktorianischer Villa am Meer, exzellente Küche.

Restaurants: Dwyer's, 8 Mary Street, ✆ 0 51/87 74 78; MacCluskey's Bistro, 18 High Street, ✆ 0 51/85 77 66, lokale Produkte, Fisch, vegetarisch; Wine Vault, High Street, ✆ 0 51/85 34 44, schmackhafte Bistroküche.

Pubs: Geoff's, The Pulpit, beide John Street und junges Publikum; Mullanes, Newgate Street, Singing Pub.

Verbindung: Bahnhof (✆ 0 51/87 34 01) und Busbahnhof (✆ 0 51/87 90 00), nördliches Flußufer. Waterford Regionalflughafen, Killowen, ✆ 0 51/87 55 89.

Fahrradverleih: Wright's, Henrietta Street.

Einkäufe: Souvenirs aus dem berühmten Waterford-Kristallglas. In der Fabrik am Ortseingang kann man den Handwerkern bei der Arbeit zusehen und die gerade erstellten Kristallwaren kaufen; täglich 8.30–18 Uhr, November–März Mo–Fr 9–17 Uhr.

Carrick-on-Suir

In Carrick-on-Suir (25 km westlich von Waterford und am besten als Abstecher von dort zu besuchen) liegt das einzige Renaissanceschloß Irlands, malerisch inmitten der Uferwiesen des Suir und von der ansonsten wenig bemerkenswerten kleinen Stadt wie durch einen ›Feenwall‹ getrennt. Thomas Butler von Ormond fügte 1568 einer mittelalterlichen Burg (im rückwärtigen Teil, wird gerade restauriert) den elisabethanischen Anbau hinzu, um seine England-

und vor allem Elisabeth-Treue zu beweisen. Leider kam die Königin nie zu Besuch, um den Stuckschmuck, z. B. in der schönen Langen Halle, zu bewundern, wo ihre Abbilder mit der Überschrift ER (Elisabeth Regina) serienmäßig verewigt stehen. Ormond Castle mit seinen zahllosen Fenstern demonstriert darüber hinaus den Reichtum des Erbauers, den nicht nur die teuren, in Irland bislang unbekannten Glasscheiben, sondern auch die zu zahlende Fenstersteuer unterstrichen. Die gut informierten Führer lassen den Gast das Schloß einschließlich des sehenswerten, sonst selten erhaltenen Speichergeschosses unter den mächtigen, restaurierten Dachbalken auf eigene Faust erkunden (geöffnet täglich Juni–September 9.30–18.30).

Wenige Kilometer nördlich lohnen die Hochkreuze von **Kilkeeran** und **Ahenny** in friedvoller Weidelandschaft einen Besuch. Auf dem südlichen Sockel des Ahenny North Cross sehen wir eine Beerdigungsprozession, auf der Raben die kopflose Leiche angreifen.

Jerpoint Abbey

Auf dem Weg von Waterford nach Kilkenny oder als Ausflug von Kilkenny darf ein Stopp bei der Abtei von **Jerpoint**, der schönsten Zisterzienser-Abtei in Irland, nicht fehlen. Sie ist eine Gründung von Donal Mac Gillapatrick, dem König von Ossory, aus dem Jahre 1158. Die Kirche entstand 1160–80, so daß das Mittelschiff trotz der spitzbogigen Arkaden noch ganz romanisch wirkt. Der Kreuzgang aus dem 15. Jh. besitzt Skulpturen von Äbten, Rittern und Fabeltieren, die zum Besten gehören, was Irland an Plastiken zu bieten hat (s. Abb. S. 51). Im Chor der Kirche sind einige der schönsten und handwerklich perfektesten spätmittelalterlichen Grabdenkmäler – Tumben mit Heiligen am Sockel – der Insel untergebracht, geschaffen von Rory O'Tunney (geöffnet Mitte März–Mai und Mitte September–Oktober Mi–Mo 10–17; Juni–Mitte September täglich 9.30–18.30).

Unterkunft: Mrs. H. Blanchfield, Abbey House, ✆ 0 56/2 41 66, georgianisches B & B mit Essen direkt gegenüber Abtei. In der Nähe des schöngelegenen, hübschen Örtchens **Inistioge** 5 km südöstlich: Mrs. P. Cantlon, Cullintra House, The Rower, ✆ 0 51/42 36 14, georg. Farmhaus des Hidden Ireland am Fuße des Mount Brandon (Spaziergänge durch Ginsterheide) – Patricia kocht ausgezeichnet!

Kilkenny

Kilkenny (19 000 Einwohner mit Vororten) zählt wohl zu den attraktivsten Städten Irlands, ist aber daher in der Hochsaison auch tou-

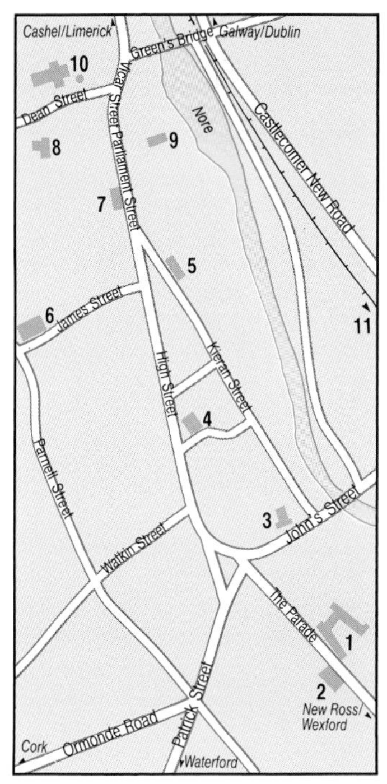

Kilkenny: 1 Kilkenny Castle 2 Kilkenny Design Shop 3 Shee Almshouse/Tourist Information 4 Town Hall 5 Kyteler's Inn 6 St. Mary's Cathedral 7 Rothe House 8 Black Abbey 9 Franziskaner-Abtei 10 St. Canice's Cathedral 11 Bahnhof/Busbahnhof

ristisch ›überbelastet‹. Obwohl bereits der hl. Cainnech hier ein Kloster gegründet hatte, begann der Aufstieg der Stadt erst, als William Marshall, Strongbows Schwiegersohn, 1204 eine mächtige Festung errichtete. 1391 kaufte James Butler von Ormond die Burg, und unter diesem angloirischen Adelsgeschlecht erlebte das englischtreue Kilkenny seine große Zeit – zeitweise lief es sogar Dublin den Rang ab.

Von der ursprünglichen Burg der Marshalls sind im heutigen **Kilkenny Castle** noch die drei mächtigen Rundtürme erhalten; das Aussehen der mächtigen Anlage prägen jedoch die Um- und Anbauten aus späterer Zeit. Von den Innenräumen sollte man sich die viktorianische Große Halle mit der Ahnengalerie der Butlers und der bemalten Holzdecke nicht entgehen lassen (geöffnet Oktober–März Di–So 10.30/ 11–12.45 und 14–17, April/ Mai täglich 10.30–17, Juni bis September täglich 10–19 Uhr).

In den ehemaligen Ställen gegenüber kann man sich heute mit Andenken aus dem **Kilkenny Design Shop** eindecken und den Künstlern bei der Arbeit zuschauen – Kilkenny gilt als das Zentrum der irischen Kunstgewerbeproduktion.

Das **Rothe House**, ein typisches Kaufmannshaus im elisabethanischen Stil des 16. Jh., beherbergt nun das sehenswerte Stadtmuseum (geöffnet Juli/August täglich 9.30–18, Januar/Februar So 15–17, Rest des Jahres Mo–Sa 10.30–17, So 15–17).

Die **St. Canice's Cathedral**, 1251–1280 im Early English-Stil von Bischof Hugh de Mapilton erbaut (Vierungsturm aus dem 14. Jh.), weist einige sehr schöne, aus schwarzem Stein gefertigte Grabdenkmäler auf, darunter auch die der Butler-Familie und das von Rory O'Tunney für James Shortal 1508 geschaffene. Neben der Kathedrale reckt sich einer der wenigen frühen Rundtürme (700–1000) in schwindelerregende Höhen, die man auf einer ebensolchen Treppenkonstruktion ersteigen kann.

Das **Rathaus** (Town Hall) aus dem 18. Jh., die gotischen Kirchen des Franziskaner-Ordens sowie der Dominikaner-Mönche, die **Black Abbey**, gehören zu weiteren lohnenden Stationen des Stadtbummels durch die teils mittelalterlich engen, teils von eleganten georgianischen Gebäuden gesäumten Straßen. Der älteste Gasthof der Stadt, **Kyteler's Inn**, dessen Ursprünge bis ins 13. Jh. zurückreichen, war Wirkungsort der 1280 geborenen ›Hexe‹ Alice Kyteler, deren Geschichte einmal nicht auf dem Scheiterhaufen, sondern mit der erfolgreichen Flucht auf den Kontinent endete.

Fahrradtour zu mittelalterlicher Kunst und zeitgenössischem Kunsthandwerk: Gut 80 km umfaßt diese Tagestour, die durch die sanft hügelige Agrar- und Flußlandschaft um das Anglerparadies des Nore River zwischen Kilkenny und Jerpoint führt. Die Gegend ist einzigartig reich an mittelalterlicher Plastik, und in den Ateliers des »Craft Trail« kann man Kunsthandwerkern bei der Arbeit zusehen und Zweite-Wahl-Produkte preiswert erwerben. Stationen sind Kilkenny, **Gowran** (Kirchenruinen mit lustigen Köpfen und qualitätvollen Effigien eines Ehepaars), **Tullaherin** (Rundturm auf wunderschönem Friedhof), Jerpoint Abbey (s. S. 126), **Knocktopher** (Effigie eines Ehepaars), **Kilree** (Rundturm und Hochkreuz auf verwunschenem Friedhof), **Kells** (Abteiruinen), **Stoneyford** (Jerpoint Glass Studio), **Bennettsbridge** (Ateliers Stoneware Jackson Pottery, Nicholas Mosse, Chesneau Leather Goods), Kilkenny.

Tourist Information: Shee Alms House, Rose Inn Street, ✆ 0 56/ 5 15 00, Infos zu Stadtrundgängen, Kunsthandwerkern, »Craft Trail«.

Unterkunft: Blanchville House, Dunbell, ✆ 0 56/2 71 97, 8 km südöstlich, moderate Preise in georgianischem Herrenhaus des Hidden Ireland, gute Küche, empfehlenswert; ***Lacken House Guest House, Dublin Road, ✆ 0 56/6 10 85 – mit renommiertem Restaurant. B & B konzentriert an Castlecomer und Dublin Road.

Jugendherbergen: Kilkenny Tourist Hostel, 35 Parliament Street, ✆ 0 56/6 35 41; Foulksrath Castle, Jenkinstown, ✆ 0 56/6 71 44, in normannischem Towerhouse des 15. Jh.

Restaurants: Lacken House s. o.; Café Sol, William Street, ✆ 0 56/ 6 49 87, preiswert, beliebt, leger-individuelle Küche.

Singing Pubs: Maggie, Parliament Street, der berühmteste; Edward Langton, The Arch Tavern, Peig's (Cabaret) – alle John Street.

  **Verbindung**: Bus- und Zugbahnhof in der John Street, ✆ 0 56/2 20 24.

 **Fahrradverleih**: J. J. Wall, Maudlin Street.

Nach Cashel

Die Zisterzienser-Gründung **Holy Cross Abbey** aus dem 15. Jh. wurde wegen ihrer Reliquie vom Heiligen Kreuz zu einem beliebten Pilgerziel und, da wichtige Reliquien im Mittelalter Garanten wirtschaftlichen Wohlergehens darstellten, sehr reich. Auch heute noch floriert der Pilgerverkehr. Papst Johannes Paul II. machte hier auf seinem Irland-Besuch 1979 Station und las die Messe.

Die früher in Ruinen liegende Kirche wurde nach einem Gesetz (!) von 1975 wiederaufgebaut. An der Westwand des nördlichen Querschiffs befinden sich die größ-

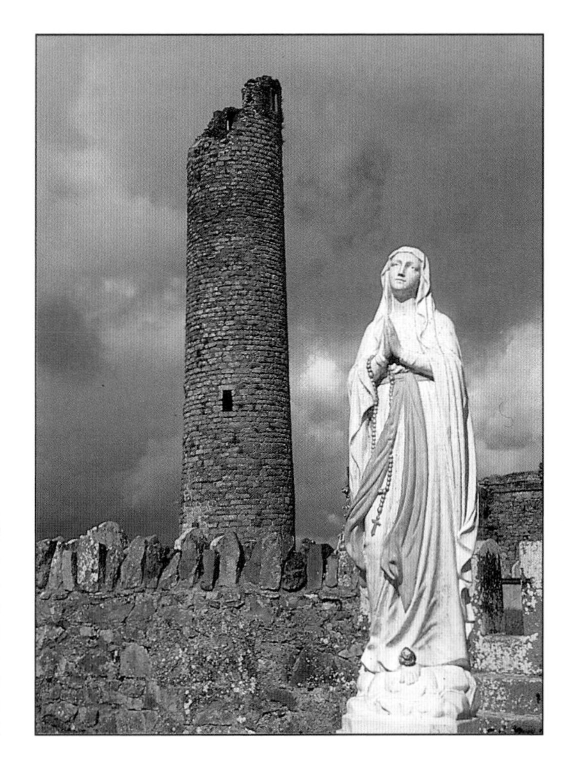

Auf dem verwunschenen Friedhof von Tullaherin – in diesem Rundturm brachten die Mönche sich vor den plündernden Wikingerhorden in Sicherheit

Der Rock of Cashel

Weithin die Ebene von Tipperary beherrschend, erhebt sich der alte, wohl seit dem 4. Jh. befestigte Sitz der Eóganachta, der Könige von Munster. Der 100 m hohe Kalksteinfelsen ist im Gegensatz zu anderen Königssitzen nicht als prähistorische Kultstätte bezeugt; auch der Name Cashel (von röm. *castellum*, Burg) läßt Verbindungen zu dem romanisierten Britannien möglich erscheinen.

Um 450 empfing hier König Aenghus die Taufe aus der Hand des hl. Patrick höchstpersönlich – der Sockel des St. Patrick-Kreuzes (11./12. Jh.) soll sein Taufstein gewesen sein. Sicher ist indes nur, daß er in späteren Jahren als Krönungsstein genutzt wurde und so den Hegemonialanspruch der Munster-Könige durch die Patrick-Tradition stützen half. Die mächtigen Fürsten besaßen alle geistliche und weltliche Macht: Der bekannteste von ihnen, Cormac I. (um 900), war König, Bischof und Dichter. Unter seiner Herrschaft entstand der 32 m hohe Rundturm, der noch heute am nördlichen Querschiff der Kathedrale steht.

Hochkönig Brian Boru residierte ebenfalls hier. Im frühen 11. Jh. schenkte der um die Reform der irischen Kirche (s. S. 34) bemühte Muirchertach den Bergkegel der Kirche und hielt in der Burg eine Reformsynode ab. Das Jahr 1152 sah den feierlichen Einzug des vom Papst gesandten Nuntius Kardinal Paparo, der den neugeschaffenen Erzbistümern Armagh, Dublin, Cashel und Tuam das Pallium überreichte.

Die kleine Cormac's Chapel, das bedeutendste Bauwerk der irischen Romanik, ließ Fürstbischof Cormac II. Mac Carthy von 1127–1134 errichten; das aus einem Schiff mit Chorabschluß und zwei Osttürmen bestehende Bauwerk wurde aus sorgfältig gefügten gelblichen Sandsteinquadern gebaut. Der Steinmetz William und der Zimmermann Konrad, beides Iren aus dem ›Schottenkloster‹ Regens-

ten auf der Insel erhaltenen Reste von Wandmalereien, wohl im 15. Jh. entstandene, heute nur noch schlecht zu erkennende Jagdszenen. ›The Monks Waking Place‹ im südlichen Querschiff war vielleicht das architektonische Behältnis des kostbaren Kreuzessplitters oder eine Grabtumba. Man spüre auch den Steinmetzzeichen an den Pfeilern der Vierung und dem beinahe verspielt wirkenden Bauschmuck nach (geöffnet täglich 9–20).

burg (die Iren wurden im Mittelalter *Scoti* genannt), dürften entscheidende Impulse aus der kontinentalen Romanik in die Baukonzeption eingebracht haben. So wirken denn die Blendarkaden außen und innen, die Tonnengewölbe im Schiff, die beiden Osttürme und das Kreuzrippengewölbe im Chor gänzlich ›unirisch‹; die Chorbogen mit dem Zickzackmuster erinnern an normannische englische Architektur.

Doch auch genuin Irisches findet sich: die Steinköpfe im Chorbogen, von denen keiner dem anderen gleicht, sowie das noch immer an die umgestülpte Schiffsform der frühen irischen Oratorien gemahnende Dach. Ein ganz besonderes Vergnügen bietet der skulpturale Bauschmuck: Kapitelle mit Menschengesichtern und phantastischem Getier und vor allem das Nordtympanon mit einem Kentauren, der mit Pfeil und Bogen einen Löwen zu erlegen sucht.

Der irische Süden hatte sich gegenüber fremden Einflüssen schon immer offener erwiesen als beispielsweise der hartnäckig am gaelischen Erbe hängende und die englische Herrschaft bekämpfende Westen und Nordwesten der Insel: So ist es möglicherweise mehr als bloßer Zufall, daß gerade hier in Cashel 1172 der gesamte irische Klerus dem englischen König Heinrich II. als oberstem Lehnsherrn Irlands huldigte.

Von englischem Einfluß kündet denn auch die im 13. Jh. entstandene Kathedrale mit Querschiffen und mächtigem Vierungsturm, die wegen Platzmangel so dicht an Cormac's Chapel angebaut wurde, daß deren Portal nun blind endet. In der gotischen Kathedrale befinden sich neben anderen Grabdenkmälern auch das des Bischofs Miler Mac Grath, der unter Elisabeth I. zum Protestantismus übertrat und daraufhin in beiden Konfessionen die Bischofswürde innehatte. Des weiteren gibt es auf dem Burgberg noch den Bischofspalast aus dem 15. Jh. sowie die Vicar's Hall zu sehen; letztere hat man jüngst samt der bemalten Holzdecke rekonstruiert und zu einem kleinen Museum umgewandelt, wo auch das Original des St. Patrick-Kreuzes aufbewahrt wird.

Cashel, ein gemütliches Städtchen mit 2700 Einwohnern, besitzt als Ausgangspunkt zum berühmten Rock of Cashel eine gute touristische Infrastruktur. Werfen Sie einen Blick auf die mit Graffiti aus der irischen Mythologie bemalten Seitenpassagen der Hauptstraße und das Folk Village in der Dominic Street oder besuchen Sie die Musikveranstaltungen des Brú Ború, des Kulturzentrums der Comhaltas Ceoltóirí (✆ 0 62/6 11 22, Mitte Juni–Mitte September Di–Sa 21 Uhr Shows).

Ein Spaziergang führt zu den grauen, hohen Ruinen der Zisterzienser-Abtei Hore Abbey in den grünen Wiesen, die den Burgberg einbetten (Rock geöffnet Mitte September–Mitte März 9.30–16.30, Mitte März–Mitte Juni bis 17.30, Mitte Juni–Mitte September 9–19.30).

Unterkunft: Lismacue House, Bansha, ✆ 0 62/5 41 06, Herrenhaus des Hidden Ireland am Fuße der Galtee Mountains, ca. 10 km südwestlich; **Bailey's of Cashel, Main Street, ✆ 0 62/6 19 37, preiswertes Guest House mit Restaurant.

Jugendherbergen: Cashel Holiday Hostel, 6 John Street, ✆ 0 62/6 23 30 (Fahrradverleih); Ballydavid Wood Youth Hostel, Glen of Aherlow, ✆ 0 62/5 41 48.

Restaurant: Chez Hans, am Fuß des Burghügels, ✆ 0 62/6 11 77, von Deutschem geführtes Gourmetlokal in ehemaliger Kirche.

Von Cashel bietet sich ein Abstecher über Bansha in die schöne und in letzter Zeit an den Hängen wiederaufgeforstete Landschaft des **Glen of Aherlow** an. Nördlich des Tals dehnt sich die fruchtbare Suir-Ebene bis Tipperary aus, im Süden erreichen die Galty Mountains, deren Gipfel meist Deckenmoore einnehmen, wandergeeignete Höhen bis zu 900 m.

»Green green grass of home« – pastorale Idylle im Glen of Aherlow

Von Cahir nach Midleton

Die Burganlage von **Cahir** am Suir (1800 Einwohner), eine der mächtigsten in Irland – sie stammt teils aus dem 13., teils aus dem 15. Jh. – ist unlöslich mit der Geschichte der Butlers verbunden; eine Nebenlinie der mächtigen Butlers von Kilkenny residierte hier. Die als uneinnehmbar geltende Festung wurde 1599 nach nur zehntägiger Belagerung durch Artillerieeinsatz vom Earl of Essex, dem Günstling Elisabeths I., eingenommen und wechselte in den Wirren des 17. Jh. mehrfach den Besitzer – um später doch an die Butlers zurückzufallen. Innerhalb der massiven Außenmauern, die mit runden und quadratischen Türmen verstärkt sind, erhebt sich der eindrucksvolle dreistöckige Bergfried, in dem die Große Halle mit Kamin und spartanisch-klobiger Einrichtung des 17. Jh. besichtigt werden kann (geöffnet Mitte Juni–Mitte September 9–19.30, Mitte Oktober–März 9.30–16.30, sonst 9.30–17.30).

Jugendherbergen: Kilcoran Farm Hostel, Kilcoran, ✆ 0 52/4 19 06; Lisakyle Hostel, Ardfinnan Road, ✆ 0 52/4 19 63.

Von Cahir führt **The Vee**, eine kurvenreiche, schmale Straße, durch die an die 800 m-Marke heranreichenden Knockmealdown-Berge nach **Lismore.** Die ehemalige Burg des 12. Jh., im 19. Jh. in ein neogotisches Phantasieschloß umgebaut, wird an (gut) zahlende Gäste vermietet; die schönen Schloßgärten sind zu besichtigen (geöffnet Mitte April–Mitte September tägl. 13.45–16.45). Die Strecke verspricht ausgezeichnete Ausblicke auf die sanft ansteigenden Hänge mit Nadelhölzern und Akazienbüschen zur einen und auf die fruchtbare Suir-Tiefebene zur anderen Seite.

An der Blackwater-Ria, einer Flußmündung, in die das Meer eingedrungen ist – der Tidenhub reicht bis ins 22 km nördlich gelegene Cappoguin –, liegt **Youghal** (6000 Einwohner), heute ein für seine Spitzenherstellung bekannter Badeort mit langem Sandstrand. Der berühmteste Bürgermeister des Städtchens, der spätere Admiral und Freibeuter Sir Walter Raleigh (1552–1608), soll hier der Überlieferung zufolge jene im 19. Jh. zum Hauptnahrungsmittel der Iren avancierte Feldfrucht erstmalig gepflanzt haben: die Kartoffel. Angeblich hat er im elisabethanischen Myrtle Grove gewohnt, das einen Besuch lohnt. Hinter der St. Mary's Church mit einigen interessanten Grabsteinen kann man noch die Stadtmauern mit zwei halbrunden Türmen und Toren, zum Teil jedoch aus späterer Zeit (Clock Gate aus dem 18. Jh.), besichtigen.

Unterkunft/Restaurants: Ballymaloe House, Shanagarry, ✆ 0 21/65 25 31, ca. 20 km südwestlich, georgianisches ****Guest House mit wohl berühmtester Country House-Küche Irlands – die Familie Allen führt hier auch eine Kochschule und unterhält schöne, im Sommer zu besichtigende Gärten; lange vorbestellen. Ahernes, 163 Main Street, ✆ 0 24/9 24 24, ****Guest House mit empfehlenswertem Seafood Restaurant und Pub.

Pubs: The Nook, Main Street, irische Folkmusik; Buttimer's, Market Dock, traditioneller Pub.

Ereignisse: Ende Juni/Anfang Juli: Walter Raleigh Potatoe Festival.

Der kleine Badeort **Ardmore** erstreckt sich in malerischer Lage vom Meeresufer die Hügel hinauf, in denen zahlreiche von kontinentalen Urlaubern erworbene Ferienhäuser stehen. Ein lohnender Spaziergang an diesen und dem Hotel vorbei führt zu einer verwunschenen frühchristlichen Brunnenanlage mit einer archaischen Kreuzigungsgruppe. Leider fiel der eine Schächer einem Kunstraub zum Opfer, und auch die sechs Monate währende Suchkampagne der Dorfbewohner konnte ihn nicht wieder zu Tage fördern. Durch Ginster- und Baumheide geht es von hier aus zu den Klippen weiter, wo man durch eine atemberaubende Aussicht auf die Bucht von Ardmore belohnt wird.

Die Hauptattraktion von Ardmore liegt indes auf halber Höhe der Uferhügel am Ortseingang: Hier erhebt sich einer der am besten erhaltenen irischen Rundtürme auf die stolze Höhe von 30 m. Das aus dem 12. Jh. stammende Bauwerk hat sechs durch Leitern zu erreichende Stockwerke; unter seinem konischen Abschluß sitzen zwei Lanzettfenster. Das Grab des hl. Declan, der bereits vor der Ankunft des hl. Patrick hier Bischof gewesen sein soll, zeigt man in dem sogenannten St. Declan's Oratory.

Die Kathedrale wurde von Moelettrim O'Duibh-rathra kurz vor seinem Tod (1203) errichtet und besitzt ein ungeteiltes Schiff mit einem später angebauten gotischen Chor. Die romanischen Reliefs an der Außenseite der Westwand stammen möglicherweise noch von einem Vorgängerbau des 11. Jh. Unter den Rundbogen sieht man die am besten erhaltenen Reliefs: Adam und Eva, Salomons Urteil und die Anbetung der Könige.

In **Midleton** wandert man im Jameson Heritage Centre durch die 1795 errichteten Fabrikgebäude der ehemaligen Whiskey-Destille – der Name dürfte Ihnen von Pubbesuchen her bekannt sein (geöffnet März–Mitte November 10–18.30, sonst Führungen Mo–Fr 12/15).

Von Cork bis Bantry

Mit dem lauten Cork wird sich nicht jeder anfreunden können, doch den Blarney Stone muß man gesehen, wenn schon nicht geküßt haben. Das pittoreske kleine Kinsale und die noch wenig erschlossene Küste bis Mizen Head sind ein Eldorado für Feinschmecker und Liebhaber von Meeresfrüchten. In Bantry steht eins der schönsten georgianischen Herrenhäuser der Insel.

Cork

Cork (180 000 Einwohner, gael. *Corcaigh* = Sumpfland) ist die zweitgrößte Stadt Irlands und eine seiner Wirtschaftsmetropolen. Um die Lee-Mündung ›Cork Harbour‹, dessen trichterförmiges Ästuar einen der größten Naturhäfen Europas darstellt, entstand eine Industriezone, die mit ihren Hauptstandorten Ringaskiddy und Little Island sogar eigene Tiefwasserhäfen besitzt. Neben dem größten Stahlwerk der Republik, der Irish Steel Company, sowie einer irischen Firma für Gentechnologie sind vor allem internationale Konzerne der chemischen und pharmazeutischen Industrie vertreten (s. S. 28).

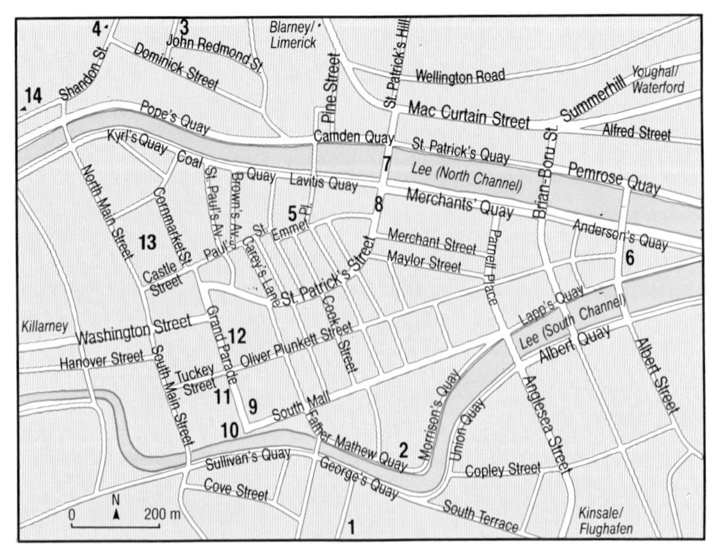

Cork: 1 St. Finbarr's Cathedral 2 Father Mathew Memorial Church 3 St. Mary's Pro-Cathedral 4 St. Anne's Church 5 Crawford Municipal Art Gallery 6 Custom House 7 St. Patrick's Bridge 8 Father Mathew Memorial 9 Tourist Information 10 National Monument 11 Bishop Lucey Park 12 English Market 13 Coal Quay Market 14 Cork City Gaol (Gefängnismuseum)

Cork ist seit 1845 Universitätsstadt und Sitz sowohl eines protestantischen als auch eines katholischen Bischofs. Obwohl schon der hl. Finbarr hier eine Klostersiedlung gründete, beginnt die Geschichte Corks – wie die aller irischen Hafenstädte – erst mit den Wikingern (917). Aus der Zeit der Mac Carthy-Könige von Südmunster (seit 1118) und der Normannen (1180) blieb nichts erhalten. Nach dem Sieg Wilhelms von Oranien 1690 wurden die Stadtbefestigungen geschleift, und in den Kämpfen zu Beginn unseres Jahrhunderts, als Cork Zentrum der Fenier und der IRA war und den Beinamen ›The Rebel City‹ erhielt, wurde beinahe alles Übrige aus historischer Zeit zerstört.

Cork ist eine Stadt der Gegensätze. Ein Bummel durch die quirlige, von Straßenmusikanten und -künstlern belebte Einkaufszone um die Patrick Street und die angrenzenden Seitensträßchen mit ihren Kunsthandwerkshops, Boutiquen und Pubs zeigt die wohlhabende Seite der Stadt. Ein Bummel über den Coal Quay Market in der Cornmarket Street, einen seit Jahrzehnten abgehaltenen Flohmarkt, die ärmliche Seite. Cork ist kein Besichtigungsmuß, verbreitet aber aufgrund der zahlreichen altertümlichen Lädchen und der immer vollen Kirchen etwas vom Flair des ›alten Irland‹ à la Böll.

Die Altstadt Corks liegt auf einer Insel zwischen zwei kanalisierten Flußarmen – vom steil ansteigenden **St. Patrick's Hill** ergibt sich ein schöner Überblick. Die Kirchen der Stadt entstanden hauptsächlich im 19. Jh., entweder wie St. Finbarr's Cathedral und Father Mathew Memorial Church im neogotischen oder wie St. Mary's Pro-Cathedral im neoklassizistischen Stil. Die **St. Anne's Church** in Shandon mit ihrem ›Pepperpot‹-Turm, dem Wahrzeichen der Stadt, wurde bereits 1722–50 gebaut; gegen eine gewisse Gebühr kann man das berühmte Shandon-Glockenspiel in diesem Turm zu einer Privatvorstellung bringen (geöffnet täglich 10-17). Im umliegenden Shandon-Viertel, einst Schauplatz des bedeutenden Buttermarkts, wurde die ehemalige Butterbörse an der Dominick Street zum Firkin Crane Arts Centre umgebaut.

Neben dem modernen Opernhaus präsentiert die **Crawford Municipal Art Gallery** (ein Gebäudeteil ist das georgianische frühere Custom House) in der Abteilung ›Gibson Gallery‹ eine sehenswerte

Blick auf Cork vom St. Patrick's Hill

Sammlung von Malern der Irischen Schule sowie wechselnde Ausstellungen zeitgenössischer irischer Künstler (geöffnet Mo–Sa 9.30–17). Shoppen kann man an Paul's Street, Grand Parade, Oliver Plunkett Street und St. Patrick's Street. Der **English Market** in der viktorianischen Markthalle, einem Backsteingebäude mit gußeisernen Dachträgern, bietet täglich frische Lebensmittel feil. Im **Cork City Gaol** erfahren Sie hautnah, wie es sich in einem Gefängnis des 19. Jh. lebte (geöffnet täglich 9.30–18; 2 km am Lee entlang oder Bus von der Tourist Information).

Tourist Information: Grand Parade, ✆ 0 21/27 32 51, vermittelt geführte Stadtrundgänge.

Unterkunft: ***Arbutus Lodge Hotel, St. Lukes, ✆ 021/501237, schöner Garten, exzellente Küche; ****Lotamore Guest House, Tivoli, ✆ 0 21/82 23 44, 5 km vom Zentrum, georgianisches Haus in Park, preiswert; **** Seven North Mall, 7 North Mall, ✆ 0 21/39 71 91; *** Garnish House, Western Road, ✆ 0 21/27 51 11 – zwei komfortable, preiswerte Guest Houses im Zentrum.

Jugendherbergen: Cork International Hostel, 1 & 2 Redclyffe, Western Road, ✆ 0 21/54 32 89; ISAAC's, 48 MacCurtain Street, ✆ 0 21/50 83 88; Kinlay House, Shandon, ✆ 0 21/50 89 66.

Restaurants: Café Paradiso, 16 Lancaster Quay, ✆ 0 21/27 79 39, für Gourmet-Vegetarier; Oyster Tavern, 4 Market Lane, ✆ 0 21/27 27 16, gutes Seafood in gemütlicher Atmosphäre; Crawford Gallery Café, Emmet Place, ✆ 0 21/27 44 15, mittags und abends, moderate Preise, geführt von Familie Allen von Ballymaloe; ISAAC's Brasserie, s. l., ✆ 0 21/50 38 05, preiswert, französisch.

Pubs: Mutton Lane Inn, off Patrick Street, schön traditionell; An Spailpín Fánac, 28/29 South Main Street, alter Pub, jede Nacht traditionelle Musik; The Long Valley, Winthrop Street, Theaterleute, leicht *crazy*.

Ereignisse: Juni: Youth Arts Festival. Oktober: Jazz-Festival; Film-Festival.

Fughafen: International, 8 km südlich an Kinsale Road, ✆ 021/31 31 31.

Bahnhof: Lower Glanmire Road, ✆ 0 21/50 67 66. **Busbahnhof:** Bus Eireann, Parnell Place, ✆ 0 21/50 81 88.

Fahrradverleih: Cycle Repair Centre, 6 Kyle Street. **Fähren** nach Frankreich von Ringaskiddy.

Cobh und Blarney Castle

Auf der Great Isle gegenüber Ringaskiddy liegt die Hafenstadt **Cobh**, auf deren Friedhof die 1198 Opfer des englischen Dampfers Lusitania ihre letzte Ruhe fanden, der 1915 vor dem Old Head of Kinsale von einem deutschen U-Boot versenkt wurde. Während des ›Großen Hungers‹ liefen von hier die ›schwimmenden Särge‹, die Aus-

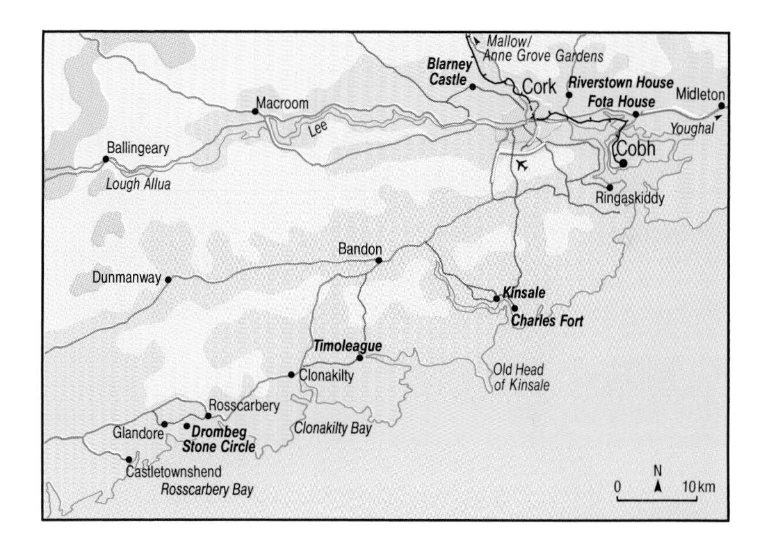

Von Cork bis Bantry

wandererboote nach Amerika, aus. Die neogotische St. Colman's Cathedral mit ihrem berühmten, meist sonntags erklingenden Glockenspiel dominiert den malerischen Hafen (s. Abb. S. 116/17). In der viktorianischen Bahnhofshalle widmet sich ein neues Besucherzentrum Cobhs und der Auswanderer Geschichte (»Queenstown Story«, März–Oktober Mo–Sa 10–18).

In dem vor den Toren Corks gelegenen **Blarney Castle** befindet sich auf der Brustwehr des auf 120 Stufen zu ersteigenden Turms der berühmte ›Blarney Stone‹: Demjenigen, der es über sich bringt, unter den neugierigen Augen aller Besucher sich auf dem Rücken liegend abwärts nach hinten zu beugen und einen Kuß auf die Unterseite des Steins zu drücken, wird auf magische Weise die Gabe der Beredsamkeit zuteil. Der Ursprung dieser seltsamen, erst in jüngster Zeit zu beobachtenden touristischen Gepflogenheit liegt im dunkeln, ernährt jedoch das Städtchen Blarney recht gut. Angeblich hatte einst Cormac Mac Carthy, ein Nachfahre der stolzen Könige von Südmunster, es so lange durch Ausreden herausgezögert, Elisabeth I. von England für seine Ländereien den Lehnseid zu leisten, daß die ›jungfräuliche Königin‹ erzürnt ein Bonmot prägte: »*This is all Blarney!*« bedeutet demnach: »Alles Ausreden!«

Das dreistöckige Tower House, dessen verzweigtes Gang- und

Die »Wildgänse«

Emigration als irisches Phänomen

Das Reisen ebenso wie die radikalste Form des Reisens, die Auswanderung, stellen schon seit frühesten Zeiten einen bedeutenden Faktor in der irischen Geschichte dar. Für die Reiselust ihrer mittelalterlichen Bewohner dürften noch die isolierte Lage der Insel und Frömmigkeit den Ausschlag gegeben haben, später dann zwangen vor allem politische Verfolgung und wirtschaftliche Not zur Emigration.

Während der ersten Migrationsbewegung, der sog. Irischen Mission, zogen Tausende von Mönchen zunächst ins heutige Schottland und nach Wales und Nordengland, gründeten bedeutende Klöster wie Lindisfarne und Iona, das 563 vom hl. Columkille aufgebaut wurde. In einer zweiten Phase kamen die Iren auf den Kontinent – der hl. Kilian, der als Apostel der Franken den Märtyrertod erlitt, war beispielsweise Ire – und riefen in Gallien, Burgund und Italien so mächtige Klöster wie Bobbio und St. Gallen ins Leben. Irland gehörte zu diesen Zeiten zu den führenden christlichen Kulturnationen: Unzählige kontinentaleuropäische Gelehrte studierten an den beliebten Klosteruniversitäten Irlands.

Unter englischer Herrschaft setzte im 14. Jh. aufgrund politischer und ökonomischer Unterdrückung durch die Besatzer eine zahlenmäßig zunächst noch bescheidene Auswanderung von Handwerkern ein. 1607 schaffte die berühmte ›Flucht der Grafen‹, der Führer der beiden mächtigsten Clans von Ulster und ihres Anhangs, Raum für die *Plantations,* die Ansiedlung englischer Landbesitzer: Red Hugh O'Donnell und Hugh O'Neill flohen bei Nacht und Nebel ins katholische Exil nach Spanien.

Nach dem Sieg des Protestanten Wilhelm von Oranien in der Schlacht am Boyne (1690) trieben die anti-katholischen *Penal Laws* viele junge Iren in die Armeen der kontinentalen Herrscher. ›Flucht der Wildgänse‹ wird diese Auswanderungswelle romantisch genannt, denn nach einer alten Legende kehren die Seelen der auf fremden Schlachtfeldern Gefallenen in der Gestalt von Wildgänsen in ihre Heimat zurück.

Besonders viele Söldner verdingten sich im Siebenjährigen Krieg (1756–1763) und in den anderen dynastischen Kriegen des 18. Jh. für die katholischen Länder Frankreich, Spanien und Österreich. William

Thackeray hat einem von ihnen, dem Falschspieler und Frauenhelden Barry Lyndon, in seinem gleichnamigen Roman ein amüsantes und gleichwohl zeitkritisches Denkmal gesetzt. Gegen das protestantische Großbritannien kämpften zahllose Iren in den amerikanischen Unabhängigkeitskriegen (1775–1783).

Die bekannteste Emigrationswelle, die auch im heutigen Bewußtsein der Iren noch fest verankert ist, verursachten dann die *Great Famines*, die großen Hungersnöte. Aufgrund von Pilz- und Schädlingsbefall (Kartoffelfäule) wurden die Kartoffelernten mehrerer aufeinanderfolgender Jahre (1846–1851) vernichtet, was schätzungsweise über eine Million Menschen das Leben kostete. Die Mißernten zeitigten deshalb so katastrophale Auswirkungen, weil die irische Bevölkerung, in der ersten Hälfte des 19. Jh. stetig angestiegen, in ihrer Ernährung fast ausschließlich von dieser genügsamen, billigen und sättigenden Erdfrucht abhing. Auf die Hungersnot folgende Typhus-, Ruhr- und Choleraepidemien machten unter den entkräfteten Menschen leichte Beute. Radikale protestantische Pfarrer verteilten Nahrungsmittel im Tauschhandel mit der Übernahme ihrer Konfession. Hunderttausende wanderten auf den ›schwimmenden Särgen‹ nach Amerika und Kanada aus.

Bis in die 60er Jahre unseres Jahrhunderts hinein war die Emigration das Schicksal vierer von fünf Neugeborenen in einer bäuerlichen Familie (s. S. 182). Irland blieb so das einzige europäische Land, das im 19. Jh. rückläufige Bevölkerungszahlen aufwies. Den Tiefpunkt bildete das Jahr 1901, als die Insel nur noch knapp 3,5 Mio. Einwohner zählte – über 8 Mio. vor dem ›Großen Hunger‹ hatten Irland zum bevölkerungsreichsten Land Europas gemacht!

Die Wende gelang erst zu Beginn der 60er Jahre, als die radikalen Anstrengungen der Regierung, ausländische Industrien ins Land zu holen, spürbar mehr Arbeitsplätze schufen und die Beschäftigungslage sich entspannte. Zahlreiche Emigranten kehrten zurück, die Bevölkerung wuchs wieder an und verjüngte sich.

In den 70ern schwang das Pendel erneut um: Noch 1989 verließen pro Jahr etwa 50 000 meist junge Leute mit akademischer Ausbildung ihre Heimat. Im Zuge des ›irischen Wirtschaftswunders‹ hat sich der Trend wiederum umgekehrt: Nun kehren etwa 3000 Iren alljährlich zurück. Und wie sein Vorgänger Jack Charlton sucht auch der jetzige Fußballnationaltrainer Mick McCarthy in der englischen Liga händeringend nach Spielern mit einem irischen Opa, um sie in den Schoß bzw. die Elf der Grünen Insel aufzunehmen.

Treppensystem zu Erkundungszügen einlädt (Taschenlampe für die unterirdischen Gänge mitnehmen!), wurde 1446 von Cormac Láidir Mac Carthy erbaut. Bis Anfang des 18. Jh. hielt sich hier eine berühmte Bardenschule der Mac Carthys. In dem weitläufigen Park kann man im Sommer auch noch **Blarney House**, im schottischen Baronialstil errichtet, besichtigen (Burg geöffnet Mo–Sa 9 bis zur Dämmerung; Blarney House Juni–Mitte September Mo–Sa 12–18).

Einkäufe: Blarney Woolen Mill und unzählige andere Souvenirläden in einem von Irlands größten Touristenzentren.

Kinsale und Charles Fort

Kinsale (1800 Einwohner) ist ein häufig besuchter, angenehmer Badeort, dessen enge Gassen und buntbemalte Häuschen in Verbindung mit der schönen Lage an einer sanft gerundeten Bucht überaus malerisch, ja beinahe mediterran wirken. In dem eleganten Jachthafen kann man Boote für Angelexkursionen oder auch Jachten chartern. 1601 schlugen hier die Engländer die verbündeten Iren und Spanier, was zur ›Flucht der Grafen‹ (s. S. 140) und zur Anglisierung des strategisch wichtigen Seehafens führte. Man folge dem gut beschilderten *Tourist Trail*, der an der St. Multose Church (die ältesten Teile um 1200), dem mittelalterlichen Desmond Castle (auch French Prison genannt), dem Courthouse mit seiner hübschen Fassade im Queen Anne-Stil und den Almshouses von 1682 vorbeiführt.

Unterkunft: In der Saison unbedingt vorbuchen! Old Bank House, 11 Pearse Street, ✆ 0 21/77 40 75, ****Guest House. Viele B & B an Cork Street und Cork Road. **Jugendherberge**: Dempsey's Hostel, ✆ 0 21/7721 24.

Restaurants: Kinsale ist *das* Zentrum für Feinschmecker, Spezialität Seafood – im Oktober ist Gourmet-Festival. Chez Jean Marc, Lower O'Connell Street, ✆ 0 21/77 46 25, französisch; The Vintage, Main Street, ✆ 0 21/77 25 02, empfehlenswert; Man Friday, Scilly, ✆ 0 21/77 22 60, lecker.

Charles Fort, 3 km südlich von Kinsale, wurde 1677 von den englischen Siegern zur Kontrolle der Seewege errichtet. Es liegt in äußerst malerischer Lage auf einer der beiden den Hafen von Kinsale kontrollierenden Landzungen – James Fort auf der gegenüberliegenden besteht nur noch aus überwucherten Grundmauern. Von Charles Fort hat man einen faszinierenden Blick auf das Old Head of Kinsale mit Leuchtturm und Burgruinen. Innerhalb der sternförmigen Wallanlage mit ca. 12 m hohen dicken Mauern, die als typisch für jene im 17. Jh. gegen Artilleriebeschuß angelegten Festungen gelten darf, ducken sich die Ruinen von Militärbaracken des 19. Jh.; sie waren bis 1922 mit Soldaten belegt und werden nun nach und nach wieder aufgebaut (geöffnet Mitte April–Oktober täglich 10–18).

Nach Bantry

Die Küstenstraße führt zu dem herrlich an einem langgestreckten Fjord bzw. Ästuar gelegenen **Timoleague** mit sehenswerten Resten einer Franziskaner-Abtei. Sie wird, wie fast alle Abtei- und Kirchenruinen Irlands, als Friedhof genutzt, wobei die Grabsteine auch im ehemaligen Kirchenschiff ›wuchern‹ – ein seltsam melancholischer Anblick. Nett sind die kleinen Timoleague Castle Gardens um die unbedeutenden Ruinen des normannischen Barrymore Castle (geöffnet Juni–August Mo–Sa 11–17.30, So 14–17.30, sonst ✆ 0 23/4 61 16). Östlich des Touristenorts **Clonakilty** liegt **Lisnagun Ringfort,** ein wiederaufgebautes befestigtes Gehöft aus dem 10. Jh. Vom **Drombeg Stone Circle** bei Rosscarbery, im 2. Jh. v. Chr. errichtet, schweift der Blick weit über die Küstenlandschaft.

Radfahren, Wandern, Wassersport treiben und gut essen – an Irlands noch nicht allzuviel besuchter südwestlicher Ecke läßt sich gut entspannen. Die ruhigen, pittoresken Örtchen und Häfen von **Glandore, Skibbereen, Casteltownshend** und **Baltimore** zeichnen sich durch ihre schöne Lage und ein buntes Treiben aus, durch Aussteiger vom Kontinent, sog. *blow-ins,* alternativ-ökologisch-esoterisch angehaucht: besonders Skibbereen mit seinem West Cork Arts Centre und dem Festival Ende Juli/August.

Vom bunten **Ballydehob** (s. Karte S. 155), einst als ›Hippie-Hauptstadt‹ des Westens bekannt, fährt man auf schmalen Sträßchen über das nette **Schull** zu den 200 m emporragenden Klippen von **Mizen Head**: Sandstrände, Steilküste, prähistorische Denkmäler, ein einsamer, von Juni bis September zu besichtigender Leuchtturm.

Wandertip für Ruinenfans: Eine einfache, etwa eine Stunde dauernde Wanderung führt zur mittelalterlichen Burgruine des **Three Castle Head** wenige Kilometer nördlich von Mizen Head. Ausgangspunkt ist die Farm am Ende des Sträßchens nach Three Castle Head.

Noch einsamer ist es am **Sheep's Head** auf der nördlichen Seite der Dunmanus Bay. Auf Whiddy Island wenige Kilometer vor **Bantry** (3000 Einwohner) liegt der große Erdölhafen Bantry Bay. An der weiten Bantry Bay versuchte 1796 eine französische Invasionstruppe zu landen, die Wolfe Tone und seine United Irishmen (s. S. 37) unterstützen wollte, doch scheiterte sie wegen anhaltenden Sturms.

Der damalige Besitzer des georgianischen **Bantry House**, Richard White, wird dem ›protestantischen Wind‹ gedankt haben, denn der rührige Geschäftsmann wurde für seine vorbildliche Organisation der Verteidigungsmaßnahmen geadelt. Sein Sohn, der stolze 2. Graf von Bantry, erwarb während seiner Europa-Reise – die ›Grand Tour‹ bis nach Italien war damals ein Muß für jeden jungen Engländer seines Standes – die obligatorische, etwas zusammengewürfelte Kunstsammlung, die trotz einiger Rom-Veduten recht provinziell wirkt. Gebäude und Einrichtungen, auch heute noch von der Familie benutzt und frisch restauriert, wirken gemütlich-distinguiert und verbreiten ein durch und durch bewohntes, unmuseales Flair. Vom italienischen Park hat man einen wunder-

vollen Blick auf die gegenüberliegenden Caha Mountains (geöffnet 17. März–Oktober 9–18, Mai–September bis 20; Café).

Tourist Information: Skibbereen, Town Hall, ✆ 0 28/2 17 66.

Unterkunft: Bantry House, Bantry, ✆ 0 27/5 00 27, teuer, stilvoll, im Seitenflügel des Schlosses. Drei empfehlenswerte B & B's: *** Corthna Lodge Guest House, Schull, ✆ 0 28/2 85 17; Mrs. O'Mahoney, Grove Farmhouse, Akahista, ✆ 0 27/6 70 60; Mrs. Connell, Fortview House, Toormore (12 km von Durrus), ✆ 0 28/3 53 24.

Jugendherbergen: Cape Clear Island Hostel, ✆ 0 28/3 91 44; Bantry Hostel, Bantry, ✆ 0 27/5 10 50.

Restaurants: Hier liegt Irlands versteckte Gourmet-Küste: Seafood exzellent. Blair's Cove, Durrus, ✆ 0 27/6 11 27, nördlich von Bantry, in schönem Gemäuer; Chez Youen, Baltimore, ✆ 0 28/2 01 36; Shiro Japanese Dinner House, Akahista, ✆ 0 27/6 70 30, Michelin-Stern, teuer, intim; The Courtyard, Main Street, Schull, ✆ 0 28/2 83 90, preiswert; Lettercollum House, Timoleague, ✆ 0 23/4 62 51, mit Zimmern in georgianischem Haus.

Singing Pubs: Clonakilty gilt als ein Zentrum der Folkmusik (Festivals Juni/Juli und August), z. B. in De Barras, 55 Pearse Street. Connolly's Bar, Leap Casey's Cabin, Baltimore; Wolfe Tone Tavern, 6 Wolfe Tone Quay, Bantry.

Fahrradverleih: Clonakilty (33 Ashe Street); Baltimore (Rolf's Hostel); Schull (Black Sheep Inn, Main Street).

Blick von den Gärten des Bantry House über Herrenhaus und Bucht

Im Westen

Panoramastraßen:
Ring of Beara, Ring of Kerry

Halbinsel Dingle

Killarney-Nationalpark

Rund um Limerick

Steine, Steine: Burren,
Cliffs of Moher, Arans

Von Galway zum Angler-
paradies Lough Corrib
und ins rauhe Connemara

Westport: die Piratin
und der Heilige

Achill Island, Böll-Land

»To hell or to Connaught«: Connemara

Die Grafschaft Kerry

Die berühmten Panoramastraßen des Ring of Beara, Ring of Kerry und der Halbinsel Dingle erschließen eine kontrastreiche Küstenlandschaft: schroffe, hochaufragende Berge über blauen Meeresbuchten. Schippern Sie auf die frühchristliche Mönchsinsel Michael Skellig oder wandern Sie in der grandiosen Bergwelt des Killarney-Nationalparks mit seinen Seen und Touristen.

Ring of Beara

In **Glengarriff** beginnt der um die Halbinsel von Caha herumführende Ring of Beara, der eine nicht ganz so gut ausgebaute touristische Infrastruktur wie der Ring of Kerry besitzt, dafür aber auch durch noch ursprünglichere Landschaft und bunte kleine Orte wie Castletownbere, Allihies und Eyeries führt. Eine Seilbahn fährt nach **Dursey Island,** wo die westlichsten Behausungen Europas stehen sollen. Man kann auch von Adrigole nach Lauragh über den Healy-Paß fahren, eine Strecke, die spektakuläre Ausblicke auf die kahlen und unwirtlichen Caha Mountains eröffnet, deren höchster Berg mit 685 m der Hungry Hil ist.

Vom Pier von Glengarriff besorgen verschiedene kleinere Bootsunternehmen die Fährpassage – vorbei an Seehundfelsen – zum **Ilnacullin Garinish Island**, wo sich ein von Harold Peto 1910 im italienischen Stil entworfener Garten befindet: Wunderschöne Ausblicke auf Bantry Bay und Caha-Halbinsel, neoklassizistische Parkarchitektur und vor allem die vom Golfstrom begünstigte Artenvielfalt der subtropisch anmutenden Pflanzenwelt machen diesen Ausflug zu einem lohnenden Erlebnis (geöffnet März und Oktober Mo–Sa 10–16.30, So 13–17; April–Juni und September Mo–Sa 10–18.30, So 13–19; Juli/August Mo–Sa 9.30–18.30, So 11–19 Uhr).

Unterkunft: Kein besonders netter Ort; wegen seiner Hotels, B & B und Restaurants (konzentriert an der N 72) jedoch Standquartier für Ring of Beara. Einfache Hotels und B & B auch in Adrigole, Allihies (auch Jugendherberge), Castletownbere, Eyeries, Lauragh.

Restaurant: Johnny Barry's, The Village, ✆ 027/63315.

Der Killarney-Nationalpark

Dieses ca. 60 km^2 große Naturreservat (davon 22 km^2 Wasserflächen) erstreckt sich um die drei Seen Lough Leane, Muckross Lake und Upper Lake. Das milde ozeanische Klima brachte hier eine üppige Vegetation hervor; ebenso bieten ausgedehnte Eichen- und Eibenbestände im waldarmen Irland unerwartet reiche Natur- und Landschaftserlebnisse. Die Eichen gedeihen auf dem zerklüfteten devonischen Sandstein der Gebirge in höheren Lagen, also im Süden des Naturparks, die Eiben auf den Karbonkalken der Niederungen im nördlichen Drittel, beispielsweise auf der Muckross-Halbinsel.

Besonders üppig wachsen hier auch Moose, Flechten und Farne, letztere oft als Epiphyten, sog. Überpflanzen, die sich auf Baumstrünken ansiedeln, jedoch keine Schmarotzer sind. Sonst nur im mittelmeerischen Klima gedeihen die immergrünen, strauchartigen Erdbeerbäume *(Arbutus unedo)*, die aus cremeweißen Blüten orangerote, erdbeerähnliche und ein wenig stachelige Früchte hervorbringen. Die im 19. Jh. aus dem Mittelmeerraum eingebürgerten Rhododendron-Büsche nehmen in letzter Zeit sogar überhand, so daß die Parkförster sie eindämmen müssen.

114 Vogelarten, davon ungefähr die Hälfte Brutvögel, haben Ornithologen in Killarney beobachtet; viele Zugvögel wie die Grönland-Bläßgänse überwintern an den hiesigen Seen. An den Berghängen des Torc (535 m) und des Mangerton (837 m) weiden die einzigen bodenständigen irischen Rotwildherden *(Cervus elaphus)* sowie die eingebürgerten Japanischen Sika-Hirsche (*Cervus n. nippon)*.

Die ›Keimzelle‹ des Parks ist das Gebiet um **Muckross House**, das durch eine Schenkung der Familie Herbert 1932 als Bourn Vincent Memorial Park zum ersten Nationalpark Irlands wurde. Dem 1843 im Neo-Tudorstil errichteten Herrensitz mit seinen geschmackvoll eingerichteten Prunkräumen ist ein Volkskundemuseum, das **Kerry Country Life Experience** (täglich 10–17), angegliedert; dort kann man Buchbinder, Weber oder Schmiede bei der Arbeit beobachten. Die Gärten sind für ihre Rhododendron-Sträucher, die schönen alten Bäume, den Steingarten und nicht zuletzt wegen ihrer herrlichen Lage über dem Muckross Lake berühmt. Schöne Spaziergänge führen vom Muckross House an das Seeufer und weiter (geöffnet Mitte März–Juni und September/Oktober täglich 9–18, Juli/August 9–19, Rest des Jahres 9–17.30 Uhr; Self-Service-Restaurant).

Gap of Dunloe, einer der bekanntesten Beauty Spots im Killarney-Nationalpark

Einen knappen Kilometer wandert man von Muckross House aus durch hohen alten Baumbestand, um zu der im 15. Jh. von Donal Mac Carthy errichteten, gut erhaltenen **Franziskaner-Abtei** zu gelangen. Eine knorrige alte Eibe scheint den Kreuzgang schier zu sprengen. Auf einer Landzunge im Lough Leane liegt das Tower House **Ross Castle** aus dem 16. Jh. In dem jüngst renovierten und originalgetreu eingerichteten Turm kann man, einzigartig in Irland, einen Blick ins Alltagsleben eines Clanhäuptlings werfen. Als Klopapier nutzten Herr wie Dame Moos und Blätter, und gegen die Kälte ließen sie sich den Boden ihres Schlafgemachs mit Erde auffüllen – heute riecht es neutral in

Killarney

Killarney (8000 Einwohner) bietet sich mit seiner touristischen Infrastruktur als ›Basislager‹ für den Ring of Kerry und die Dingle-Halbinsel an, ist aus diesem Grund aber, vor allem in der Saison, auch entsprechend *busy*, wie die Iren selbst sagen. Schon im 19. Jh. gehörte Killarney zu den unvermeidlichen Stationen einer Irland-Fahrt der damals vor allem britischen Bildungsreisenden. Dabei lebt die Stadt heute durchaus nicht nur vom

Ross Castle (geöffnet täglich April 11–18, Mai und September 10–18, Juni–August 9–18.30, Oktober Di–So 10–17). Vom Ross Castle-Pier sollte man sich per Boot zu der Insel **Inisfallen** mit den Resten des einst mächtigen Klosters übersetzen lassen. Der berühmteste Mönch von Inisfallen, Maelsuthain O'Carroll (gestorben 1009), der beste Arzt seiner Zeit, war ein Freund des Hochkönigs Brian Boru, der hier der Legende nach seine Erziehung erhielt. Die um 1215 verfaßten Annalen von Inisfallen stellen eine der wichtigsten Quellen für die irische Geschichte dar. Neben den Ruinen der Klosteranlage aus dem 13. Jh. (mit früheren Resten) steht wenig oberhalb ein Oratorium aus dem 12. Jh., dessen archaische Tierköpfe starr auf den See hinaus blicken ...

Sehr empfehlenswert ist auch, nicht zuletzt wegen der exzellenten Aussicht, ein Ausflug nach **Aghadoe** (Reste eines Kirchleins aus dem 12. und einer Ringburg, Parkavonaer Castle, aus dem 13. Jh.). Eines noch weiteren Panoramas wegen kamen die Hofdamen Königin Viktorias zu dem heute an der N 71 liegenden Aussichtspunkt, der daraufhin passenderweise ›**Ladies' View**‹ genannt wurde. Vom Parkplatz beim Café mit Souvenir-Kiosk überschaut man die gesamte Seenlandschaft mit Torc und Mangerton; von einem zweiten Aussichtspunkt einige Meter oberhalb fällt der Blick auf die Mac Gillycuddy's Reeks mit dem Carrauntoohil (1038 m), dem höchsten Berg Irlands.

Das **Gap of Dunloe**, eine anfangs recht breite, sich gegen Ende immer mehr verengende Schlucht, bietet dem Fußgänger, Pferdekutschenfahrer oder Reiter auf ca. 10 km Länge grandios zerklüftete Landschaft mit Wasserfällen und seerosenbewachsenen Teichen. Gute $3^1/_2$ Stunden braucht der Fußgänger, der sich die Piste leider mit zahlreichen Autos teilen muß, zum eigentlichen Gap oberhalb des höchstgelegenen der drei Seen und zurück (s. a. Abb. S. 10/11). Auf der Fahrt zum Gap stehen hinter **Beaufort** acht Ogham-Steine. Überall locken gut ausgezeichnete Wanderwege, einfach und schön z. B. um den **Torc-Wasserfall**.

Fremdenverkehr. Die deutsche Firma Liebherr z. B. hat hier ein Werk für Turm- und Containerkräne errichtet. Die deutschen Ingenieure, die Liebherr ›mitbrachte‹, sind inzwischen alle in Killarney verheiratet. Die sehenswerteste Straße des Ortes ist die New Street mit ihren noch weitgehend georgianischen Häuserzeilen. An ihrem Ende thront die sehenswerte St. Mary's Cathedral, Mitte des 19. Jh. vom Apostel der Neogotik, A. W. N. Pugin, errichtet. Werfen Sie auf alle Fälle einen Blick in das hohe, feierliche Kirchenschiff.

Wandertip zum Devil's Punchbowl: An der N 71 Richtung Kenmare zweigt hinter dem Muckross Park Hotel ein Sträßlein zum »Mangerton« ab. Nach etwa 3 km kommt rechts ein schöner Viewpoint auf die Seen von Killarney und bald darauf links eine winzige Betonbrücke an einem Schotterparkplatz. Man nimmt den Steig durch Ginster und Heide (s. Abb. S. 15) bis zu einem Gatter, wo man kurz darauf einen ausgewaschenen Graben – den alten Ponytreck – ausmacht. Überall im einsamen Gelände laufen bunt markierte Schafe vor dem Wanderer davon. Man hält sich beim einige Puste er-

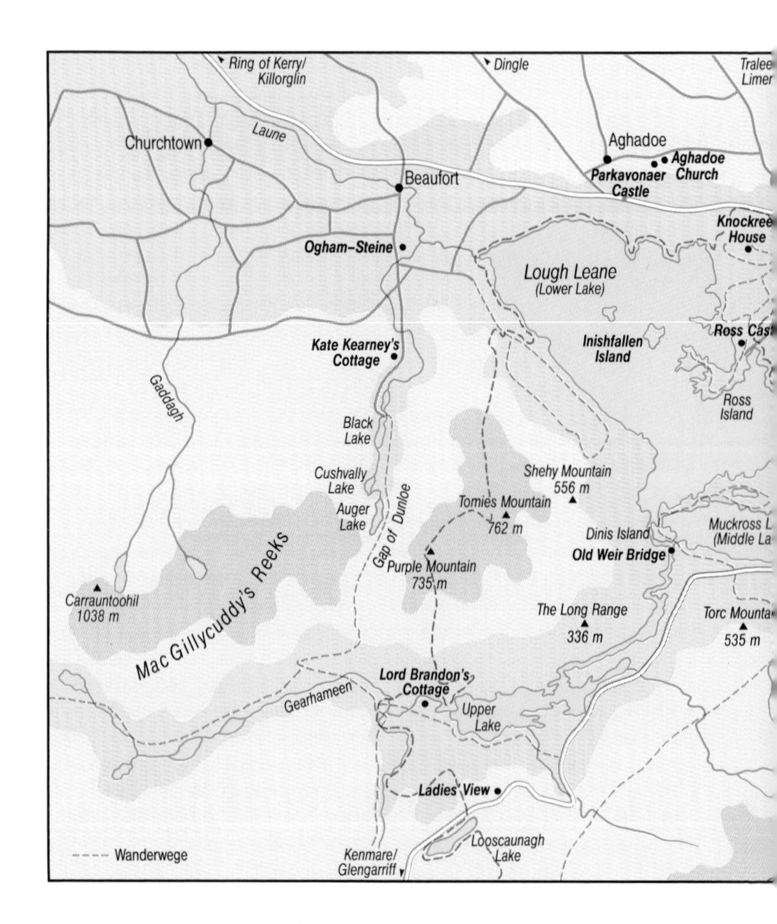

fordernden Aufstieg immer links der ausgeprägten Ponytreck-Rinne, gelangt auf den Kamm mit Cairns und geht von hier rechts den Kamm entlang bis zum klaren, kühlen Gebirgssee Devil's Punchbowl auf deutlichem Weg. Die höchste Erhebung über dem Kar ist der 837 m hohe **Mangerton Mountain** (der Weg rund um den See würde in gut einer zusätzlichen Stunde auf den Gipfel führen). Beim Rückweg hat man Muße, zur Linken die kahlen Mac Gillycuddy's Reeks mit dem Carrauntoohil zu bewundern. (Aufstieg etwa 2, Abstieg etwa 1 ½ Stunden).

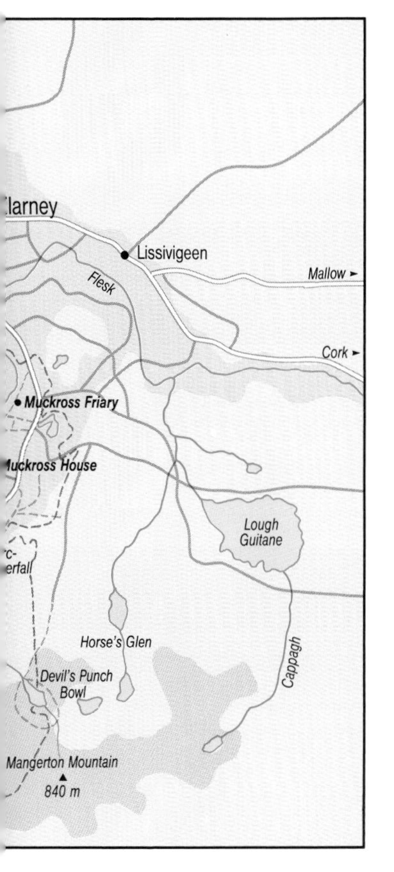

Tourist Information: Beech Rd., ✆ 0 64/3 16 33, u. a. werden geführte Bergtouren vermittelt; auch Auskunft über das Roaring 20's Festival im März.

Unterkunft: Hotels, Guest Houses und B & B en masse, konzentriert an Muckross Road und Ausfallstraßen Tralee und Cork Road, in Ortsteilen Fossa, Aghadoe. ****Cahernane Manor House Hotel, Muckross Road, ✆ 064/ 31895, Luxus im Park; Mrs. M. Lanigan, Scrahan Court, Ross Road, ✆ 0 64/ 3 46 37, B & B nahe Zentrum; Mrs. M. Kearney, Gap View Farm, Firies, ✆ 066/6 43 78, georgian. Farmhaus.

Jugendherbergen: Killarney Youth Hostel, Aghadoe, ✆ 0 64/3 12 40; Neptune's Killarney Town Hostel, New Street, ✆ 0 64/3 52 55.

Restaurants: Strawberry Tree, 24 Plunkett Street, ✆ 0 64/3 26 88, absolut empfehlenswert; Dingles Restaurant, 40 New Street, ✆ 0 64/ 3 10 79, empfehlenswert; Gaby's Seafood, 17 High Street, ✆ 0 64/3 25 19, teuer, lange vorbestellen; Deenagh Lodge, New Street Eingang Kenmare Estate, preiswert, Livemusik im Cottage; ansonsten viel teurer Nepp und Fastfood.

Karte des Killarney-Nationalparks

Singing Pubs: Yer Man's Pub, Plunkett Street, rustikal, junge Leute; Laurels, Market Cross, schöner Pub; Buckley's Bar, College Street, gemütlich, ältere Semester; O'Connor, High Street, fest in deutscher Hand.

Verbindung: Regionalflughafen Kerry County/Farranfore, ✆ 0 66/6 46 44. Bahnhof und Busbahnhof: East Avenue Road, ✆ 0 64/3 47 77 (Bus auf Ring of Kerry zweimal täglich).

Fahrradverleih: O'Sullivan, High Street; O'Neills, Plunkett Street.

Verkehrsmittel im Killarney-Nationalpark: Pferdedroschken *(jaunting cars)* an allen touristisch interessanten Plätzen, z. B. vor Muckross House. Die Kutscher sind manchmal etwas aufdringlich; die Tarife hat das Fremdenverkehrsamt festgelegt. Am Gap of Dunloe warten bei den Droschken auch – lammfromme – Mietpferde, die den Reiter im Schritt durch die Schlucht schaukeln. Die klassische Tour führt mit Pferdedroschken durchs Gap of Dunloe und mit Booten zurück durch die drei Seen. Boote vor Ross Castle (Seerundfahrten auf größeren Schiffen; empfehlenswert Ruder- oder Motorboote, erstere auch zum Selbstrudern).

Ring of Kerry

Der weltberühmte Ring of Kerry, eine Rundfahrt von knapp 200 km, beginnt in **Kenmare**, mit seinen

Kerry

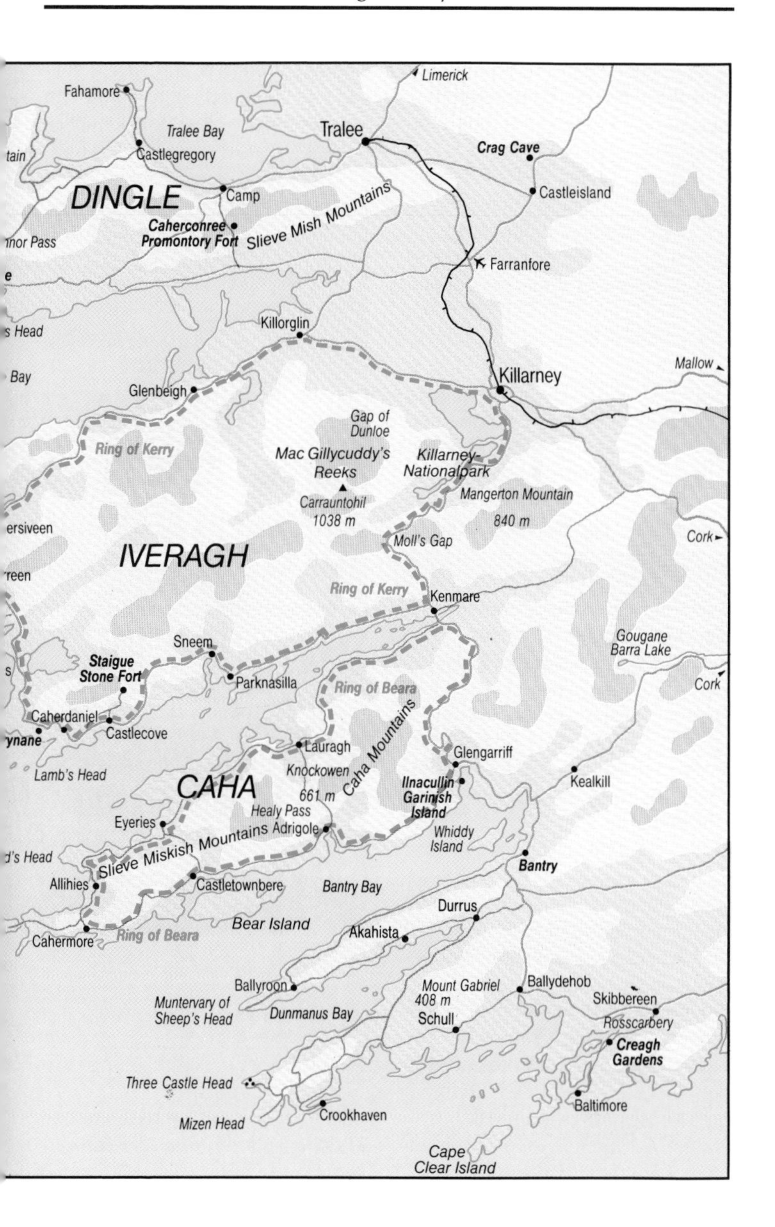
Limerick
Fahamore
Tralee Bay
Tralee
Crag Cave
Castlegregory
Castleisland
DINGLE
Camp
Caherconree
Promontory Fort
Slieve Mish Mountains
Farranfore
Killorglin
Mallow
Killarney
Glenbeigh
Gap of Dunloe
Ring of Kerry
Mac Gillycuddy's Reeks
Killarney-Nationalpark
Carrauntohil 1038 m
Mangerton Mountain 840 m
Moll's Gap
Cork
IVERAGH
Ring of Kerry
Kenmare
Gougane Barra Lake
Sneem
Staigue Stone Fort
Parknasilla
Ring of Beara
Cork
Caherdaniel
Castlecove
Caha Mountains
Lauragh
Glengarriff
Lamb's Head
Knockowen 661 m
Ilnacullin Garinish Island
Kealkill
CAHA
Healy Pass
Eyeries
Adrigole
Slieve Miskish Mountains
Whiddy Island
Bantry
Allihies
Castletownbere
Bantry Bay
Durrus
Bear Island
Cahermore
Ring of Beara
Akahista
Ballyroon
Mount Gabriel 408 m
Ballydehob
Skibbereen
Muntervary of Sheep's Head
Dunmanus Bay
Schull
Rosscarbery
Creagh Gardens
Three Castle Head
Baltimore
Mizen Head
Crookhaven
Cape Clear Island

bunten alten Häuschen einer der hübschesten Orte Irlands. Kenmare wurde 1775 vom Marquis von Landsdowne planmäßig angelegt. Vom Tourist Office führt ein ausgeschilderter Weg zum Steinkreis, an Landsdowne-Reihenhäuschen mit bunten, holzverzierten Fassaden entlang. Schön liegen die Megalithen über dem Ufer des Finnihy, auf dem Privatgelände eines Bauern.

Im ersten Abschnitt des Ring of Kerry über **Parknasilla** und **Sneem**, von üppigen Rhododendron- und Fuchsienhecken gesäumt, ergeben sich phantastische Ausblicke auf die im Süden gelegenen Caha Mountains. Zur Rechten der Küstenstraße ragen die zerklüfteten Felsformationen im Innern der Kerry-Halbinsel auf, als spektakulärste die Mac Gillycuddy's Reeks.

Das herrlich auf halber Höhe eines einsamen Talkessels gelegene **Staigue Stone Fort**, über ein schmales Stichsträßchen bei Castlecove zu erreichen, ist ein eisenzeitliches Ringfort aus den letzten Jahrhunderten vor der Ankunft des hl. Patrick. Die ca. 6 m hohen und über 4 m dicken, in Trockenbauweise hochgezogenen Mauern mit zwei Kammern und Laufgängen für die Verteidiger umschließen ein Gebiet von 30 m Durchmesser.

Derrynane wartet mit ausgewiesenen Naturlehrpfaden durch die Dünenlandschaft, mit einem schönen Sandstrand und dem Derrynane House auf. In dem 1825 von Daniel O'Connell, dem erfolgreichen Kämpfer für die Katholikenemanzipation (s. S. 37), errichteten Landsitz befindet sich heute ein Museum mit ›Liberator‹-Devotionalien: sein persönlicher Reli-

Die bunten Häuser von Kenmare

quienbehälter mit sandkorngroßen Knochensplittern oder die schwarzen Handschuhe, die er getragen haben soll, als er im Duell einen Gegner tötete, und ohne deren rechten er hinfort nie mehr die Kommunion empfing… (geöffnet

Mai–September Mo–Sa 9–18, So 11–19; Oktober/April Di–So 13–17, November–März Sa/So 13–17).

Es folgt nun der spektakulärste Teil des Ring of Kerry, der sich hier in zahllosen Serpentinen, zum Meer hinunter steil abfallend, um die Südwestspitze der Halbinsel windet. 12 km westlich vor Bolus Head erheben sich die Skellig-Inseln im Atlantik. Auf der größeren, **Skellig Michael** (215 m hoch), stehen die Ruinen einer unbedingt sehenswerten Mönchssiedlung, die vom 6. bis ins 13. Jh. bewohnt war.

Die Strecke zwischen **Cahersiveen** und **Glenbeigh** mit ihrem Panoramablick auf Dingle-Bucht und -Halbinsel ist nicht so spektakulär wie die ersten beiden Abschnitte, läuft in sanfter ansteigende, weit von der Straße zurücktretende Hügel aus. In **Killorglin** wird alljährlich vom 10.–12. August die ›Puck Fair‹ gefeiert. Als Höhepunkt dieses Volksfestes wird, vermutlich in Fortsetzung eines alten keltischen Fruchtbarkeitskultes oder auch zum Hohn der englischen Monarchen, ein Ziegenbock zum König von Irland gekrönt.

Unterkunft: *****Park Hotel, Kenmare, ✆ 0 64/4 12 00, eins der berühmtesten Luxushotels Irlands mit renommiertem Restaurant; *Staigue Fort Guest House, Castlecove, ✆ 066/7 51 27, knatschrosa Haus neben Staigue-Steinfort; Mrs. T. Sugrue, Valentia View, Cahersiveen, ✆ 0 66/7 22 27, schönes Farmhouse B & B. Zahllose Hotels und B & B an ganzer Ringstraße.

Jugendherbergen: Failte Hostel, Shelbourne Street, Kenmare ✆ 0 64/4 23 33; Sive Hostel, 15 East End, Cahersiveen, ✆ 0 66/7 27 17.

Restaurants: Packie's, Henry Street, Kenmare, ✆ 0 64/4 15 08,

Skellig Michael

Mönchsinsel im Atlantik

12 km westlich vor Bolus Head ragen die Skellig-Inseln windumtost aus dem Atlantik. Auf der größeren, dem 18 ha umfassenden Skellig Michael, steht jene Mönchssiedlung, die der hl. Finian im 6. Jh. gegründet haben soll – und die Sie auf jeden Fall besuchen sollten. (Ein Besuch der Ausstellung Skellig Experience auf Valentia Island, geöffnet April–September 9.30/10–19, kann Ergänzung, aber nicht Ersatz sein.) Für den Ausflug muß man einen ganzen Tag einrechnen. Übernachtungsmöglichkeiten bestehen in Waterville und im netteren Cahersiveen, man kann aber auch vom Standquartier Killarney aus in ca. eineinhalb Stunden über Killorglin nach Portmagee fahren.

Mehrere private Anbieter in Portmagee, weitere in Ballinskelligs und auch von anderen Punkten der nahegelegenen Küste aus setzen die Besucher auf die Felsnadel im Atlantik über; buchen kann man auch in Cahersiveen und im Tourist Office von Killarney. Die nicht gerade großen Schiffe verkehren nur von ca. Mitte April bis September, und auch dann nur bei gutem, d. h. nicht stürmischem Wetter. Die spartanisch ausgestatteten ›Nußschalen‹ besitzen weder eine Unterstellmöglichkeit noch Toiletten und schaukeln auch bei relativer Windstille gehörig. Empfindliche sollten etwa eine Stunde vorher Tabletten gegen Reiseübelkeit schlucken. Wegen Umweltschäden durch zu viele Besucher wurde die Zahl der Überfahrten jüngst eingeschränkt, so daß sich eine vorzeitige Buchung empfiehlt.

Nachdem der unerschrockene Ausflügler in spe also z. B. bei einem der Familienunternehmen von Portmagee in der guten Stube einer der frischgekalkten Pierhäuser gebucht hat, legt das Boot gegen ca. 10 bis 11 Uhr von der kleinen Hafenmole ab. Der Ausflug lohnt sich schon wegen der grünen, immer wieder von Felsen durchbrochenen Hänge des rechterhand am Boot vorbeigleitenden Valentia Island und wegen der grandiosen Aussicht auf den immer weiter zurücktretenden Westzipfel der Iveragh-Halbinsel. Der Skipper umkurvt während der bei gutem Wetter etwa eineinhalbstündigen Hinfahrt auch das Naturschutzgebiet Little Skellig, ein unwirtliches Felsennest, auf dem Abertausende von Baßtölpeln, die größte Kolonie dieses Vogels in Irland, brüten. Wenn man dann im ›Hafen‹ von Skellig Michael festgemacht und mit Hilfe aller Seeleute vom schaukelnden Deck aus die steilen Hafentreppen ›getroffen‹ hat, bleiben noch etwa zwei Stunden für den Inselbesuch. Den ersten Teil des Aufstiegs auf den 215 m hohen Felsen bringt man ohne Mühe auf einem asphaltierten Weg hinter sich.

Die Monks' Staircase jedoch, 670 teils sehr ausgetretene und verwitterte, von den Mönchen selbst angelegte Stufen, zu deren Rechten der Fels steil zum Meer hinunterstürzt, erfordern ein gewisses Durchhaltevermögen und nötigen jedem Besucher Respekt vor der Kondi-

innovativ, empfehlenswert, moderate Preise; The Old Bank House, Main Street, Kenmare, ✆ 0 64/4 15 89, nicht teuer; Old School House, Knockeens, Cahersiveen, ✆ 066/7 24 26, Fisch; Lime Tree Restaurant, ✆ 064/412 25, rustikal, nicht zu teuer.

Pubs: Purple Heather, Henry Street, Kenmare; The Shebeen, Cahersiveen, Livemusik.

Dingle

Die Halbinsel Dingle, deren enge, mäanderartige Sträßchen in der Hauptreisezeit zwischen Mitte Juni und Ende August hoffnungslos verstopft sind, ist ein *Gaeltacht*-Gebiet, wo die alten Traditionen noch gepflegt werden. Dingle wird ge-

tion der Asketen ab – und auch vor der der Wikinger, die das Kloster im 9. Jh. plünderten. Die Mönchsgemeinschaft mit immer 13 Eremiten (die Zahl orientierte sich wohl an der Größe der Apostelgemeinschaft) hielt sich in dieser lebensfeindlichen Umgebung bis ins 12./13. Jh. Wasser mußte, da die Insel keine Quelle besitzt, in zwei kleinen Reservoirs mühsam gewonnen werden, wetterfestes Gemüse und Getreide wurden in den Monks' Gardens, heute noch sichtbaren Erdaufschüttungen mit Steinumrandungen, gezogen. Trotzdem drängt sich dem Besucher die Frage auf, wie Menschen hier überleben, wie den Winter überstehen konnten.

Die sechs aus heute noch nahezu unbeschädigtem Trockenmauerwerk errichteten Bienenkorbhütten und die beiden bootsförmigen Oratorien des 6./7. Jh., einige Kreuze und Grabsteine sowie die Reste einer Kirche des 12. Jh. – die, mit dem ›modernen‹ Mörtel errichtet, längst zusammengebrochen ist – ducken sich auf dem Sattel unterhalb des Felsgipfels vor dem Wind. Die größte der Hütten (Hütte A) war wohl Küche und Versammlungsraum; die aus dem Dach herausragenden Steine dienten als ›Baugerüst‹ und als Treppe für denjenigen Bruder, der beim Kochen auf das Dach klettern mußte, um zum besseren Rauchabzug den Schlußstein abzunehmen.

Der gegenüberliegende zweite Gipfel der Insel, Jesus Saddle, war vom Mittelalter an Schauplatz einer der härtesten Pilger- und Bußreisen Europas. Einer anderen Tradition zufolge wurden Gruppen junger Bräute eine Woche vor ihrer Hochzeit auf Jesus Saddle ›ausgesetzt‹, um sich in Meditation und Fasten auf eine christliche Ehe vorzubereiten. Erst als die Priester herausbekamen, daß die Mädchen sich bei Spirituosen und Musik prächtig amüsierten, machten sie der schönen Institution ein Ende.

rühmt ob seiner Singing Pubs, in denen die *Sean-nós*, die alte Kunst des Singens, bis heute lebendig blieb, und in Fahamore stellt die Familie O'Leary immer noch *Naomhog*-Boote her: Hierzu wird ein Gerüst aus perfekt gerade gewachsenem Eschenholz mit eigens in Dublin eingekauften Häuten überzogen, das Ganze anschließend geteert. Vom nördlichen Brandon Creek soll weiland der hl. Brendan in einer solchen seetüchtigen Nußschale zu seiner Atlantiküberquerung gestartet sein.

In den Wellen des Atlantik: ▷
Clogher Head auf der Halbinsel Dingle

Wandertip für Gummistiefelbesitzer: An der Küstenstraße nach Dingle zweigt kurz vor Aughils ein schmales Sträßchen rechts zum sagenumwobenen **»Caherconree Promontory Fort«** ab und führt etwa 4 km dorthin. Mit Hilfe seiner geliebten Blathnad soll Cuchullainn hier den Zauberer-König Cú Roi überlistet und besiegt haben. Am Schild zum Steinfort gibt es Parkbuchten, der steile Aufstieg ist durch rot-weiße-Holzstäbe unübersehbar markiert. Wegen des sumpfigen Geländes ist wasserdichtes Schuhwerk unerläßlich. Nach $1\frac{1}{2}$ Stunden Kletterei belohnt einen ein phantastischer Rundblick über ganz Dingle. An der Landseite schützt eine lange Trockensteinmauer das Promontory Fort. Vorsicht am unbefestigten, senkrechten Steilabhang! Der Rückweg dauert nur 45 Minuten. Wenig später in Richtung Dingle kann man in den Dünen und am kilometerlangen Drive-in Strand der **Inch-Nehrung** verschnaufen.

Im nördlichen Teil Dingles wird die Landschaft rauher, leitet von der üppigen Vegetation des südlichen Kerry zu den kargeren Formationen des Nordens über (z. B. Mount Brandon, mit 953 m der zweithöchste Berg Irlands, ein schweißtreibendes Paradies für Wanderer). David Leane hat Dingle mit seinem hier gedrehten Film »Ryan's Daughter« ein Denkmal gesetzt.

Die Rundfahrt von Dingle über Ventry, Dunquin, Kilmalkedar, Milltown und wieder nach Dingle

Der Hafen von Dingle

erschließt die wichtigsten ›Highlights‹, führt auch an der phantastischen Klippenlandschaft um Slea Head und Clogher Head vorbei. Von Dunquin (gael. *Dún Chaoin*) kann man noch die Häuser und den Hafen der seit 1954 verlassenen **Großen Blasket-Insel** sehen. Sie ist berühmt wegen der gaelischsprachigen literarischen Produktion ihrer ehemaligen Bewohner wie Peig Sayers und Tomás O'Crohan (s. S. 255). Überreste eines Steinforts, des Dorfes und des Rundale-Feldsystems, der alten kollektiven Bearbeitungsweise, sind zu sehen. Wer O'Crohans »Die Boote fahren nicht mehr aus« gelesen hat und durch die weite, grandiose Landschaft wandert, wird in eine schöne Melancholie verfallen (Fährüberfahrten von Dunquin, in der Saison mehrmals täglich, dort auch sehr gutes Besucherzentrum, geöffnet Ostern–Oktober 10–18/19).

Im gemütlichen **Dingle** (1500 Einwohner; gael. *An Daingean*), der am westlichsten gelegenen Stadt Europas, lohnt ein Bummel durch den ausgebauten Hafen, vorbei an der bunten Kulisse der vielen Pubs, den guten Fischrestaurants sowie den Kunsthandwerkslädchen bis zum Meerwasser-Aquarium mit der Flora und Fauna der Irischen Gewässer (geöffnet täglich 9–18) Der Tümmler Fungie, der in den Gewässern vor dem Hafen lebt und menschliche Gesellschaft sucht, kann mit Booten und Tauchunternehmen ›besucht‹ werden und trägt so nicht unerheblich

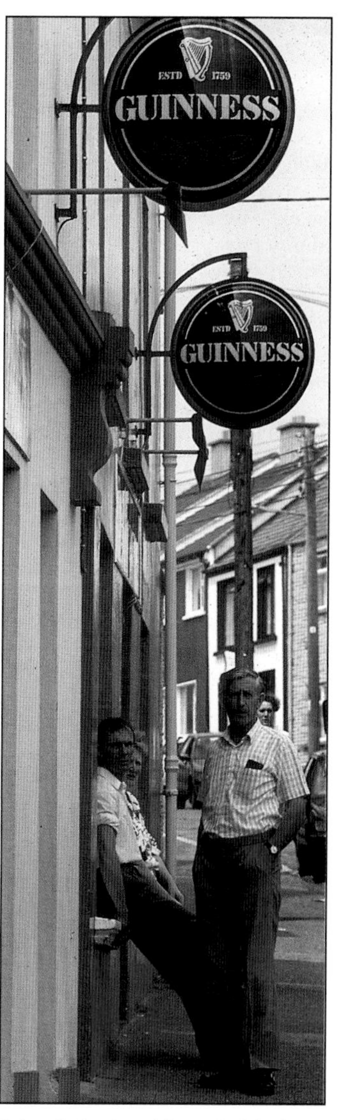

Pubs wie Sand am Meer – in Dingle

zur Wirtschaft von Dingle bei; bei Nichtauftauchen des Dingle Dolphin gibt es das Fahrtgeld zurück!

Unter den reichen prähistorischen und frühchristlichen Denkmälern der Halbinsel ragen das **Dunbeg-Steinfort** in spektakulärer Klippenlage und das **Gallarus-Oratorium** hervor, eines der besterhaltenen frühirischen Kirchlein in der typischen Form eines umgekippten Bootes – man beachte das fugenlose Trockenmauerwerk und das auch heute noch dichte ›falsche‹ Kraggewölbe.

Auch **Kilmalkedar**, ein vom hl. Maolcethair (gestorben 636) gegründetes Kloster, sollten Sie unbedingt besuchen. Vor dem romanischen Kirchlein mit für Irland untypischen Blendarkaden im Innern stehen eine Sonnenuhr, ein aus einem Steinblock geschnittenes großes Kreuz und ein Ogham-Stein. Wer durch das Ostfenster der Kirche klettert, kommt später einmal in den Himmel! Da die Denkmäler, vor allem die Bienenkorbhütten *(bee hive huts)*, auf Dingle dicht an dicht liegen und durch Beschilderungen recht gut von den Straßen aus zu erreichen sind, sollte man einfach spontane kunsthistorische Abstecher mit einem Spaziergang verbinden. Lohnend sind z. B. die Oghamsteine von Ballintaggert bei Dingle, das Tower House Gallarus Castle beim gleichnamigen Oratorium, die Glenfahan Beehive-Siedlung bei Slea Head und das Dunanoir Promontory Fort über den Klippen bei Smerwick Harbour.

Unterkunft: ***Captain's House, The Mall ✆ 0 66/5 15 31, gemütliches Hotel mit Garten und Wintergarten; Mr. und Mrs. O'Connor, Old Stone House, Cliddaun (4 km westlich), ✆ 0 66/5 98 82, Cottage mit Torffeuer und Büchern.

Nördlich von Tralee steht dieses schreiend bunte Haus

Restaurants: Der Ort Dingle ist berühmt für seine Fischrestaurants: Beginish, Green Street, ✆ 0 66/5 15 88; Doyle's Seafood Restaurant, John Street, ✆ 0 66/5 11 74, das bekannteste, mit nicht billigen **** Guest House-Zimmern.

Singing Pubs: Ein Zentrum! O'Flaherty's, Bridge Street; Murphy's Pub und Star Inn, Strand Street.

Fahrradverleih: Moriarty's, Main Street.

Ereignisse: Juni: St. Brendan-Festival; August: Dingle Races, berühmtes Pferderennen; Regatta.

In **Tralee** kann man seit 1992 in der Ashe Memorial Hall, Denny Street, ein Museum zur Geschichte der Grafschaft Kerry besuchen sowie eine ›Zeitreise‹ *(Geraldine Experience)* durch die wie in einem mittelalterlichen Disneyland rekonstruierten Straßen Tralees machen (täglich geöffnet Mitte März–Oktober

10–18/19, November/Dezember 12–17; hier auch Tourist Office, ✆ 0 66/2 12 88). Unbedingt empfehlenswert ist der Besuch einer der gaelischen Aufführungen des Siamsa Tire, des National Folk Theatre, in den einem keltischen Ringfort nachgestalteten Gebäuden nicht weit vom Museum (Buchungen ✆ 0 66/2 30 55). Zur 3 km südwestlich gelegenen Blennerville Windmühle mit Schauvorführungen zuckelt eine alte Dampflok.

18 km entfernt, bei Castleisland, darf man sich nach dem kühlen Rundgang durch die sehenswerte Tropfsteinhöhle **Crag Cave** im dortigen Tea Shop laben (geöffnet März–November 10–18).

Ereignisse: August: Rose of Tralee-Festival, s. S. 21.

Von Limerick zum Burren

Kontraste: Nach dem tristen Limerick wirken Freilichtmuseum und Burg von Bunratty oder das gnadenlos pittoreske Adare um so geleckter. Wer Ritterbankette und Touristenrummel in der Shannon-Region, an den Cliffs of Moher und im Folkmusikmekka Doolin über hat, wird sich am stillen, steinigen Burren freuen.

Limerick

Luimneach, so Limericks gaelischer Name, mit 79 000 Einwohnern die drittgrößte Stadt Irlands, erlangte inzwischen durch den Bau des zollfreien Shannon-Flughafens wirtschaftliche Impulse; so produzieren hier internationale Firmen der Medizintechnik, Optik und Elektronik. Trotzdem ist der Lebensstandard immer noch besonders niedrig und die Arbeitslosigkeit besonders drückend – obwohl oder vielleicht auch weil die Limericker selbst im gläubigen Irland als über die Maßen fromme Katholiken gelten. Ob die Stadt die Heimat des bekannten Limericks, des fünfzeiligen Witzgedichts, ist, wird man wohl nie eindeutig klären.

An der trichterförmigen, tief ins Land reichenden Mündung des Shannon gelegen, wurde Limerick wie alle irischen Hafenstädte von den Wikingern gegründet (9. Jh.). Um 1100 machte Brian Boru sie zu

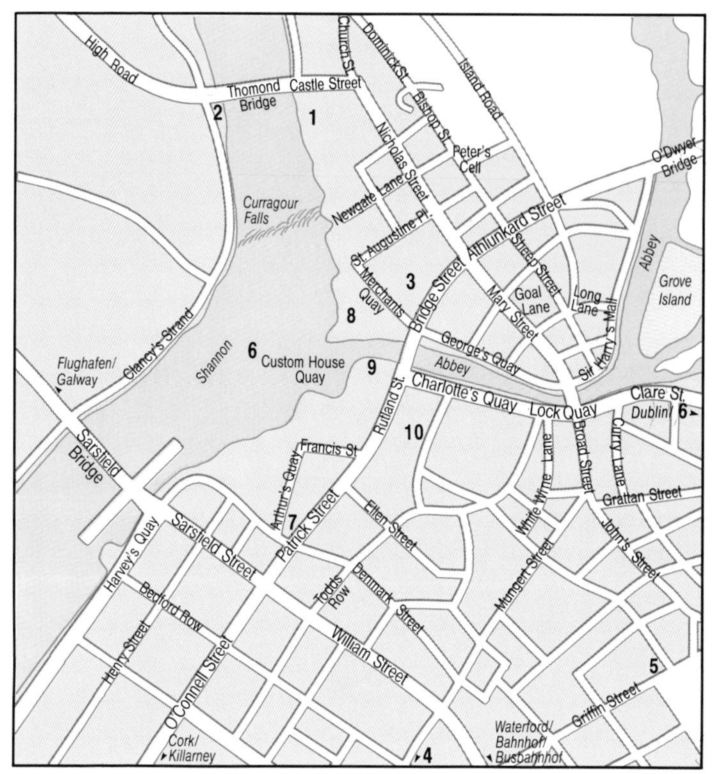

Limerick: 1 King John's Castle 2 Treaty Stone 3 St. Mary's Cathedral 4 City Art Gallery 5 Public Museum 6 Hunt Museum 7 Tourist Information 8 Courthouse 9 Custom House 10 The Granary

seiner Hauptstadt, und bis zur Eroberung durch die Normannen blieb sie in der Hand der O'Brian-Könige von Munster. 1691 ergab sich hier Sarsfield, der letzte katholische Kommandeur des Bürgerkriegs, den Oraniern: Der von ihm ausgehandelte Vertrag hätte, wäre er denn eingehalten worden, seinen Glaubensbrüdern freie Religionsausübung und andere Minimalrechte verschafft. Von daher stammt Limericks Beiname als ›Stadt des gebrochenen Vertrags‹.

Kontraste: Graffitis lockern das triste Limerick ein wenig auf ...

In der heute deprimierenden, schäbigen **English Town**, dem ältesten, zwischen Shannon und Abbey River gelegenen Stadtteil, stehen auch die ältesten Gebäude der Stadt – der zum *Heritage Precinct* erklärte Bezirk soll saniert und touristisch aufgewertet werden. **King John's Castle,** 1202 für König Johann Ohneland vollendet, beeindruckt am meisten von der gegenüberliegenden Flußseite aus. Die frisch renovierte Burg beherbergt eine Ausstellung, in der auch die bei Ausgrabungen freigelegten wikingischen Überreste besichtigt werden können (geöffnet täglich Mai–Oktober 9.30–17.30, sonst So 11–16). Auf der anderen Flußseite ist der Kalksteinblock **(Treaty Stone)** zu besichtigen, auf dem der nie erfüllte Vertrag unterzeichnet worden sein soll. Auf beiden Seiten der Brücke lockern phantasievolle Wandmalereien die Häuserfronten auf. Von einem 1180 gegründeten romanischen Bau sind in der **St. Mary's Cathedral** noch Teile des Westportals und der Seiten- und Querschiffe sowie das Mittelschiff erhalten. Für Irland einzigartige Schnitzereien aus schwarzer Eiche, entstanden 1489, schmücken das Chorgestühl (unter den Sitzflächen).

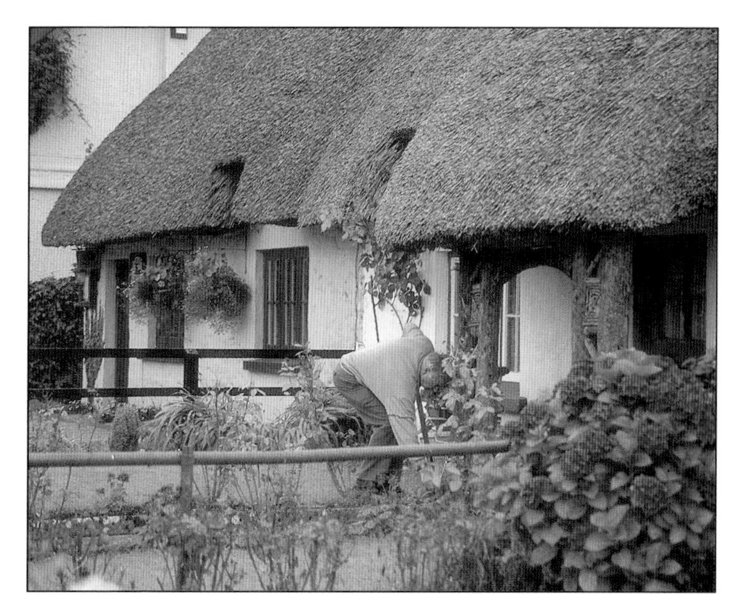

... die Menschen in Adare haben sich an die Touristen gewöhnt

Das schachbrettartige Straßennetz kennzeichnet die im 18. Jh. planmäßig angelegte **Newtown Pery**, heute das ›reichere‹ Viertel der Stadt. Georgianische Bauten säumen die Haupteinkaufsstraße, die O'Connell Street, an der sich viele Kaufhäuser, elegante Geschäfte, Banken und Hotels ein Stelldichein geben. Die **City Art Gallery**, Perry Square, stellt zeitgenössische irische Künstler aus (geöffnet Mo–Fr 10–13 und 14–18, Sa 10–13). Im preisgekrönten **Public Museum** werden die Stadtgeschichte und archäologische Funde, z. B. von Lough Gur, gezeigt (geöffnet Di–Sa 10–13, 14.15–17). Besonders lohnenswert ist das neueröffnete **Hunt Museum**, das die bedeutendste Sammlung mittelalterlicher Kunst nach dem Nationalmuseum besitzt (Foundation Building, Universität, geöffnet Mai–September Mo–Sa 10–17).

Tourist Information: Arthur's Quay, ✆ 0 61/31 75 22; Shannon Airport, ✆ 061/471-664, 565.

Unterkunft: Zahlreiche, nicht sehr einladende Hotels, Guest Houses, B & B, besonders an Ennis Road (Ausfallstraße Flughafen). **Jugendherberge:** Limerick International Hostel, 1 Pery Square, ✆ 0 61/31 46 72.

Restaurant: Quenelles, Upper Henry Street, ✆ 0 61/41 11 11.

Singing Pubs: Nancy Blake's, 19 Upper Denmark Street; Tait's Tavern, 54 Parnell Square.

Flugzeug: Internationaler Flughafen Shannon Airport, 16 km nordwestlich an N 18, ✆ 0 61/6 14 44, Einfallstor vor allem amerikanischer Touristen.

Verbindung: Bahnhof (✆ 061/31 55 55) und Busbahnhof (✆ 0 61/31 33 33), Parnell Street.

Fahrradverleih: Emerald Cycles, 1 Patrick Street; An Oige Youth Hostel, 1 Pery Square.

Shannon-Region

Das **Lough Gur Interpretive Centre** an den Ufern des hufeisenförmigen Sees war einst ein neolithisches Zentrum, was die einzigartig dichte Ansammlung steinzeitlicher Überreste wie Monolithen, Steinkreise, Gräber, Cairns und Crannogs erklärt. Der Besuch des kleinen Museums in Verbindung mit Spaziergängen, die zu den weiträumig um den See verstreuten Denkmälern führen, vermitteln dem Besucher lebendige Einblicke in das Alltagsleben der Steinzeitmenschen (Museum geöffnet Mai–September 10–18). Das beeindruckendste Monument, der mit 45,7 m größte Steinkreis Irlands, liegt an der R 512 in Richtung Limerick hinter dem Ort Holycross.

Adare, ein ›erschreckend‹ pittoreskes Örtchen, das der Earl of Dunraven als solches errichten ließ, wirkt genauso künstlich, wie die Art seiner Entstehung es vermuten läßt. Mit Irland jedenfalls hat Adare wenig gemein, auch wenn sich auf den paar musealen Metern vor den adretten, strohgedeckten Cottages heute die Besucher gegenseitig auf die Füße treten. Gleichwohl ist es interessant zu beobachten, in welchem Maße der Traum eines britischen Lords vom sauberen Landleben irische (Touristen-)Realität geworden ist.

Unterkunft: *****Adare Manor, ✆ 0 61/39 65 66, Luxus in Neo-Tudor-Schloß, im Park Schloß- und Burgruinen. Zwei schöne alte Farmhaus B & B: Mrs Fitzgerald, Clonunion House, Limerick Road, ✆ 0 61/39 66 57; Duneeven, Croagh, ✆ 0 69/6 34 00.

Restaurants: The Wild Geese, Rose Cottage, ✆ 0 61/39 64 51, neue irische Küche; Adare Manor, s.o.

Irlands Bilderbuchburg **Bunratty Castle** geht wie viele weitere Festungen des County Clare auf das Baukonto des Mac Namara-Clans, der über ein Jahrtausend die Grafschaft beherrschte. Maccon Mac Sioda Mac Namara begann an der Stelle von Vorgängerburgen 1450

Bilderbuchburg Bunratty

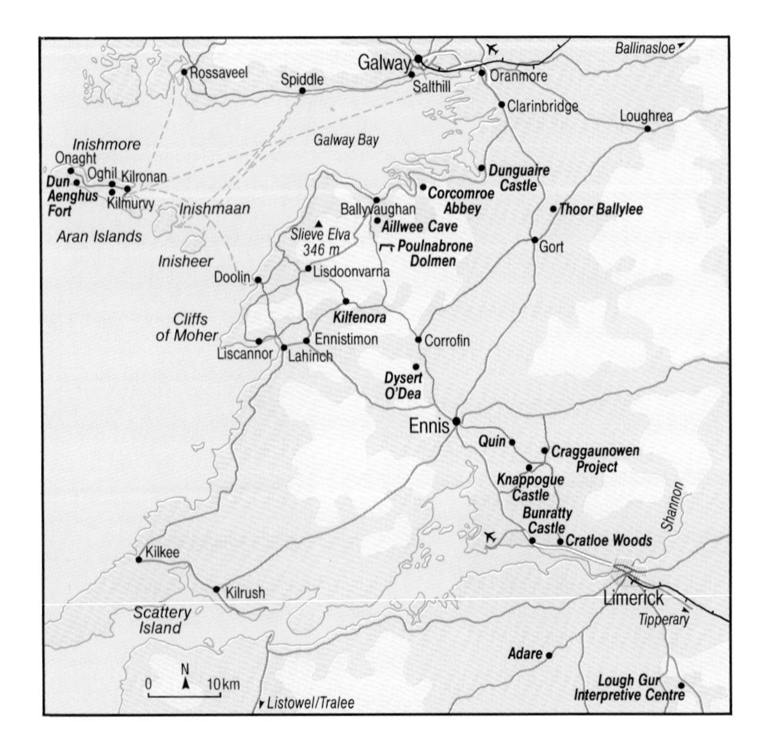

Von Limerick zum Burren

mit der Errichtung des mächtigen quadratischen Bergfrieds, 17 Jahre später schloß sein Sohn den Bau ab. Im Jahre 1954 kam die Anlage an Lord Gort, der sie exzellent restaurieren und mit authentischen Möbeln aus Spätmittelalter und Frührenaissance ausstatten ließ: Die große Halle und die Wohnräume des Grafen nebst Kapelle sind die Prunkstücke der Burg.

Im Park zu ihren Füßen hat man in einem einzigartigen Freilichtmuseum Bauern- und Fischerhäuser aufgebaut, die anhand ihrer Größe und Ausstattung eindringlich die sozialen Abstufungen vom Tagelöhner bis zum reichen Bauern vor Augen führen. Ein komplettes Dorf des 19. Jh. mit georgianischem Herrenhaus am Hang darüber, mit Schule, Arzthaus, Postamt, Pfandleihe, etlichen Kneipen u. v. m. – wo man natürlich Souvenirs kaufen kann –, wird ständig erweitert. Im April 1989 besuchten Michail Gorbatschow und seine Frau Raissa diesen sehenswerten Folkpark (geöffnet 9.30–17.30, Park Juni–August bis 18.30; Einlaß bis 16.15).

Restaurants: Maccloskeys, Bunratty House Mews, ✆ 061/364082, in dem o. e. Herrenhaus des Folk Parks; 17.45 und 20.45 Uhr außer Januar mittelalterliche Bankette im Burgsaal, ca. DM 70,–: Buchungen ✆ 061/360788.

Musikalische Darbietungen: Im Folk Park Mai–Oktober.

Das Tower House **Knappogue Castle** wurde 1467 ebenfalls von den Mac Namaras erbaut. Von hier aus unterwarfen Cromwells Truppen die Grafschaft. Die niedrigeren Anbauten der Vorderseite, in denen heute die Bankette stattfinden und elegante Ferienwohnungen vermietet werden, entstanden im 19. Jh. (geöffnet April–Oktober 9.30–17.30; Buchungen für Bankette: ✆ 0 61/36 07 88.).

Das Freilichtmuseum **Craggaunowen Project** zeigt u. a. eine rekonstruierte keltische Pfahlbausiedlung *(crannog)* des 6./7. Jh. und ein Turmhaus des 16. Jh. Authentisch gekleidete Schauspieler versetzen einen als *Orna,* weise Frau, oder *Caomhán,* Krieger, in keltische Zeiten. Zudem ist eine Nachbildung des Bootes des hl. Brendan, des ›Navigators‹, zu sehen, mit dem dieser angeblich im 6. Jh. nach Amerika gelangte; 1976 überquerte Tim Severin in einem Nachbau dieses *Naomhogs* (s. S. 161) den Atlantik, um die Möglichkeit einer solchen Reise zu beweisen (geöffnet Ostern–Oktober 9.30–18).

In dem kleinen Ort Quin liegen die am besten erhaltenen Ruinen einer irischen Franziskaner-Abtei (s. Abb. S. 36). **Quin Abbey**, 1350 errichtet und 1433 erneuert, ist vor allem wegen des schönen Kreuzgangs und der in der Kirche stehenden Grabsteine der Mac Namaras vom 15. bis zum 19. Jh. berühmt.

Ennis (18000 Einwohner), die geschäftige Hauptstadt der Grafschaft Clare, hat sich im Zentrum noch ihr georgianisches Straßenbild bewahrt, obwohl der nahegelegene Shannon Airport der Stadt einigen wirtschaftlichen Auftrieb schenkte. Daniel O'Connell wurde hier 1828 zum Abgeordneten gewählt – sein Standbild, auf einer immens hohen Säule den Blicken der Sterblichen entrückt, schmückt die City. Ende Mai/Anfang Juni findet hier alljährlich das größte Folkfestival der Insel, das *An Fleadh nua,* statt. Sehenswert ist die Ruine der Franciscan Friary, 1242 von Donchad Cairbreach O'Brian, dem König von Thomond, gegründet und in den folgenden Jahrhunderten erweitert. In den Glanzzeiten im 14. Jh. lebten hier 350 Brüder und 600 Schüler! 1606 wurde in der Kirche offiziell das altirische *Brehon Law* abgeschafft. Der größte Schatz der Kirche ist das Mac Mahon- oder Königsgrab von 1475 mit exzellenten Skulpturen (geöffnet Ende Mai–Ende September täglich 9.30–18.30).

Der abgeschieden inmitten einer Wiesenlandschaft versteckte archäologische Park von **Dysert O'Dea**, knapp 10 km hinter Ennis, gewann 1990 zu Recht den Clare Tourism Award. In dem Tower House von 1480, das ein reicher Amerikaner, ein Nachfahr des burgenbauenden O'Dea-Clans, vorbildlich restaurieren ließ, befindet sich ein kleines archäologisches Museum. Glanzstück des liebevoll angelegten archäologischen Pfades ist das Hochkreuz des 12. Jh. Der segnende Arm des Bischofs, vielleicht des Klostergründers, des hl. Tola, hat sicher einst frei herausgeragt (wo heute ein Loch im Körper ist). Über dem Bischof steht der Gekreuzigte mit langem Gewand, Glatze und dem typisch keltischen Gesicht.

Tourist Information: Clare Road, ✆ 0 65/2 83 66.

Unterkunft: *****Dromoland Castle Hotel, Newmarket-on-Fergus, ✆ 0 61/36 81 44, 12 km südlich, neogotischer Luxus mit preisgekröntem Restaurant; ***Old Ground Hotel, O'Connell Street, ✆ 0 65/2 81 27, schön, nicht zu teuer; Newpark House, ✆ 0 65/2 12 33, 2 km auf Tulla Road, historisches Farmhaus B & B. **Jugendherberge:** Abbey Tourist Hostel, Harmony Row, ✆ 0 65/2 26 20.

Restaurant: The Cloister, Abbey Street, ✆ 0 65/2 95 21, neben Abtei, mit Garten, nicht billig.

Singing Pub: Cruise's, Abbey Street, alter Pub, gutes Barfood.

Von den Cliffs of Moher nach Dunguaire Castle

Die **Cliffs of Moher**, eine der meistbesuchten landschaftlichen Sehenswürdigkeiten Irlands, erheben sich über eine Strecke von 8 km

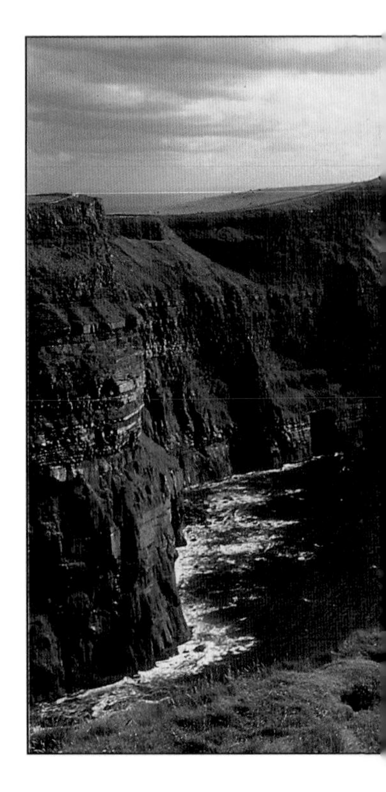

Unumgänglich: die Cliffs of Moher

120–200 m hoch über das Meer. Bastionsartig schieben sich die Türme aus Sandsteinen, Platten und Schiefertonen vor, um dann zu einer sacht gerundeten Bucht zurückzuweichen. Kolonien von Dreizehenmöwen, Trottellummen und Papageientauchern brüten in den Felsspalten. Von dem Leuchtturm O'Brian's Tower (1835) ergibt sich ein besonders dramatischer Rundblick. Ein Pfad verläuft auf dem Klippenkamm, etwa drei Stunden geht man bis Hag's Head und zurück – Vorsicht am Abgrund! Viele irische Kleinunternehmer, die auch von den gigantischen Besucherzahlen profitieren wollen, spielen Harfe oder verkaufen Kassetten mit traditioneller Musik (Informationszentrum; Café).

Etwas weiter nördlich liegt an der Küste das kleine **Doolin**, das ›Mekka‹ der irischen Folkmusik. (Fähre auf die Aran-Inseln s. S. 190.) Auch der verschlafene Kurort **Lis-**

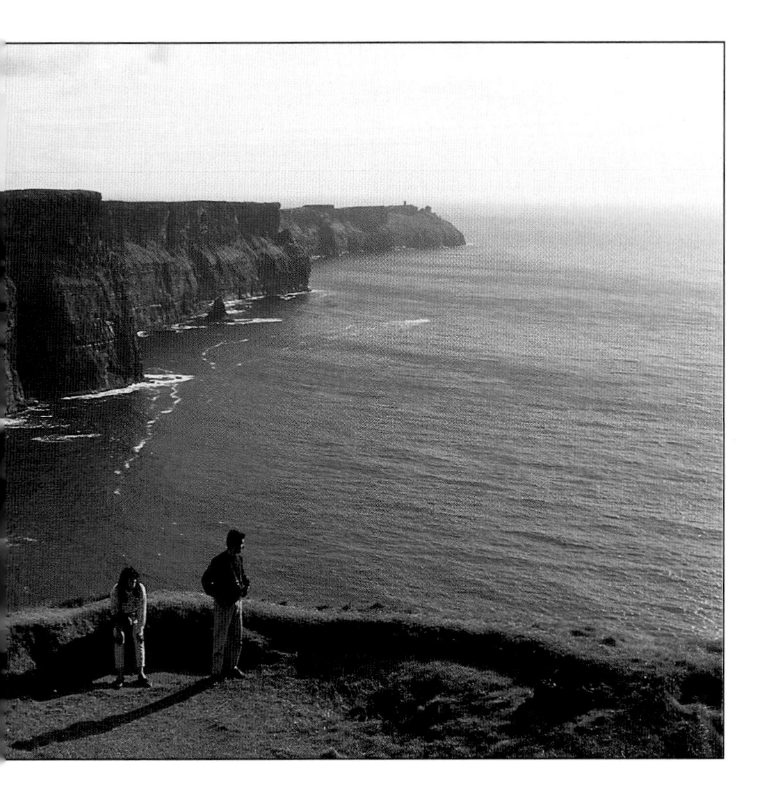

»No tree to hang a man…«
Der Burren

Der Burren (gael. ›großer Stein‹) wird im Norden und Westen vom Atlantik begrenzt; Kilfenora im Süden und Dunguaire im Nordosten liegen schon in den Ausläufern dieser einzigartigen Landschaft mit ihren langgestreckten, verkarsteten Hügelketten. Durch das Herz der bizarren, monotonen Steinöde fährt man auf der R 480 oder einer der von ihr abzweigenden Kleinststräßchen, auf denen die grandiose Einsamkeit besonders eindringlich wirkt. Vor 15 000 Jahren pflügten eiszeitliche Gletscher in nord-südlicher Richtung verlaufende Längsrinnen durch das Kalksteinplateau. Die Eismassen ließen neben zyklopischen Findlingen die Samen arktischer Pflanzen zurück, was zu der heute so einzigartigen Vegetation des Burren beitrug, einer Mischung aus arktischen, alpinen und mediterranen Gewächsen.

Das Karstgebiet ist sozusagen unterkellert, denn kilometerlange Höhlen- und Gangsysteme und unterirdisch verbundene Seen verlaufen unter der kargen Oberfläche. Unter der höchsten Erhebung des Burren, dem Slieva Elva (343 m), zieht sich mit 11 km das umfangreichste Höhlensystem entlang. Besichtigen kann man die **Aillwee Cave** 3 km südlich von Ballyvaughan mit ihren 300 m tief in den Berg hineinführenden Gängen, dem größten unterirdischen Höhlensaal der Welt und einem eiszeitlichen Höhlenbärlager. Stalaktiten (von der Decke herabhängend), Stalagmiten (vom Boden emporwachsend) und Orgeln oder Säulen (zusammengewachsener Stalagmit und Stalaktit) sind Kalkspatablagerungen des durch den porösen Kalkstein versikkernden Wassers (geöffnet Mitte März–5. November täglich 10–18; letzte Führung 17.30, Juli/August 18.30; gutes Café). Weitere typische geologische Phänomene eines Karstgebietes wie die Karenklüfte von 10–30 cm Breite und 1–3 m Tiefe (besonders schön um den Poulnabrone Dolmen zu entdecken), Poljen (wannenförmige Becken mit flachem Boden) und Dolinen (schüssel- oder trichterförmige Hohlräume) begegnen sozusagen auf Schritt und Tritt.

Im Mai und Juni entfaltet sich die Flora des Burren am schönsten. Zwischen den grauen Felsen blühen Frühlingsenzian *(Gentiana verna)*, Irischer Steinbrech *(Saxifraga hibernica)*, Silberwurz *(Dryas octopetala)*, Kuckucksknabenkraut *(Orchis mascula)*, Montbretia *(Iritonia cocosmiflora)* und eine Vielzahl wilder Orchideen, aber auch einheimische Pflanzen wie Klee und Heidekraut. 1300 ha der schützenswerten Burren-Landschaft um Mullaghmore wurden zu Irlands fünftem Nationalpark. Der Widerstand von Naturschützern und Lokalinitiativen gegen das geplante, überdimensionierte Besucherzentrum in Mullaghmore führte 1996 zum Erfolg: Es wird nicht weitergebaut.

Der Burren war einst bewaldet – Rodungen der steinzeitlichen Siedler, die das Gebiet vor ungefähr 5000 Jahren erstmalig ›kultivierten‹, haben die Erosion eingeleitet, an deren Ende diese Mondlandschaft steht. Der **Poulnabrone Dolmen** – mit benachbartem Hobby-Dolmenfriedhof – und zahlreiche keilförmige Galeriegräber zeugen von diesem frühen megalithischen Volk. Aus den darauffolgenden Zeiten haben sich über 100 Steinforts erhalten; das schönste von ihnen, das von **Cahercommaun**, dramatisch über einem steil aufsteigenden Flußtal gelegen, besteht aus drei konzentrischen Ringen und entstand vermutlich erst nach der Zeitenwende.

In **Kilfenora** bietet das Burren Display Centre ausgezeichnete Informationen zu geologischen, botanischen und prähistorischen Fragestellungen (geöffnet 17. März–Oktober 10–17, Juni bis 18, Juli/August 9–19; Videovorführungen; Café nebenan). Die Kathedrale von Kilfenora gehörte einst zu dem vom hl. Fachtna gegründeten Kloster und entstand Ende des 12. Jh. – heute ist der Papst Bischof von Kilfenora. Doohrty's Cross, das Hochkreuz vor der Westwand der Kathedrale, zeigt die für die Spätzeit typischen wenigen großen Figuren, hier drei Kleriker – die beiden Repräsentanten der irischen Kirche unterhalb des Papstes? Eine Kreuzigungsszene schmückt das sog. Westkreuz, auf einem Feld ca. 100 m westlich der Kathedrale gelegen.

Aus der Zeit des irischen Spätmittelalters haben sich in der Burren-Region zahlreiche der für die Clanherrschaft so typischen Tower Houses erhalten: **Gleninagh** und **Newtown Castle** bei Ballyvaughan und **Leamaneh Castle** bei Kilfenora, um das sich zahlreiche Legenden über die tapfere Máire Rua ranken, die in den cromwellianischen Kriegen ihren Mann stand. Einer ihrer Gegenspieler, ein General Cromwells, soll über den Burren gesagt haben: »Kein Baum, an dem man einen Mann aufhängen, kein Tümpel, worin man ihn ersäufen, keine Erde, in der man ihn verscharren könnte.«

doonvarna lebt vom Mythos spontaner Livemusik – Christy-Moore-besungen – und den vielen jungen Rucksacktouristen.

Durch die faszinierende Karstlandschaft des Burren gelangt man nach **Dunguaire Castle**, malerisch auf einer Landzunge der Bucht von Kinvarra gelegen. Die O'Heynes, Nachfahren der Könige von Connaught, erbauten das von einem Mauerkranz umgebene Tower House im 16. Jh. (geöffnet Mai–Oktober täglich 9.30–17.30; Café; mittelalterliche Bankette Mai–September: ✆ 0 61/36 07 88).

Unterkunft: Ballinalacken Castle-Hotel, Lisdoonvarna, ✆ 0 65/7 40 25, preiswert, georg. Herrenhaus neben Tower House; Mrs. Sinead Cahill, Caherbolane Farmhouse, Corrofin, ✆ 0 65/3 76 38; Mrs. Mary Kelleher, Fergus View, Kilnaboy, Corrofin, ✆ 0 65/3 76 06 – zwei gastfreundliche B & B's im Burren mit leckerer Küche.

Hostels: Fisher Street Hostel, Fisher Street, Doolin, ✆ 0 65/7 40 06, Fahrradverleih; Burren Holiday Hostel, Lisdoonvarna, ✆ 0 65/7 43 00, Wanderungen im Burren.

Restaurants: Barrtra Seafood Restaurant, Lahinch, ✆ 0 65/8 12 80; Claire's, Ballyvaughan, ✆ 0 65/7 70 29, informell, preisgünstig, Teestube und Restaurant; Sheedy's Spa View Hotel, Lisdoonvarna, ✆ 0 65/7 40 26, teurer, altmodisch-gemütliches Design.

Singing Pubs: Doolin: O'Connor's, weltberühmt; McGann's; McDermott's. Lisdoonvarna: Lärmiges Heiratsmarkt-Spektakel im September; Roadside Tavern; Royal Spa.

Von Galway hoch in den Norden

Vom bunten, allerorts verjüngten Galway geht es auf die kargen Aran-Inseln, ins einsame, felsige Connemara und zum Anglerparadies Lough Corrib. Rund um das schöne Westport wandelt man auf den Spuren der Piratenkönigin Grace O'Malley und des hl. Patrick, auf Achill Island mit dem Böll-Buche in der Hand.

Die Provinz **Connaught** (von gael. *Conn Cétchathach* = Conn der 1000 Schlachten) wird dem Touristen wegen ihrer weiten Landschaft, ihrer ursprünglichen und unverdorbenen Natur und den hier und da noch anzutreffenden – traditionellen oder neu aufgebauten –

Am Doo Lough bei Delphi

reetgedeckten Cottages als sehr romantisch erscheinen. Für die hier lebenden Menschen bedeuten diese alles andere als romantischen Lebensbedingungen jedoch einen harten Kampf ums Überleben, den vor allem in der Vergangenheit nicht alle gewinnen konnten.

Dies zeigen die in der Region besonders häufigen Ruinen verlassener Gehöfte, Gotteshäuser und Herrensitze, die, wie schon Friedrich Engels einst schrieb, »dem Land eigentümlich sind«. Unter Cromwell blieb den Grundbesitzern, die im Osten ihr fruchtbares Land verloren hatten (s. S. 97), nichts anderes übrig, als hier in Connaught mit felsigen, sauren Böden vorlieb zu nehmen: *»To hell or to Connaught«!* Immer massierter auftretende Aktivitäten wie Fischzucht-›Fabriken‹ in Meer und Seen, Aufforstung der Moore und Einzäunung der Bergweiden für eine intensivierte Schafzucht zeigen indes, daß sich die Menschen auch hier nicht mehr mit einer naturgeschützten Ödnis bescheiden wollen – es drohen tiefgreifende ökologische Veränderungen. Um die auch heute noch eklatanten Bevölkerungsverluste und den wirtschaftlichen Abwärtstrend aufzuhalten, haben die sechs katholischen Bischöfe Connaughts eine Kampagne initiiert, die dem Trend entgegenwirken soll.

Traditionelle Farmwirtschaft im Westen Irlands

Das traditionelle irische Farmsystem entwickelte sich nach den verheerenden Erfahrungen der Großen Hungersnot. Damals war das Vertrauen der Bauern in das bisher praktizierte System von früher Heirat, Aufteilung des Landes an alle Kinder und dem monokulturellen Kartoffelanbau erschüttert worden. Statt dessen erbte jetzt nur noch ein Sohn, meist der jüngste; ein weiteres Kind konnte – als unbezahlte Arbeitskraft – auf dem Hof bleiben, eine Tochter auf einen anderen Hof heiraten, die anderen Geschwister mußten auswandern (so jedenfalls die statistische Aufrechnung). Nach den ersten größeren Auswanderungswellen stiegen die Betriebsgrößen langsam wieder an.

Der Generationswechsel vollzog sich erst, wenn sich die Farmbesitzer im hohen Alter von der Bewirtschaftung zurückzogen – was ein ebenso hohes Heiratsalter nach sich zog: Noch 1945 lag es durchschnittlich für Männer bei 39 und für Frauen bei 30 Jahren. Da von der Auswahl des richtigen Ehepartners das physische Überleben der ganzen Familie abhing, wurde die Hochzeit, verbunden mit der Übergabe der Farm, sorgfältig arrangiert *(made-match)*. Man stelle sich eine Armee von an die vierzigjährigen Erben vor, die, wie es hieß, ›auf die Schuhe des toten Mannes warteten‹. Die katholische Morallehre und der Bedarf der Familienfarm nach unbezahlten Arbeitskräften führte trotzdem zu durchschnittlich 8–12 Kindern pro Familie!

In bezug auf die Produktion erwies sich das *Mixed Farming* als sicherstes Mittel gegen eine neue Hungersnot und als beste Möglichkeit, die nur von einer dünnen Schicht sauren Bodens bedeckten Steinlandschaften Westirlands zu nutzen. Tierhaltung, neben Schafen, Schweinen und Kleinvieh vor allem die *Kerry-Cow,* eine kleine, schwarze, besonders anspruchslose Rasse, Kälberaufzucht sowie Milch- und Butterherstellung, Torfstechen und Ackerbau machten die Hauptbestandteile des bäuerlichen Selbstversorgungsbetriebes aus. Der Spaten stellte das wichtigste Arbeitsmittel dar, den Pflug kannte die irische Farmwirtschaft im Westen nicht. Mit dem Spaten wurden die *Cultivation Ridges,* auch *Lazy Beds* genannten, von Gräben getrennten Beete aufgeworfen – die effektivste und auch arbeitsintensivste Art, unfruchtbare Böden in Ackerland zu verwandeln. Angebaut wurden hier Kartoffeln, Hafer oder Erdrüben.

Das Mixed Farming ist ein im höchsten Maße ökologisches System, das die Natur nicht ausbeutet und erschöpft, sondern sinnvoll die mageren Ressourcen nutzt: Der Tiermist düngt die Böden, die Schweine leben von den Hausabfällen, Sand und Tang vom Meer dienen als Dünger oder Tierstreu. Für das wenige Geld, das der Verkauf der Butter oder der angemästeten Kälber erbrachte, wurde im örtlichen Laden eingekauft, ungefähr ab Weihnachten, wenn das Geld nicht mehr reichte, auf Kredit – auch dies ein System wechselseitiger Abhängigkeit, ein durch die Kargheit der Umwelt bedingtes enges Zusammenrücken. Der ständige Kapitalmangel verhinderte und verhindert auch heute noch Investitionen und damit die Intensivierung der Landwirtschaft, so daß diese selbstgenügsame, wenig Überschüsse erzielende Agrarwirtschaft im Westen Irlands bis in die 50er Jahre dominierte und auch jetzt noch in Teilen praktiziert wird.

Im Zentrum von Ställen, Vorratsgebäuden, Gemüsegarten, Weiden und Torfstich steht das Farmhaus, einstöckig, aus massivem Stein gebaut – die älteren Häuser sogar noch ohne Mörtel in Trockenbauweise –, weiß gekalkt und mit einem Binsendach gedeckt, das durch ein Seilnetz an hervorstehenden Steinen befestigt ist. Auch in der ökologischen Bauweise des Hauses zeigt sich die optimale Ausnutzung der natürlichen Ressourcen. Im Inneren liegen zwei oder mehr Zimmer ohne Flur nebeneinander. Das Zentrum des Hauses bildet die Küche mit dem offenen Torffeuer. Die Familie sitzt nie um einen Tisch herum, sondern auf Sesseln um den Kamin, und die beiden besten Plätze links und rechts des Feuers sind dem Farmerehepaar oder den Gästen vorbehalten – bei mehreren Gästen drückt die Sitzverteilung die soziale Rangfolge aus. Die spärliche Einrichtung (Tisch, Stühle und der *Dresser,* eine Art Anrichte, unten Schrank und oben Regal) besteht aus billigstem Tannenholz. Der Dresser als Visitenkarte des Hauses enthält neben Geschirr und einigem wenigen Nippes auch die Sparbücher und anderen wertvollen Besitz.

An Vorder- und Rückfront des Hauses liegen jeweils zweigeteilte Flügeltüren, deren untere Hälfte, um das Vieh draußen zu halten, meist geschlossen bleibt, während der obere Teil oft die einzige Lichtquelle darstellt. Die Küche und vor allem das Feuer sind familiäres und soziales Zentrum, zeigen den Zusammenfall von Familien- und Arbeitsleben. Dort werden Neuigkeiten ausgetauscht, Geschichten erzählt, Heiraten arrangiert – das Bild einer kollektiv geprägten Gesellschaft entsteht vor unseren Augen, in der es keinen Platz für Vereinsamung und Anonymität, aber auch nicht für individuelle Entfaltung und Freiheiten gibt.

Galway

Galway (60 000 Einwohner, gael. *An Ghailimh*), die ›Hauptstadt‹ des Westens und des hiesigen *Gaeltacht*-Gebietes, ist Handels- und Industriestadt, Sitz eines katholischen Bischofs und die viertgrößte Stadt Irlands. Die Studenten der Universität prägen Stadtbild und Atmosphäre von Galway entscheidend mit – und natürlich die Kneipenszene.

Im 13. Jh. wuchs hier an der Mündung des Corrib eine Siedlung, der die von Richard de Burgo, dem wohl mächtigsten der anglonormannischen Eroberer, gegründete Burg sicheren Schutz bot. Galway war bis zum 17. Jh., als die katholische Stadt zunächst von Cromwell und dann von den Oraniern eingenommen und geschleift wurde, der wohlhabendste Umschlaghafen Irlands mit weitreichenden Handelsbeziehungen bis in die Levante. Der wenig beeindruckende **Spanish Arch**

The Quays, ein beliebter Pub

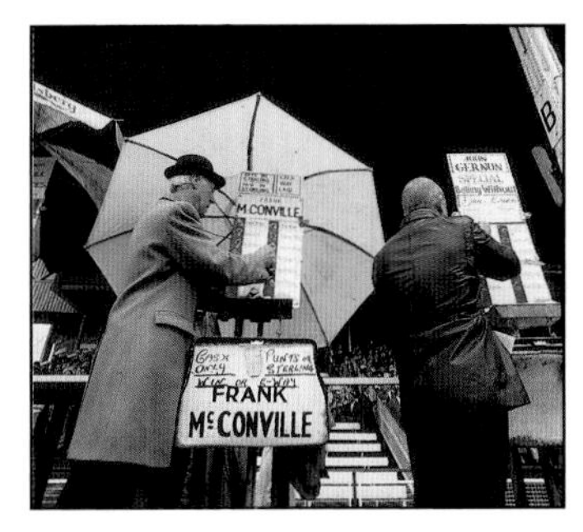

Buchmacher bei den Galway Races

am Hafen, eins der alten Stadttore, erinnert mühsam an diese Glanzzeit. Die *Tribes,* 14 anglonormannische Händlerfamilien – allen voran die Lynchs, die von 1484 an die nächsten 83 Bürgermeister der Stadt stellten, aber auch die Joyces, Martins, Darcys u. a. –, regierten jahrhundertelang wie unabhängige Renaissancefürsten.

Die noch überwiegend mittelalterliche **St. Nicholas' Church** beherbergt die Grabstätten der *Tribes.* Eine Gedenktafel in einer Wand zur Market Street hin, der sog. **Lynch Stone**, markiert den Ort grausigen Geschehens: Hier soll Bürgermeister James Lynch 1493 seinen eigenen Sohn Fitz Stephen hingerichtet haben, da angeblich kein Galwayer Henker die Zivilcourage besaß, an dem Sprößling aus einflußreicher Familie, angeklagt des feigen Mordes an einem spanischen Kaufmann, sein Handwerk zu exerzieren. Gewohnt haben die beiden in **Lynch's Castle**, einem Stadthaus aus dem 15./16. Jh., an dessen Fassade man Wasserspeier, Wappen und sonstigen spätgotischen Zierat entdecken kann.

Das in den letzten Jahren geschmackvoll postmodern sanierte Gebiet um den Hafen zeugt von wirtschaftlicher Potenz. Galways lebhafte, von bunten alten Häusern, Shop- und Pubfassaden gesäumte Straßen animieren zum Schlendern:

Im jungen Viertel um die Quay Street

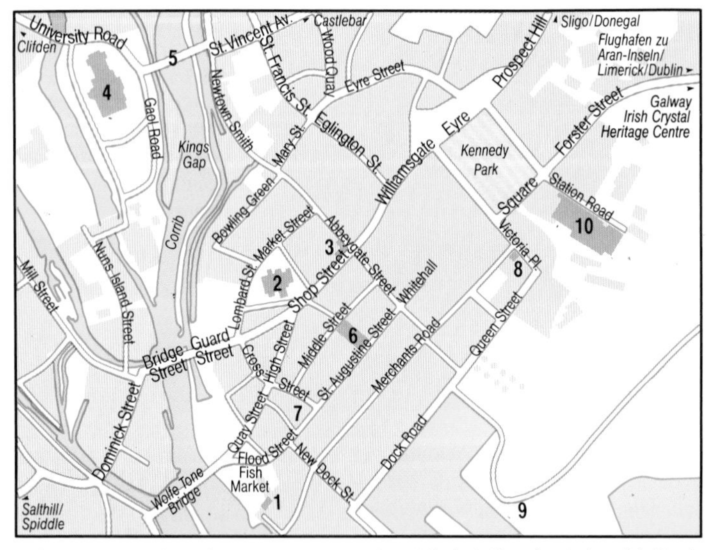

Galway: 1 Spanish Arch/City Museum 2 St. Nicholas' Church 3 Lynch's Castle 4 St. Nicholas' Cathedral 5 Salmon Weir Bridge 6 An Taibhdhearc Theatre 7 Druid Lane Theatre 8 Tourist Information 9 Fähre zu Aran-Inseln 10 Bahnhof

im alternativ-quirligen Jugendviertel um Cross und Quay Street, in der High/Shop Street und am repräsentativen Eyre Square. Das **Galway Irish Crystal Heritage Centre** informiert in einem georgianischen Gebäude über die Geschichte des Westens und irisches Kristall (geöffnet Mo–Sa 9–18, So 10–18).

Tourist Information: Aras Fáilte, Eyre Square, ✆ 0 91/56 30 81; Fährbuchungen zu Aran Islands.

Unterkunft: ****Great Southern Hotel, Eyre Square, ✆ 0 91/56 40 41, Riesenblock aus der guten alten Zeit; ****Ardilaun House Hotel, Taylor's Hill, ✆ 0 91/52 14 33, erstaunlich preisgünstiger Luxus in ruhigem Park; Mr. und Mrs. Keogh, Norman Villa, 86 Lower Salthill, ✆ 0 91/52 11 31, nicht billiges, komfortables B & B.

Jugendherbergen: Kinlay House, Merchants Road, Eyre Square, ✆ 0 91/56 52 44; Stella Maris Hostel, 151 Upper Salthill, Salthill, ✆ 0 91/52 19 50.

Restaurants: Kirwan's Lane Creative Cuisine, Kirwan's Lane ✆ 0 91/56 82 66; Moran's of the Weir, Clarinbridge, ✆ 0 91/9 61 13, 8 km südlich, Pub, weltberühmt für seine

Austern; Bewley's of Galway, Middle Street, Snacks, Café, s. Dublin.

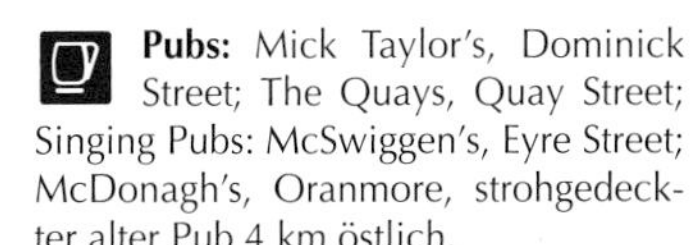

Pubs: Mick Taylor's, Dominick Street; The Quays, Quay Street; Singing Pubs: McSwiggen's, Eyre Street; McDonagh's, Oranmore, strohgedeckter alter Pub 4 km östlich.

Flugzeug: Galway Airport, ✆ 0 91/75 55 69, inneririsch, 9 km östlich; Flüge auf die Aran Islands mit Aer Arran, Connemara Airport, Inveran, ✆ 0 91/59 30 34 oder Tourist Office.

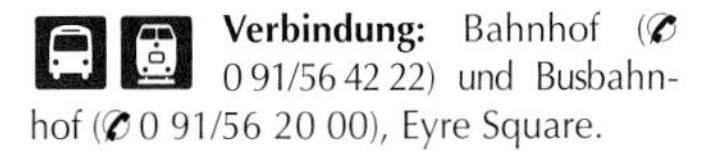

Verbindung: Bahnhof (✆ 0 91/56 42 22) und Busbahnhof (✆ 0 91/56 20 00), Eyre Square.

Fahrradverleih: Rent-a-Bike, Frenchville Lane, nahe Bahnhof.

Theater: An Taibhdhearc, Middle Street, mit Vorführungen in Gaelisch; Druid Theatre, Off Quay Street, angloirische Klassiker.
Ereignisse: Mai: Lachsspringen, zu beobachten an der Salmon Weir Bridge; August: Galway Races, berühmte Renn- und Gesellschaftsveranstaltung; September: Austernfest (mit Guinness).

Aran Islands

Die Aran-Inseln, bei gutem Wetter einer der Höhepunkte einer jeden Irland-Reise, bestehen aus den drei Hauptinseln Inishmore (große Insel; am meisten besucht) mit dem Hauptort Kilronan, Inishmaan (mittlere Insel) und Inisheer (östliche Insel) sowie vier unbewohnten kleineren Eilanden (s. Routenkarte S. 174). Geologisch gesehen stellen sie eine Fortsetzung des aus Karbonkalken bestehenden Clare-Plateaus dar; die zahlreichen Blöcke aus Granit sind von eiszeitlichen Gletschern aus Connemara ›mitgebracht‹ worden. Auf den kargen Felsinseln scheinen nur Steine zu ›wachsen‹: Bienenkorbhütten, prähistorische Steinforts, frühchristliche Oratorien, Rundturmruinen und Dolmen sowie die charakteristischen, in Trockenbauweise aufgeschichteten Feldmauern, die nicht nur zur Abgrenzung der Felder dienten, sondern es den Bauern auch erlaubten, die aus dem Boden geklaubten Steine zu ›entsorgen‹.

Einmal pro Woche kommen Banker und Metzger vom Festland herüber. 40 % der Inselbewohner lassen sich von den örtlichen Polizisten die Stütze auszahlen. Arbeitsplätze täten not, doch als eine Kooperative zur Fischverarbeitung pleite machte, kam keinerlei Unterstützung vom Staat.

Der hl. Enda gründete auf **Inishmore** im 5. Jh. Irlands erstes bedeutendes Kloster. Die größte Sehenswürdigkeit ist jedoch das prähistorische Steinfort Dun Aenghus, der Tradition zufolge von den Firbolgs, vorkeltischen Ureinwohnern, erbaut und nach einem ihrer Führer benannt. Die vier halbkreisbzw. hufeisenförmigen Mauerwälle, vor denen die Klippen senkrecht 91 m steil abfallen, legen die Vermutung nahe, ihre zweite Hälfte sei aufgrund von Erosionsprozessen ins

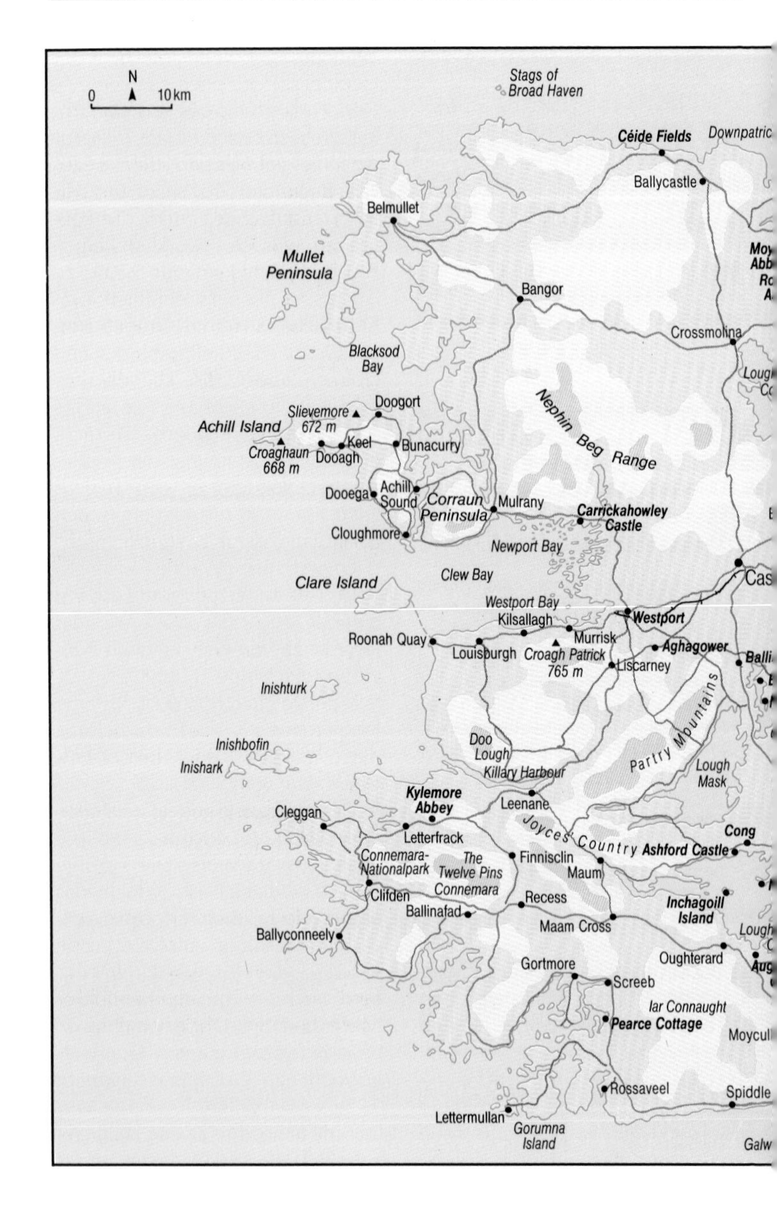
N
0
10 km
Stags of Broad Haven
Céide Fields
Downpatric
Ballycastle
Belmullet
Mullet Peninsula
Bangor
Crossmolina
Blacksod Bay
Nephin Beg Range
Doogort
Slievemore 672 m
Achill Island
Keel
Bunacurry
Croaghaun 668 m
Dooagh
Achill Sound
Dooega
Corraun Peninsula
Mulrany
Carrickahowley Castle
Cloughmore
Newport Bay
Clare Island
Clew Bay
Westport Bay
Kilsallagh
Westport
Murrisk
Roonah Quay
Louisburgh
Croagh Patrick 765 m
Aghagower
Liscarney
Inishturk
Partry Mountains
Doo Lough
Inishbofin
Inishark
Killary Harbour
Lough Mask
Kylemore Abbey
Leenane
Cleggan
Joyces Country
Cong
Letterfrack
Ashford Castle
Connemara-Nationalpark
The Twelve Pins
Finnisclin
Maum
Connemara
Clifden
Recess
Inchagoill Island
Ballinafad
Maam Cross
Ballyconneely
Oughterard
Gortmore
Screeb
Iar Connaught
Pearce Cottage
Rossaveel
Spiddle
Lettermullan
Gorumna Island

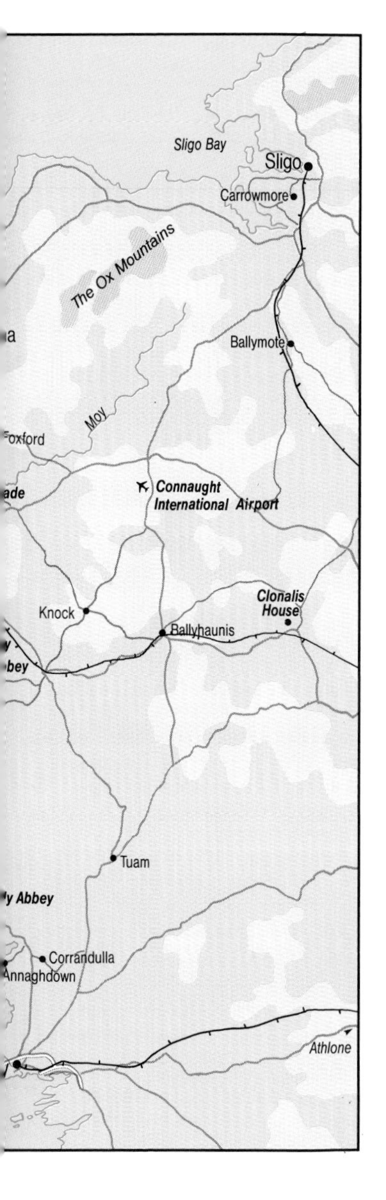

Meer gestürzt. Zwischen der zweiten und dritten Mauer stehen dicht an dicht spitzkantige Steine, die einst als ›spanische Reiter‹ Angreifer aufhalten sollten. Schon wegen des Blicks auf das Meer und die sanft ansteigende, durch die Felsmauern wie ›Patchwork‹ aussehende Ebene lohnt sich der Aufstieg. (Hinweise am Ende der Hauptstraße von Kilronan, ca. 6,5 km auf Straßen, dann Fußmarsch von $^{1}/_{4}$ Stunde auf Klippen, Vorsicht bei den glänzend abgetretenen und aalglatten Passiersteinen!)

Auch auf dem Rückweg kann man schöne Ausblicke, diesmal in Richtung ›Festland‹, genießen und Abstecher zu weiteren Sehenswürdigkeiten anschließen, die rechterhand der Straße den Hügel hinauf liegen. Die sich verstreut zwischen die Felsen duckenden Häuser tragen vielfach noch die traditionellen Reetdächer.

Das harte und entbehrungsreiche Leben der Inselbewohner (heute 1600) um die Jahrhundertwende zeigt der sehenswerte, 1932 von Robert Flaherty gedrehte Film »Man of Aran« (in der Town Hall drei Gehminuten links vom Pier). Heute bildet der Tourismus eine der Hauptsäulen der Inselwirtschaft, wozu Legenden – wie so oft in Irland – in nicht unerheblichem Maße beitragen. Eine lautet z. B., die heute vielverkauften Aran-Pull-

Von Galway in den Norden

over mit ihren phantasievollen Mustern besäßen eine uralte Tradition, die Fischer hätten ihre Ertrunkenen an den jeweiligen familieneigenen Strickmustern erkannt. Die ›typischen‹ Pullover wurden jedoch erst Ende des vergangenen Jahrhunderts aus Schottland kommend hier heimisch. Unter Mitarbeit der örtlichen Kooperative wurde in der alten Küstenwachstation von Kilronan das Aran's Heritage Centre zur Kultur der Insel eröffnet.

Auf **Inishmaan** verbrachte John Millington Synge um die Jahrhundertwende mehrere Monate, um Gaelisch zu lernen und Anregungen für seine Dramen zu finden – das Cottage, in dem er wohnte, ist zu besichtigen. Sein Tagebuch, »Die Aran-Inseln«, liefert einen guten Einblick in die archaische insulare Gesellschaft. Unter den zahlreichen prähistorischen und frühchristlichen Denkmälern ragt das stark restaurierte ovale Steinfort Dun Conor heraus. Im Sommer verkehrt eine Fähre zwischen Inishmore und der am wenigsten touristisch erschlossenen Insel.

Eine am Anlegesteg zu buchende Rundfahrt führt an den Attraktionen **Inisheers** vorbei, u. a. an mehreren winzigen Kirchlein und dem vielfotografierten Wrack auf den Uferfelsen.

Abends kann man in den Pubs von Inisheer und Inishmore, die dafür berühmt sind, Folk-Sessions und in der Town Hall von Kilronan einen Céilí-Tanzabend (oder schnöde Disko) erleben.

Unterkunft: **Ard Einne Guest House, Inishmore, ✆ 0 99/6 11 26; *Ostan Inis Oirr Hotel, Lurgan Village, Inisheer, ✆ 0 99/7 50 20; Mrs. Bríd Poíl, Radharc an Chlair, Inisheer, ✆ 0 99/7 50 19, Bungalow B & B mit guter Küche. B & B auf allen drei Inseln (Buchung Tourist Offices, geöffnet im Sommer, Nähe Pier Kilronan, ✆ 0 99/6 12 63, und Pier Inisheer).

Hostel: Radharc Na Mara, Inisheer, ✆ 0 99/7 50 87.

Restaurant: Mainistir House, Inishmore, 1 km außerhalb Kilronan auf Weg nach Dun Aenghus, ✆ 0 99/6 11 69, hauptsächlich vegetarisch, einfach, preiswert, mit Hostel-Zimmern. An T-Sean Cheibh, Kilronan, Inishmore, ✆ 0 99/6 12 28, Café und Restaurant.

Verbindung: Verschiedene Personenfähren, Abfahrt 9.30–11, gegen Mittag oder gegen 18 Uhr. Galway: Mai/Juni/September einmal, Juli/August dreimal täglich. Doolin, Co. Clare: nach Inisheer Mitte April–September, im Sommer vor- und nachmittags; 16. Mai–September auch nach Inishmore. Spiddle und Rossaveel (14 und 38 km westlich von Galway): Wie Galway; kürzere Überfahrt von ca. 1 Stunde, von Galway dauert es ca. 2 Stunden. **Flugzeug:** s. S. 187.

Fortbewegung auf Inishmore: Kleinbus, Pferdedroschken oder Fahrräder (mehrere Anbieter am Pier; Achtung: Vor Fahrtantritt Bremsen und Gangschaltung prüfen!).

Stein auf Stein: Aus der Luft sieht man das Muster der Feldmauern auf der größten Aran-Insel, Inishmore, besonders gut

Rund um den Lough Corrib

Der mit zahllosen Inselchen durchsetzte Lough Corrib und der nördlich an ihn anschließende Lough Mask markieren die Grenzscheide zwischen den schroffen Quarzitgebirgen Connemaras im Westen und der in die irische Seenplatte übergehenden Kalksteinebene im Osten. Seine überaus reizvolle landschaftliche Umgebung, die zahlreichen Sehenswürdigkeiten und sein Fischreichtum machen ihn zu einem lohnenden Reiseziel.

Aughnanure Castle, ein restauriertes, begehbares Tower House inmitten von Befestigungswällen, vermittelt einen lebendigen Einblick in das Alltagsleben eines gaelischen Clans (Mitte Juni–Mitte September täglich 9.30–18.30).

Auf der Insel **Inchagoill** (gael. Insel der Fremden) stehen zwei romanische Kirchlein, St. Patrick's und Saints' Church, letztere von Sir Benjamin Guinness im 19. Jh. renoviert (Bootsfahrten im Sommer sowohl von Cong als auch von Oughterard aus).

Auf keinen Fall sollte man die Franziskaner-Abtei **Ross Errilly** versäumen, deren komplette, hauptsächlich aus dem 15. Jh. stammenden Klostergebäude vom Vierungsturm der Kirche aus zu überblicken sind.

Cong Abbey mit seinem bemerkenswerten Kreuzgang und den schön skulptierten Portalen (um

Ross Errilly Abbey vom Turm aus

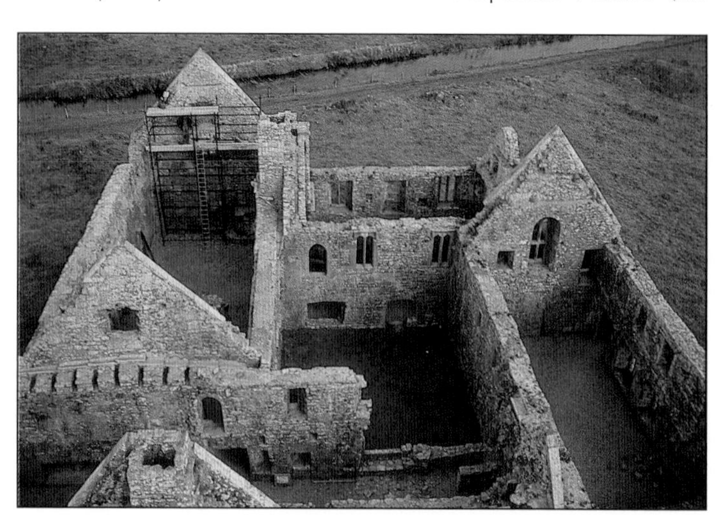

1200) wird als ein Höhepunkt der irischen Romanik gepriesen. Die auf der reizenden Halbinsel **Inishmaine** bescheiden zwischen Bauernhöfen und Schafweiden liegende Kirche aus dem 13. Jh. mit ihrem ebenfalls romanischen Bauschmuck ist Cong jedoch, was die pittoreske Lage angeht, noch vorzuziehen.

Unterkunft: Oughterard: *** Sweeney's Hotel, ✆ 091/ 552207, mit berühmtem Restaurant in georgianischem Haus; ****Currarevagh Guest House, ✆ 0 91/55 23 12, Country House, highly recommended, auch die Küche; Corrib View Farmhouse, ✆ 0 91/55 23 45, Seeufer, Fischen, B & B mit Home Cooking. Bei Cong *****Ashford Castle, ✆ 0 92/4 60 03, höchster Luxus in neogotischem ehemaligen Schloß der Familie Guinness, lohnt auch ohne Wohnabsicht den Besuch.

Jugendherbergen: Lough Corrib Hostel, Camp Street, Oughterard, ✆ 0 91/55 28 66 (Fahrradverleih); Canraer House, Station Road, Oughterard, ✆ 0 91/55 23 88.

Restaurants: Drimcong House, Moycullen, ✆ 0 91/55 51 15, lohnt einen Umweg, lange vorbestellen, nicht billig; Echoes, Main Street, Cong, ✆ 092/4 60 59.

Connemara

Eine Rundfahrt durch das heroisch-einsame Connemara beginnt in **Maam Cross** und sollte hinter Recess einen Abstecher in Richtung **Finnisclin** einschließen; von dieser Straße entlang des Lough Inagh sieht man ausgezeichnet die Tafelberge der Twelve Bens, deren höchster mit 730 m der Benbaun ist (s. Abb. S. 2/3). Südlich von **Clifden**, dem Zentrum der Connemara-Ponyzucht (s. S. 245, Ponyschau 2. Do im August) soll ein Flughafen entstehen: Die Umweltschützer warnen vor der Zerstörung des Roundstone Bog, eines noch intakten Deckenmoors, ein Großteil der Bevölkerung befürwortet das Projekt jedoch wegen der neuen Arbeitsplätze.

Das Besucherzentrum des **Connemara National Parks** in Letterfrack bietet Lehrwanderungen, markierte Naturpfade und eine Tonbildschau an. Der beste Ausblick ergibt sich vom Diamond Hill über die kahlen, je nach Jahreszeit bräunlich bis grünlich-roten, heidebewachsenen Hochebenen, schroffen Felsabhänge, Hochmoore und Bergseen. Das Gebiet, seit etwa 4000 Jahren bewohnt (Megalithgräber), war früher einmal dichter besiedelt, wie Gebäudereste, Grenzmauern und ein Kalkbrennofen zeigen. Der Botaniker wird sich für die fleischfressenden Pflanzen in den Mooren und die Irische Heide *(Daboecia cantabrica)*, die eigentlich am Mittelmeer wächst, interessieren, der Tierfreund für viele Raubvogelarten und die halbwilden Connemara-Ponies (geöffnet Ostern–September täglich 9.30/10–17.30/18.30).

In **Kylemore Abbey**, eigentlich einem 1860 im historistischen Stil

Schöne Kulisse: Kylemore Abbey am See

gebauten Schloß, mit einer sehenswerten neogotischen Kapelle, führen heute Benediktinerinnen eine Mädchenschule (geöffnet 9.30–18, November–März 10–16).

Unterkunft: ****Rosleague Manor Hotel, Letterfrack, ✆ 0 95/ 4 11 01, Country House-Luxus mit ebensolchem Restaurant; ***Abbeyglen Castle Hotel, Sky Road, Clifden, ✆ 0 95/2 12 01, etwas günstigeres Schloßhotel; Kylemore House, Kylemore, ✆ 0 95/4 11 43, Nähe Abtei am Seeufer, georgianisches Farmhaus B & B.

Jugendherbergen: Ben Lettery Hostel, Ballinafad, ✆ 0 95/ 5 11 36; Brookside Holiday Hostel, Clifden, ✆ 0 95/2 18 12.

Restaurants: High Moors, Doneen, ✆ 0 95/2 13 42; O'Grady's Seafood Restaurant, ✆ 0 95/2 14 50, beide Clifden, reasonable, gut.

Pubs: D'Arcy Inn, Main Street, Clifden; Oliver's, Cleggan.

Fahrradverleih: John Mannion, Railway View, Clifden. **Ponyausritte:** Errislannan Manor, ✆ 0 95/ 2 11 34.

Von der Straße nach Westport empfiehlt sich bei Leenane ein Abstecher Richtung Maum, noch einmal ›zurück‹ durchs landschaftlich ebenfalls überaus reizvolle **Joyces' Country**, dem einstigen Stammland eines der 14 galwayanischen *Tribes* (s. S. 185).

Auch die Strecke von Leenane entlang des fjordähnlich langgezogenen ›Killary Harbour‹, wo die

Lachszucht ›industriell‹ betrieben wird, in Richtung Louisburgh belohnt mit faszinierenden Ausblikken: Linkerhand vom Doo Lough-Paß liegt zunächst der gleichnamige Gebirgssee, dahinter erheben sich die **Mweelrea-Berge** (819 m) mit guten Wandermöglichkeiten.

Rund um Westport und die Clew Bay

Von Roonah Quay an der Landzunge Emlagh Point kann man nach **Clare Island**, der Insel der Piratenkönigin Grace O'Malley, übersetzen. Am Hafenpier steht das bullige Tower House, ein bevorzugter Wohnort der Mayo Queen. Auf einem Teersträßchen entlang der Küste in westlicher Richtung erreicht man die von dem O'Malley Clan gegründete Zisterzienser-Abtei von 1500; in ihr kann man den angeblichen Grabstein von Grace mit dem Wappen der O'Malleys bewundern, einem Eber über einer Galeere und dem Wahlspruch der Familie: ›Terra Mariq[ue] Potens‹ (mächtig zu Land und zu Wasser).

Unterkunft: * Bay View Hotel, Hafen, ✆ 0 98/2 63 07 (Infos für Wanderungen, Pub); Mrs Timmermans, Clare Island Lighthouse, ✆ 0 98/4 51 20 , Luxus B & B in altem Leuchtturm.

Grace O'Malley

Die Region um Westport, vor allem die von zahlreichen Inselchen durchsetzte und für Küstenpiraterie wie geschaffene Clew Bay, gehörte bis ins 17. Jh., als die alte gaelische Stammesgesellschaft endgültig zerschlagen wurde, den O'Malleys. Das Haupteinkommen der O'Malleys stellte die See: An erster Stelle der Handel mit Fisch, der gepökelt oder getrocknet auf den Galeeren des Clans bis nach Spanien und Schottland verschifft wurde, sodann das Aufbringen fremder Handelsschiffe, die sich ihre Durchfahrt erkaufen mußten – böse Zungen nannten das Piraterie. Schließlich verdingte der Clan seine Seestreitkräfte oder schaffte Söldner, die sog. *Gallowglasses* aus Schottland, auf seinen Schiffen heran – blutige Fehden gehörten zum Alltag jener Zeit. Großer Beliebtheit erfreuten sich gegenseitige Viehdiebstähle, organisiert wie Kleinkriege, an denen auch der berühmteste Sproß der Familie, Grace oder Granuaile (ca. 1530–1603), des öfteren teilnahm. Wie zu Zeiten der »Táin« (s. S. 56) stellte Vieh *das* Prestigeobjekt dar.

Fassadenmalerei in Westport: Grace verteidigt ihre Burg gegen die Engländer

Graces Vater, Owen Dubhdarra (›Schwarze Eiche‹), war der innerhalb der führungsberechtigten Familien gewählte Chef des Clans der O'Malleys. Es ist überaus erstaunlich und von den Zeitgenossen auch in seiner Einzigartigkeit gewürdigt – oder verdammt – worden, daß Grace, die einzige Erbin ihres Vaters, in dieser ausgesprochenen Männergesellschaft ihre Frau gestanden hat. Immer wieder wird von ihr berichtet, wie sie an der Spitze ihrer Männer die *»maintenance by land and sea«* (im Klartext Plündern und Piraterie) durchführte. Persönlicher Mut im Kampf, Führungsqualitäten und Erfolg waren die Voraussetzungen dafür, daß ihr etliche hundert Männer folgten, daß

Croagh Patrick

Hinter Kilsallagh taucht rechts der Croagh Patrick (765 m) auf. Der Legende zufolge verbrachte der Heilige im Jahre 440 hier die 40 Tage des vorösterlichen Fastens, wurde von Dämonen in Gestalt von schwarzen Vögeln versucht – in der Gegend sind Krähen tatsächlich zahlreich vertreten – und schacherte nach bestandener Glaubensprobe so lange mit einem Engel, bis ihm bewilligt wurde, die Iren würden nie ihren christlichen Glauben verlieren und er dürfe seine Schäfchen am Jüngsten Tag selbst richten. Auch zeigt man auf dem

sie sich um die Clew Bay ein eigenes Königreich aufzubauen vermochte.

Grace heiratete zweimal, zunächst Donal an Chogaidh (›Donal von den Schlachten‹), den *Tánaise*, den designierten Clanführer der O'Flahertys, schließlich um das Jahr 1566 Richard an Iarann, den ›eisernen‹ Burke und *Tánaise* der Mac Williams. Diese letzte Heirat erfolgte »auf ein Jahr« – eine Möglichkeit, die das gaelische Brehonenrecht bot. Grace soll der Legende zufolge ihrem Mann nach einem Jahr von den Zinnen seiner eigenen Burg Carrickahowley mitgeteilt haben, daß sie ihn entlasse und daß diese Festung nun ihr gehöre.

Daß man Grace O'Malley vom historischen Standpunkt aus nicht, wie es in Lied und Sage geschehen ist, als frühe irische Patriotin vereinnahmen kann, zeigt die Tatsache, daß sie, eine einsichtige und kühl kalkulierende Realpolitikerin, sich 1577 ›freiwillig‹ dem englischen Befehlshaber in Irland, Sir Henry Sidney, unterwarf – ein Erfolg von Elisabeths I. Politik des *»surrender and regrant«*, mit der sie die Clanchefs zwang, ihr zu huldigen, und ihnen dann ihre Herrschaftsgebiete als Lehen zurückgab. Grace wird erkannt haben, daß die Zeit der unabhängigen gaelischen Clanherrschaft vorbei war und die englische Krone früher oder später siegen mußte.

In der berühmten Audienz bei Königin Elisabeth im September 1593 bei London, um die sich im Laufe der Zeit viele Legenden rankten, erreichte sie durch Charme und Klugheit, daß die englische Monarchin ihr materielle Gunsterweise zukommen ließ und die in antienglische Rebellionen verwickelten Söhne der alten Dame auf freien Fuß setzte. Die Phantasie des unterdrückten irischen Volkes hat dann im Laufe der Zeit eine unbesiegte Piratenkönigin, eine romantische Amazone aus ihr gemacht: *»When the dauntless Grace O'Malley/ Ruled a Queen in fair Mayo ...«*

Reek, wie die Pilger den Berg nennen, einen Abhang (im Süden), von dem sich die vom Heiligen gerufenen Schlangen Irlands wie die Lemminge in den Tod gestürzt haben sollen.

Am letzten Sonntag im Juli – in heidnischer Zeit ein Fest des keltischen Lichtgottes Lug – findet die große nationale Wallfahrt statt, und Tausende von Pilgern quälen sich den – von Westport aus betrachtet – pyramidenförmigen Berg hinauf. Auf seinem Gipfel mit der weißgetünchten Kirche werden nach altem Ritus dann Messen gelesen.

Eine finnische Minengesellschaft plante in jüngster Zeit, hier nach

Gold zu graben, was ihr jedoch Umweltschützer und Fromme in trauter Gemeinsamkeit austrieben.

Wandertip für Bußwillige: Insgesamt 3 bis 3½ Stunden quält man sich 750 Steigungsmeter über den steinig-stolprigen, gut sichtbaren Pilgerpfad auf den **Croagh Patrick** hoch und wieder herunter. In **Murrisk**, wo rechts am Meerufer die romantischen Ruinen der von den O'Malleys gegründeten Abtei liegen, geht es von dem Riesenparkplatz hinter Campbell's Pub los. Der schwierigste Teil ist die Geröllschütte des Gipfelanstiegs, die man auf kleinen Pfaden, sich im Gelände rechts haltend, umgehen kann. Der immer sturmumtoste Gipfel bietet eine phantastische Rundumsicht, auf Torfmoore und die inselübersäte Clew Bay.

Die leuchtend weiße Patrick-Statue am Fuße des Croagh Patrick markiert den Beginn des Pilgerpfads; der Reek im Hintergrund hat sich wie so oft in düstere Wolken gehüllt

The drowning of the Shamrock
St. Patrick und sein Tag

Um das Jahr 400 verschleppten irische Piraten den etwa 16jährigen Padraig aus dem römischen Britannien als Sklave nach Irland. Bevor ihm nach etwa sechs Jahren die Flucht gelang, hatte ihn der Ruf des Herrn wie auch der ›Ruf Irlands‹ ereilt, denn erstaunlicherweise zog es ihn später wieder auf die Insel seiner Gefangenschaft zurück: Nach Jahren der Reise, während derer er u. a. die Tyrrhenischen Inseln besuchte und wohl in Auxerre seine geistliche Bildung erhielt, kehrte er 431 als Bischof nach Irland zurück.

Padraig konzentrierte seine Tätigkeit auf den Norden und Westen Irlands, wo er wahrscheinlich den Bischofssitz Armagh im heutigen Nordirland gründete. Seine Mission setzte gezielt bei den Stammesfürsten und Königen an, deren einige er von den Vorteilen der neuen Religion zu überzeugen vermochte. Mit viel Geschick paßte er die neu entstehende irische Kirche den sozialen Umständen an (s. S. 42): Da es z. B. keine Städte wie im romanisierten Europa gab, machte er Kirchen mit einem klösterlich organisierten Domkapitel zu Bischofssitzen; hier liegt der Grundstein der monastisch geprägten irischen Kirche, gegen die spätere Reformbestrebungen so eifrig angingen.

In seiner autobiographischen, in einem etwas krausen Latein geschriebenen »Confessio« (Bekenntnis) tritt Padraig seinen Kritikern entgegen und gibt Rechenschaft über seine Missionstätigkeit. Aus Padraigs Hand ist zudem noch die »Epistola ad Coroticum« erhalten, in der der Autor die Exkommunikation des mächtigen britannischen Heerführers Coroticus forderte, der Täuflinge Padraigs gefangengenommen und in die Sklaverei verschleppt hatte. Man sieht, daß Irlands Apostel sich nicht scheute, sich zusätzlich zu den Druiden, seinen religiösen Konkurrenten, weitere einflußreiche Feinde zu machen. Doch erstaunlicherweise starb er nicht als Märtyrer, sondern ganz friedlich im Jahre 461.

Zahlreiche Legenden rankten sich seit dem 7. Jh. um den erfolgreichsten Missionar Irlands. Aus dem keltischen ›Padraig‹ wurde das englische ›Patrick‹, und spätestens im 17. Jh. hatte sich der 17. März als St. Patricks-Tag in Irland durchgesetzt: Der englische Reisende Thomas Dinely notierte, daß alle Iren an diesem Festtag Kreuze, grüne Bänder und den *Shamrock* trügen, daß die Bediensteten anläßlich dieses Tages Geld von ihren Herrschaften erhielten und spätestens am Abend alle betrunken darniederlägen.

Heutzutage trägt man grüne oder, in den Nationalfarben, grünweiß-orange Kokarden, irgendein grünes Kleidungsstück oder runde grüne Plastiknasen; die jungen Leute färben sich die Haare grün, schwenken Fähnchen und Rasseln. Das Shamrock-Sträußchen (*Trifolium minus*, eine langstielige, dreiblättrige Kleepflanze) ziert ebenfalls noch das Revers, denn der Legende nach hat der Heilige in Cashel einst anhand besagten Klees dem staunenden Hochkönig das Mysterium der heiligen Dreifaltigkeit visuell verdeutlicht. Die angeblich nur in Irland zu ziehende Pflanze wird vor dem 17. März in alle Welt exportiert, denn wo immer mehr als drei Iren im Ausland zusammenleben, begehen sie den St. Patricks-Tag – in New York z. B. mit der weltberühmten Parade auf der 5th Avenue.

Die Dubliner St. Patricks-Parade beginnt um 12 Uhr und führt von Christchurch Cathedral zur O'Connell Street, wo auf einer Tribüne an der Hauptpost die VIP's winken. Musik- und Tanzgruppen aus der ganzen (irischen) Welt, alles, was Rang und Namen in der irischen Wirtschaft hat, und als Zuschauer (fast) jeder Dubliner nehmen daran teil. Da zieht die Patch High School aus Stuttgart hinter einer kanadischen Reisegruppe, der Wagen von Bord na Móna schwankt hinter dem von Guinness mit einem riesigen Guinness-Glas aus Pappmaché, Dubliner Theatergruppen pantomimen zwischen den Dudelsack-Spielzügen der Dubliner Vororte und den *Cheerleaders* der Dubliner Schulformationen. Um die Brunnenstatue der Anna Livia Plurabelle auf der O'Connell Street fließt grünes Wasser, und wenn man sich zu einem Imbiß entschließt, entkommt man den grün eingefärbten Pizzen nicht. Zum Begleitprogramm gehören ein buntes Straßenfest und das Musikfest Guinness Temple Bar Fleadh am St. Patrick-Wochenende.

Der Nachmittag gehört dann den Sportveranstaltungen: Pferderennen in Baldoyle, Kanurennen auf dem Grand Canal, Windhundrennen im Shelbourne Park, Hurling-Spiele (s. S. 64) im Croke Park-Stadion und die berühmte Hundeschau (Irish Kennel Club's Show, National Show Centre, Cloghran), weiland die einzige Möglichkeit, ein oder auch mehrere Glas Bier zu bekommen. Den Abend verbringt man mit Freunden, mit der Familie oder auch in den Pubs, wo man mit Erfolg dem traditionellen und schon früh bezeugten *Drowning of the Shamrock* (Ertränken des Shamrock) nachhängt: Der Andrang ist hierbei so groß, daß die Trinkwilligen auf der Straße vor den Pubs, z. B. vor O'Donoghue's, stehen, sitzen und mit fortgeschrittenem Abend auch liegen.

Westport

Westport (3000 Einwohner) ließ die Familie Browne (die späteren Marquis of Sligo), Nachkommen der Grace O'Malley, im 18. Jh. planmäßig durch den Architekten James Wyatt anlegen (sog. *Plantation Village*). Der freundliche Ort mit seinen geraden, von kleinen Geschäften gesäumten Sträßchen eignet sich gut als Standort für Exkursionen zu den landschaftlichen Höhepunkten im Norden und Süden. Man versäume es nicht, sich die farbenprächtige Fassadenmalerei zum Thema St. Patrick und Grace O'Malley in der Mill Street anzusehen. Das prachtvolle **Westport House** erbaute der in Deutschland geborene Richard Cassels 1730–34, die Stuckarbeiten im Innern schuf wieder James Wyatt. In dem sehenswerten georgianischen Herrenhaus werden Möbel-, Waterford-Glas- und Silbersammlungen

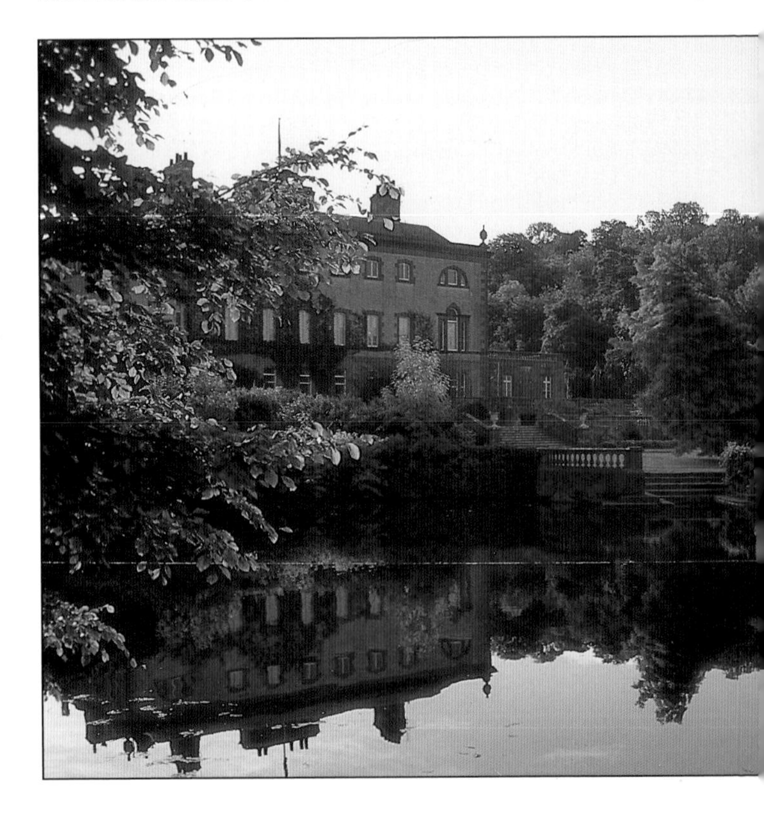

sowie historische Erinnerungsstükke, u. a. zur Rebellion von 1798 (s. S. 205), gezeigt (Haus und Kinderzoo Juni–September 14–18, sonst ✆ 0 98/2 54 30).

Ein schöner Ausflug führt über den Rundturm von **Aghagower** zur noch benutzten **Ballintubber Abbey** aus dem 13. Jh. und zu den malerischen spätgotischen Ruinen von **Burriscarra Abbey**. In Ufernähe des Angelparadieses Lough Carra entdeckt man nach einem zehnminütigen Waldspaziergang die im Bürgerkrieg 1922 zerstörte **Moore Hall**. Das georgianische Anwesen gehörte einst John Moore, dem ersten, glücklosen Präsidenten Irlands bzw. der Republik Connaught (s. S. 205).

Tourist Information: North Mall, am schönen ›Stadtkanal‹, ✆ 0 98/ 2 57 11, Broschüren über Wanderungen und Spaziergänge, z. B. zum Carrickahowley Castle, s. S. 204; Faltblatt »What's on« mit Sport – Westport ist ein Wassersportzentrum –, Ereignissen, Busauskunft etc.

Unterkunft: Mrs. O'Briain, Rosbeg House, ✆ 0 98/2 58 79, empfehlenswertes georgianisches Country House über Hafenbucht; Mrs. M. Cafferkey, Deerpark East, Newport Road, ✆ 0 98/2 68 65, gutes B & B in Neubauviertel. In Newport: Newport Country House & Restaurant, ✆ 0 98/4 12 22, teurer schöner Luxus, selbstgeräucherter Lachs.

Jugendherberge: Old Mill Holiday Hostel, James Street, ✆ 0 98/2 70 45.

Restaurant: Quay Cottage, The Harbour, ✆ 0 98/2 64 12, gemütlich maritim, exzellentes Seafood und berühmtes Brown Bread, empfehlenswert, vorbestellen.

Pubs: Matt Molloy's, Bridge Street, music nightly, Besitzer: früheres Mitglied von Planxty, heute der Chieftains, *der* Pub, altertümlich-authentisch;

Traumhaft: Westport House am Morgen

am Hafen: The Towers; Asgard Bar (gutes Barfood), schön, ruhig.

  **Verbindung:** Bahnhof, Altamount Street, ✆ 098/2 52 53. Busse halten am Octagon.

 **Fahrradverleih:** Club Atlantic Hostel, Altamount Street.

 **Ereignisse:** Juli: Straßenfestival; Ende September: Kunstfestival. Im Sommer irische Abende der Comhaltas Ceoltóirí im Castlebar Hotel.

Achill Island

Auf der Fahrt von Westport nach Achill Island sollte man bei **Carrikkahowley Castle** (auch Rockfleet Castle, Hinweisschild, Schlüssel bei Farm nebenan) anhalten, einem Tower House von Grace O'Malley. Von hier bietet sich ein besonders schöner Blick auf Clew Bay.

Achill Island, die größte Insel Irlands, läßt sich über eine Brücke bei Achill Sound erreichen. Die beeindruckende Panoramastraße des Atlantic Drive (Cloughmore, Dooega, Bunacurry, Keel, Dooagh, Doogort) führt durch eine grandiose, von Moor und Heide überzogene Einöde auf der einen und den dramatischen Klippenlandschaften auf der anderen Seite. Neben Naturschönheiten wie dem Sandstrand und den Cathedral Rocks-Klippen bei Keel besitzt es mit Carrickkildavnet Castle bei Cloughmore – auch dies ein den O'Malleys gehörendes Tower House – und megalithischen Gräbern am Fuße des 672 m hohen Slievemore bei Doogort auch kunsthistorisch Beachtenswertes.

Heinrich Böll, der über 30 Jahre hinweg in seinem Cottage in Doogort Urlaub machte, hat Achill durch sein »Irisches Tagebuch« zu so etwas wie einem Pilgerziel gemacht. Eine Station sind die Ruinen des während der Hungersnot verlassenen Dorfes an den Hängen des Slievemore.

 **Unterkunft:** *Achill Sound Hotel, ✆ 098/4 52 45, Fahrradverleih; B & B in Achill Sound, Dooagh, Keel.

Routen nach Sligo

Für Liebhaber einsamer, schwarzmooriger Natur und touristisch fast noch unberührter Gebiete empfehlen sich die Halbinsel **Mullet** mit den grandiosen Klippen der Stags of Broad Haven (Erris-Region) sowie das **Moy Valley.** Am Moy freuen sich die Angler, ist er doch der europäische Fluß mit dem meisten Atlantiklachs. Lokale Initiativen bemühen sich, die Region für einen sanften Tourismus zu erschließen. Hinter Ballycastle sind, verbunden mit schönen Spaziergängen inmitten einer einsamen Klippen- und Moorlandschaft, seit neustem die **Céide Fields** zu besuchen, das ausgedehnteste prähistorische Denkmal der Welt. Unter einer fünf Jahrtausende lang gewachsenen Torfdecke wurden neolithische Feldgrenzen, Dorfgrundmauern und Gräber konserviert (Besucherzentrum geöffnet Ostern–Oktober 9.30/10–17/18.30). Wie wäre es anschließend mit einem Algenbad im Kilcullen's Bath House in Enniscrone? (mit Tea Rooms, ✆ 0 96/3 62 38, geöffnet Sommer täglich 11–21, Winter Sa/So 11–19). Im weiteren Küstenverlauf werden Ornithologen die Eissturmvogelkolonien von Downpatrick Head und Geschichtsbegeisterte die spätgotischen Franziskaner-Abteien von **Moyne** und **Rosserk** besuchen.

Die schnellere Alternativroute führt von Westport über Castlebar und Charlestown, wobei man in **Turlough** einen Rundturm – erkennbar dicker und kürzer als andere – sowie **Strade Abbey** bei Bellavary mit einem Grabmal des 15. Jh. passiert, auf dem alle dargestellten Heiligen aus unerklärlichen Gründen herzlich lächeln. Die 1987 stillgelegte Woolen Mills in **Foxford** produziert dank einer erfolgreichen lokalen Initiative heute wieder und wurde um die Attraktion eines Besucherzentrums mit Werksführungen bereichert (geöffnet Mo–Sa 10–18, So 12–18, November–März 14–18).

Castlebar (7000 Einwohner) selbst, heute ein verschlafenes Nest mit grauen Häusern und, so scheint es, ewig nassen Straßen, sah 1798 einen Sieg der rebellierenden United Irishmen und der verbündeten Franzosen unter General Joseph Humbert über die Briten; der Franzose war zur Unterstützung des irischen Aufstands mit 11 000 Soldaten in der Bucht von Killala nördlich von Ballina gelandet. In Castlebar wurde darauf sogar eine kurzlebige ›Republik von Connaught‹ mit dem Präsidenten John Moore ausgerufen. General Humbert floh kämpfend durchs Land, bis er bei Ballinamuck (Co. Longford) von den Briten vernichtend geschlagen wurde. Etliche Denkmäler von Killala bis Ballinamuck säumen die Route dieser heldenhaften, aber einmal mehr erfolglosen irischen Rebellion, der *Castlebar Races*.

Unterkunft: Temple House, Ballymote, ✆ 0 71/8 33 29, georgianisches, gemütlich angestaubtes Schloß mit Burgruine und See im Park, empfehlenswert. Mrs. S. Slack, Woodbine House, Church Road, Ballina, ✆ 0 96/7 11 78, B & B in georgianischem Cottage.

Jugendherberge: Hughes House, Thomas Street, Castlebar, ✆ 0 94/2 38 77.

Flugzeug: Connaught International Airport (auch Knock oder Horan Airport), ca. 30 km nordöstlich von Castlebar, ✆ 0 94/6 72 22. 1986 eröffnet auf Initiative von Pater James Horan, der mit dieser viel – u. a. von Christy Moore – bespöttelten ›Flugzeugpiste im Moor‹ den Zugang zur Marienpilgerstätte von **Knock** und die touristisch-wirtschaftliche Erschließung von Mayo vorantreiben wollte. Im Rummel um die Betonbasilika (sieben Messen pro Tag!) im nahen Knock drängen sich vor allem amerikanische Pilger-Touristen. Tourist Information Airport: ✆ 0 94/6 72 47.

Vom Norden zur Seenplatte

Sligo – Yeats was here

Im kargen, weiten Donegal: Slieve League, Glencolumkille

Glenveagh-Nationalpark

Nordkap – die Halbinsel Inishowen

Seen, Moore, Kanäle

Die sprechenden Steine von Clonmacnoise und Clonfert

Willkommen in Donegal!

Sligo und Donegal

Der rauhe Norden ist etwas für eingefleischte Individualisten. Doch auch auf das Yeats-Land um Sligo und die weiten, verlassenen Hills of Donegal scheint die Sonne. Erklimmen Sie Irlands höchste Klippen, die Slieve League, wandern Sie im Glenveagh-Nationalpark, besuchen Sie fromme Pilgerstätten, skurrile Museen, uralte Hochkreuze und ›blutige‹ Klippen.

Sligo

Sich selbst nennt Sligo (19 000 Ew.) das ›Tor zum Nordwesten‹, und tatsächlich ist die ruhige Kleinstadt der wirtschaftliche Mittelpunkt der agrarisch geprägten Region. Sie liegt landschaftlich sehr schön zwischen einer in die Sligo Bay hinausragenden Halbinsel, dem durch Eiszeitgletscher geformten Lough Gill und den Bergen im Norden; deren höchster, der berühmte Tafelberg Benbulben (527 m), dreht jedoch nur dem von Süden oder Westen Schauenden seine Paradeseite zu.

Maurice FitzGerald, ein normannischer Eroberer, gründete Stadt, Burg (heute zerstört) und Dominikaner-Kloster um 1250. In der **Klosterkirche** sehe man sich das reich skulptierte O'Crean-Grabmal (1506) im Mittelschiff an, dessen Figuren, obgleich aus spätgotischer Zeit, noch sehr an die starren Menschendarstellungen der frühirischen Kunst erinnern. Beachtenswert ist auch der Kreuzgang (15. Jh.), einer der besterhaltenen Irlands (geöffnet Mitte Juni–Mitte September täglich 9.30–18.30). Das **Sligo County Museum** neben der County Library beherbergt neben frühgeschichtlichen Funden eine sehenswerte William Butler Yeats-Sammlung und Werke von Jack B. Yeats; beide Brüder liebten die Gegend um Sligo besonders und verewigten sie in ihren Werken (geöffnet Mo–Fr 10–17, Sa 10–13). Auch die **Municipal Art Gallery** im ersten Stock der Bücherei zeigt neben zeitgenössischen irischen Malern einige Gemälde von John und Jack B. Yeats (geöffnet wie Bücherei).

Nahe Sligo häufen sich prähistorische Denkmäler: In **Carrowmore** (ca. 4 km südwestlich über Strandhill Road), dem größten megalithischen Friedhof der Insel, stehen über 60 teilweise zerstörte Dolmen und Ganggräber. **Knocknarea** (ca. 7 km westlich, auf einem Gipfel, lohnender gut halbstündiger Aufstieg auf 333 m), ein weithin sichtbarer Cairn von über 10 m Höhe mit Satellitengräbern wie im Boyne-Tal, ist angeblich das Grab der legendären Königin Maeve.

Eine schöne Tour führt Sie um den **Lough Gill** herum, von braunen Schildern mit Schreibfeder sicher auf Yeats' Spuren geleitet: vorbei am Cairns Hill Forest Park mit zwei Megalithgräbern, der vielbesuchten Wallfahrtsstätte des Heiligen Brunnens von Tobernalt (s. Abb. S. 42), dem Cashelore Steinfort, der von Yeats besungenen Insel Innisfree, den Ruinen der Franziskaner-Abtei von Creevylear und dem eindrucksvollen befestigten Herrenhaus Parke's Castle (geöffnet Mitte März–Oktober täglich 10–17, Juni–September 9.30–18.30). Für Hartgesottene gibt's ab Sligo Bootsfahrten, während derer gnadenlos Yeats-Verse rezitiert werden.

Auf dem Dorffriedhof des kleinen Orts **Drumcliff,** 10 km nördlich von Sligo, findet man noch das Grab von William Butler Yeats. Es liegt unmittelbar links hinter dem Eingang und weist sich mit den von ihm selbst zu diesem Zweck gedichteten Zeilen aus: *»Cast a cold eye on life, on death, Horseman pass by«*. Ebenso sind die Reste eines 575 vom hl. Columkille gegründeten Klosters mitsamt Rundturm sehenswert. Das späte Hoch-

Reitausflug am Hang des Benbulben

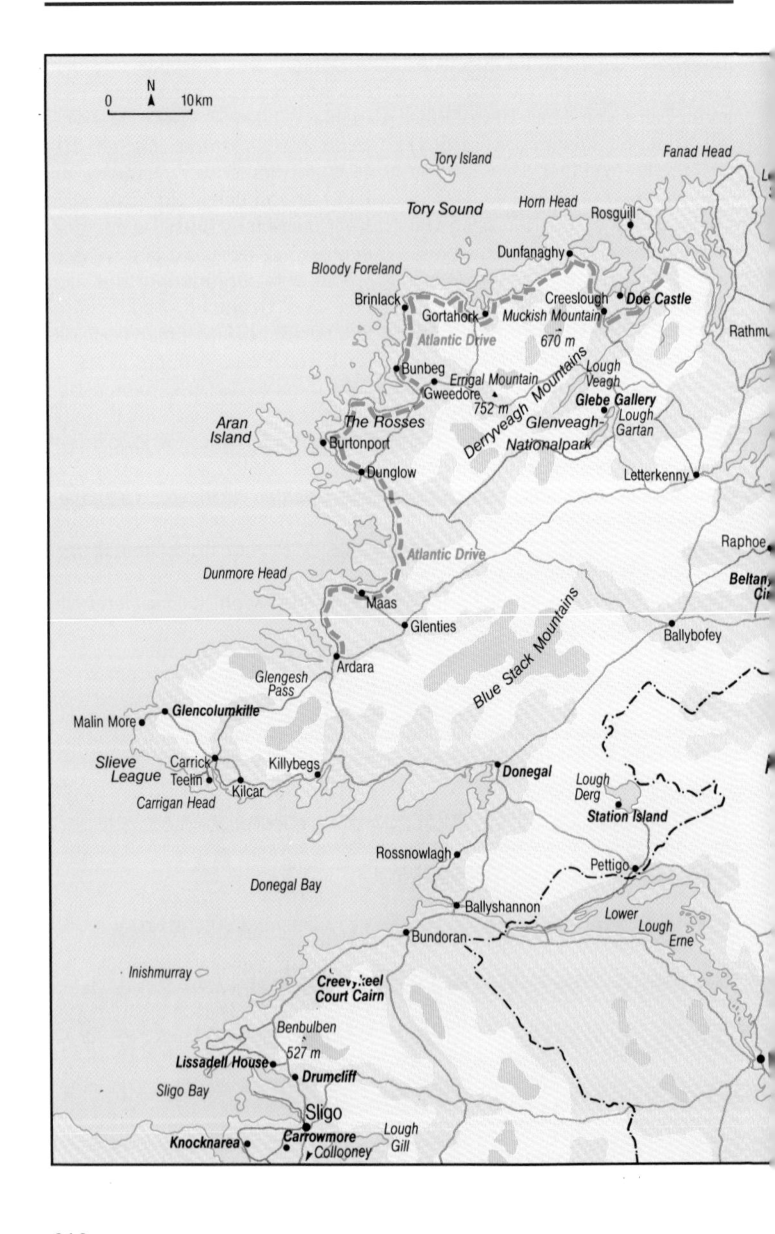

0
N
10km
Tory Island
Fanad Head
Tory Sound
Horn Head
Rosguill
Dunfanaghy
Bloody Foreland
Brinlack
Creeslough
Doe Castle
Gortahork
Muckish Mountain
Rathmu
Atlantic Drive
670 m
Bunbeg
Lough Veagh
Errigal Mountain
Gweedore
Derryveagh Mountains
752 m
Glebe Gallery
Lough Gartan
Aran Island
The Rosses
Glenveagh-Nationalpark
Burtonport
Dunglow
Letterkenny
Raphoe
Atlantic Drive
Dunmore Head
Maas
Glenties
Ballybofey
Blue Stack Mountains
Ardara
Glengesh Pass
Glencolumkille
Malin More
Slieve League
Carrick
Teelin
Kilcar
Killybegs
Carrigan Head
Donegal
Lough Derg
Station Island
Rossnowlagh
Pettigo
Donegal Bay
Ballyshannon
Lower Lough Erne
Bundoran
Inishmurray
Court Cairn
Benbulben
527 m
Lissadell House
Drumcliff
Sligo Bay
Sligo
Lough Gill
Knocknarea
Carrowmore
Collooney

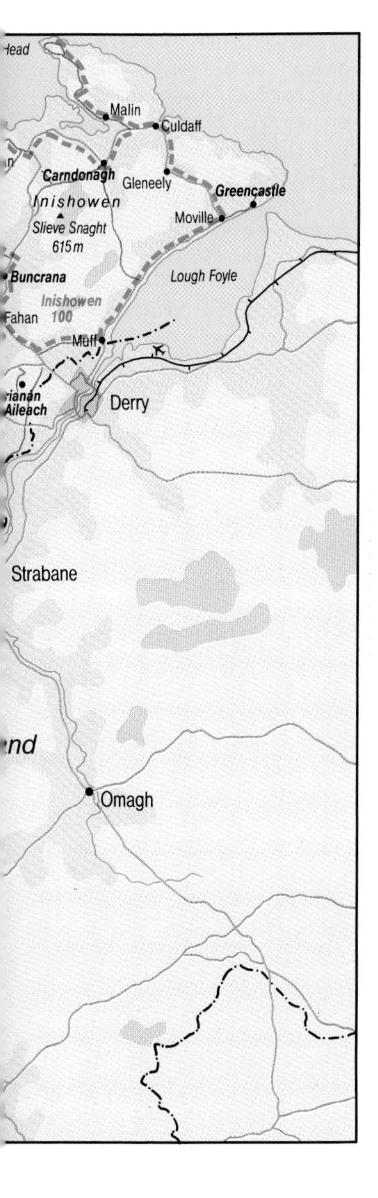

kreuz (um 1000) zeigt die für diese Epoche typischen wenigen, dafür großformatigen Szenen – Adam und Eva, Kains Brudermord und viele phantastische Tiere. Oft weilte Yeats im eleganten georgianischen **Lissadell House** nahebei als Gast – die Gräfin Markievicz, eine geborene Gore-Booth, kam hier zur Welt (geöffnet Juni–Mitte September Mo–Sa 10.30–12.30, 14–16.30).

Tourist Information: Temple Street, ✆ 071/6 12 01.

Unterkunft: ***Markree Castle, Collooney, ✆ 071/6 78 00, 7 km südlich, Schloßhotel. Drei schöne historische Farmhaus B & B etwas außerhalb: Urlar House, Drumcliff, ✆ 071/6 31 10; Primrose Grange House, Knocknarea, ✆ 071/6 20 05; Hillside, Enniskillen Road, Kilsella, ✆ 071/4 28 08. B & B konzentriert an Dublin, Pearse und Strandhill Road. **Jugendherberge:** Eden Hill Holiday Hostel, Pearse Road, Marymount, ✆ 071/4 32 04, Fahrradverleih.

Restaurants: Truffle's, 11 The Mall, ✆ 071/4 42 26, hervorragende Pizzeria, günstig; Glebe House, Collooney, ✆ 071/6 77 87, Umweg lohnt wegen Küche und B & B.

Pubs: Hargadon's, O'Connell Street, authentischer 19. Jh.-Pub; McLynn's, Old Market Street, gemütlich, Livemusik; Ellen's Pub, Nähe Lissadell House, gemütliche Cottage-Atmosphäre, Folkmusik.

  **Verbindung:** Bahnhof und Busbahnhof off Union Street, ✆ 0 71/6 00 66; Endstation für Züge: Weiter nördlich gibt's keine Gleise mehr.

Donegal

Über die Badeorte Bundoran und Rossnowlagh erreicht man **Donegal Town** (2000 Einwohner), Hauptstadt der gleichnamigen Grafschaft und Zentrum der Tweed-Industrie – mit dem hiesigen Tweed decken sich nicht nur irische Modemacher wie Paul Costelloe, sondern auch internationale Größen wie Gianni Versace für ihre Kollektionen ein. Die kleine Stadt mit ihrem geschäftigen Zentrum, The Diamond, bietet sich als ›Basislager‹ für Touren in den Norden und Westen an. Der Nordwesten Irlands wurde für über 1000 Jahre von der Rivalität der beiden Adelsgeschlechter der O'Neills und O'Donnells geprägt. Als deren Führer, Red Hugh O'Donnell und Hugh O'Neill, sich endlich zum gemeinsamen Vorgehen gegen die Engländer entschlossen, war es bereits zu spät (s. S. 140).

In der heute noch in Ruinen erhaltenen, am südlichen Ende der Stadt am Meer gelegenen Franziskaner-Abtei begann ab 1622 die schriftliche Fixierung der frühen irischen Geschichte, der wir heute viel von unserer Kenntnis des alten Irland verdanken: Hier kompilierten Mönche die berühmten »Annals of the Four Masters«. Die Grafschaft Donegal wurde von der großen Hungersnot und von Pächtervertreibungen besonders hart betroffen, und als sie mit der Teilung der Insel 1921 ihr Zentrum Derry (engl. Londonderry) verlor, versank sie endgültig in der Provinzialität.

Im Zentrum der Stadt Donegal (gael. *Dún na nGall* = die Festung der Fremden, der Wikinger) thront über dem felsigen Ufer eines kleinen Flusses die im 15./16. Jh. errichtete Burg der O'Donnells. Red Hugh O'Donnell, der letzte Tyr Connell (Titel dieses Geschlechts), brannte die Burg 1595 nieder, damit sie nicht in die Hände der Engländer fiele. Die heute sichtbaren Gebäude stammen größtenteils aus jakobitischer Zeit (17. Jh.), als man auf Wohnkomfort schon einigen Wert legte (geöffnet täglich Juni–September 9.30–18.30).

Ungefähr 20 km östlich von Donegal, direkt an der Grenze zu Nordirland, liegt auf **Station Island** im Lough Derg ein bedeutendes Pilgerzentrum, das jedoch nur ernsthaften Büßern offensteht. 40 Tage hat der hl. Patrick auch hier gefastet und sich kasteit, und das inmitten all der bösen Geister und Dämonen, die er selbst hierhin gebannt hatte. Da er während dieser Zeit in einer unterirdischen, im 17. Jh. dann zugeschütteten Höhle einen Blick ins Fegefeuer werfen durfte, heißt der Ort ›St. Patrick's Purgatory‹: Seit dem 13. Jh. war dies ein beliebter, wahrhaft europäischer Pilgerort. Die heutigen Pilger suchen während eines dreitägigen Fastens dem Heiligen und seiner mystischen Gotteserfahrung nachzufolgen. (Wallfahrt vom 1. 6.–15. 8., Überfahrt von Pettigo).

Tourist Information: Ballyshannon Rd., ✆ 073/2 11 48.

Unterkunft: ****St. Ernan's House Hotel, ✆ 073/2 10 65, Luxus-Schlafen und -Essen auf kleiner Insel vor der Stadt; Ardnamona, Lough Eske, ✆ 073/2 26 50, Hidden Ireland 9 km nördlich. B & B am schönsten am Ortsausgang N 56 nach Killybegs. **Jugendherberge:** Ball Hill Hostel, ✆ 073/2 11 74.

Verbindung: Regionalflughafen Carrickfinn, z. B. Flüge nach Glasgow, ✆ 075/4 82 84. Busse starten am The Diamond.

Fahrradverleih: O'Doherty's, Main Street.

Ereignisse: 1. Augustwoche: Ballyshannon Folk Festival, eins der größten und berühmtesten Irlands; Ballyshannon ist ein netter Ort ca. 18 km südlich von Donegal.

Einkäufe: Tweed und Strickwaren am Ort und in mehreren kleineren Fabriken in der Umgebung, z. B. beim alteingesessenen Magee's.

Killybegs und Slieve League

Westwärts an der Küste entlang gelangt man nach **Killybegs,** einem mit EU-Mitteln modernisierten Fi-

Geschäftiger Fischereihafen Killybegs

Gigantische Bastionen: Slieve League

schereihafen. In alten Zeiten befuhr man hier die See auf Segelschiffen, mit denen entlang der Bucht von Donegal bis zur Küste von Connaught gehandelt wurde. Heute ernähren Makrelen- und Heringsfang, einige Werften und der Tourismus die ca. 1000 Einwohner. Obwohl einer der modernsten Fischfanghäfen, machen hier überwiegend ausländische Trawler fest, und die delikaten Früchte des Meeres sucht man vergeblich in örtlichen Geschäften. Die dickflorigen (und bunten) Killybegs-Teppiche, für die der Ort bekannt ist, machen eine weitere Einkommensquelle aus; sie schmücken die Böden von Dublin Castle, des Weißen Hauses und des Buckingham-Palastes. Die Landschaft westlich von Killybegs wird zunehmend gebirgiger und steigert sich zu einer dramatischen Klippenlandschaft, den halbkreisförmigen, aus buntem Quarzitgestein gebildeten **Slieve League** mit 601 m Höhe. Man erreicht sie mit dem Auto auf einem winzigen Sträßchen, das sich im Ort Teelin (Schild »Bunglass – The Cliffs«) zum Aussichtspunkt emporwindet.

Wandertip für Klippenfans: Mit festem Schuhwerk geht's vom Parkplatz immer aufwärts über Heide und Stein. Da der Pfad am oder hinterm Klippenkamm verläuft, können ihn auch Schwindelanfällige gehen – bis sie nach ca. 2 Stunden zum höchsten, felsigen Punkt der Klippen und damit zum schwierigen *One Man's Path* kommen, wo es nach beiden Seiten steil abfällt. (Wem das nichts ausmacht, der gelangt nach weiteren 1½ Stunden weiter nach Malin Beg.) Wir gehen lieber die 360 Steigungsmeter auf demselben Weg wieder herunter (1½ Stunden), genießen die Blicke auf die hochschäumenden Brecher tief unten und nach links auf das weite Bergland und die grünen Wiesen jenseits des Teelin-Fjords.

Unterkunft/Restaurant: **Castle Murray Guest House, Dunkineely, ✆ 073/3 70 22, 8 km vor Killybegs, gute französische Küche. **Jugendherberge:** Dun Ulun House, Kilcar, ✆ 073/3 81 37.

Ereignisse: Fischauktionen im Hafen von Killybegs.

Einkäufe: Handgeknüpfte Donegal-Teppiche, Fabrik-Verkauf.

In **Glencolumkille** hat einst der hl. Columkille ein Kloster gegründet, wovon noch, verteilt über das Tal von ca. 5 km Länge, mit geometrischen und Kreuzmotiven reliefierte Steine zeugen. Am 9. Juni, dem Festtag des Heiligen, pilgern die Gläubigen hier ins Tal, wobei sie jede der 15 Stationen mehrmals umrunden und einen kleinen Kiesel am Fuß der Steinsäulen niederlegen; bis Sonnenuntergang müssen alle der recht weit auseinanderliegenden Stationen umrundet sein! *An Turas* (die Reise) lohnt sich auch für den Kunstpilger, denn so kommt er an allen megalithischen und frühchristlichen Denkmälern des Tals vorbei. In dem besuchenswerten Freilichtmuseum hat man Cottages aus unterschiedlichen Epochen aufgebaut, die einen lebhaften Einblick in das harte Alltagsleben der hiesigen Bevölkerung vermitteln. Im Museumsdorf werden mitunter Folkloreabende veranstaltet, in der Umgebung Ferienwohnungen in Cottages vermietet. Auf einem winzigen Sträßchen gelangt man über das grandiose Amphitheater des Glengesh-Passes ins bunte **Ardara** mit seinen Tweed-Läden, einem der hübschesten Örtchen Irlands, und weiter ins propere **Glenties.**

Rund um Letterkenny

Die Küstenstraße des **Atlantic Drive** erlaubt dramatische Ausblicke auf die fjordähnlich zerkerbte Küste Donegals mit ihren verstreut liegenden, oft bunt gestrichenen Cottages und Häuschen (Dunglow, hier R 259 über Burtonpoint, Gweedore, Brinlack, Gortahork, Dunfanaghy nach Creeslough). Straßenschilder in Gaelisch zeigen an, daß man sich in einem *Gaeltacht*-Gebiet befindet. In Gweedore wohnen die Mitglieder der Folk-Pop-Gruppe Clannad.

Auf der Küstenstraße passiert man weiter nördlich das aus rotem Granit (daher der Name) bestehende **Bloody Foreland-Kap** und das dunkel granitene **Horn Head-Kap** mit 200 m tief ins Meer abfallenden Klippen – die herausragenden Punkte dieser ›Atlantik-Trophy‹.

Tír na nÓg

Die irische ›Anderswelt‹

Als Hugh O'Neill (s. S. 36) Ende des 16. Jh. mit seiner Armee in den Süden vorstieß, um die Engländer zu bekämpfen, ließ er das Feldlager im *Ráth* von Ringletown aufschlagen, um sich des Beistands der in diesem Erdwall lebenden oder besser geisternden Feen zu versichern. Noch 1959 wurde in der Grafschaft Mayo die Trasse einer Straße in der Nähe von Toorglas verlegt, da sie sonst mitten durch einen Feenhügel geführt hätte; die dort ansässigen Bauern versicherten der staatlichen Planungsbehörde, *sie* glaubten zwar nicht an das ›Kleine Volk‹, aber in der Nachbarschaft würde die Zerstörung der Feenwohnstatt sicherlich böses Blut schaffen. Und bis in die 60er Jahre dieses Jahrhunderts gab es in den Häusern der *Gaeltacht*-Gebiete einen sog. Westraum, in dem sich die alten Leute auf den Tod vorbereiteten, denn im Westen wohnen die Elfen ...

Vor allem in den abgelegenen, überwiegend Gaelisch sprechenden kleinen Enklaven des Westens werden die Märchensammler von der ›Irischen Folklore-Kommission‹ aus Dublin heute noch fündig. Hier haben sich, von Generation zu Generation in mündlicher Erzähltradition weitergegeben, die märchen- und sagenhaften Stoffe erhalten, hier haben nach der Zerstörung der keltischen Kultur im 17. Jh. die Barden in den Cottages der armen Bauern ihre letzte Zuflucht gefunden.

Seit den 1825 von Thomas Crocker herausgegebenen ›Fairy Legends and Traditions of the South of Ireland« haben sich Generationen von Sammlern die irischen Märchen von den *Seanchaís* erzählen lassen und für die Nachwelt aufgeschrieben: illustre Namen wie die der Gebrüder Grimm, Sir William Wilde, der Vater von Oscar Wilde, Lady Gregory und William Butler Yeats, John Millington Synge und schließlich Douglas Hyde, von 1938–1945 Präsident der Republik Irland.

Der Feenglaube ist vermutlich ein Reflex prähistorischer Ereignisse. Als die keltischen Invasoren die vorkeltische Bevölkerung, in der Sage die *Tuatha Dé Danann,* besiegten, gingen diese ›in den Untergrund‹, was wörtlich zu verstehen ist: Ihr Wohnsitz war fortan der Hügel, das Hügelgrab, beispielsweise *Brú na Boinne,* eins der zahlreichen Ganggräber am Boyne (s. S. 100). So wurde in den Legenden das Volk, das die Megalithgräber errichtet hatte, zu den *Aes Sidhe,* den Wesen der Unterwelt, den Feen. Ein Charakteristikum der Feen ist ihre Furcht vor Eisen – mit Eisen kann man sie bannen, mit Waffen aus Eisen haben auch die eindringenden Kelten in den letzten vorchristlichen Jahrhunderten die bronzezeitlichen Stämme Irlands unterworfen.

Die schillernde Feenwelt kann für den Sterblichen, der mit ihr in Berührung gerät, Glück, Reichtum und sexuelle Befriedigung, aber auch Tod und Verderben bedeuten. Die Bewohner der irischen ›Anderswelt‹ zeichnen sich durch eine außerordentliche Vielfalt aus: Der *Leprechaun,* ein kleiner, häßlicher Gnom mit zerknittertem Gesicht, verbringt seine Zeit damit, Schuhe herzustellen, die Menschen an der Nase herumzuführen und ihnen ab und zu einen Goldschatz zu verraten; ein Verwandter des Leprechaun, der *Clurican,* zeichnet sich durch seinen ungezügelten Alkoholkonsum aus. Der *Pooka,* ein Feenwesen in Tiergestalt, haust in Ruinen und aufgelassenen Gehöften; in Gestalt eines Ziegenbocks ist er Mittelpunkt der ›Puck Fair‹ in Killorglin, in Gestalt einer Stute (vermutlich verwandt mit der keltischen Pferdegöttin Epona) gab er einst aus einem Hügel in Leinster heraus Orakel von sich, bis der hl. Patrick seinen heidnischen Umtrieben ein Ende bereitete. *Cernunnos* (s. Initiale), der Gehörnte, war der keltische Gott der Anderswelt und der Tiere, besonders der Schlangen – wie der hl. Patrick mit den Schlangen verfuhr, ist bekannt!

Im Meer leben die *Merrows,* nackte, grüne Flossenmänner, die man, sollte die Hautfarbe nicht als Kennzeichen ausreichen, am besten an ihrer roten Nase und dem gleichfarbigen Hut erkennen kann. *Silkies,* bei Tag Seehunde und bei Nacht Frauen, geben passable, aber oft depressive Eheweiber für einsame Fischer ab. Unangenehmer gestaltet sich dagegen die Begegnung mit einer *Banshee,* denn der heulende Klagelaut dieser durchsichtig-dürren, vom vielen Weinen schon ganz rotäugigen und zudem in Spinnweben gekleideten Feenfrau kündigt den Tod eines Menschen an!

Ansonsten scheint die Jenseitswelt ein Abbild der Menschenwelt zu sein: Die Feen können krank werden und sterben, ihre Frauen spinnen und kochen, und die männlichen Feen frönen wie die menschlichen Iren des öfteren der Trunksucht. Ein Hang zum Arabeskenhaften, Wuchernden wird in diesen Geschichten sichtbar, ein Hang zum Grübeln über Tod und Leben, zum Phantasieren eben – fort aus dieser realen Welt des Mangels in ein Land, in dem Milch und Honig fließt, in dem die wunderschönen Feenfrauen sich äußerst zugänglich zeigen und Engländer keinen Zutritt haben.

Bei Creeslough liegt, auf drei Seiten vom Meer und auf der Landseite von einem aus dem Fels geschlagenen Wassergraben geschützt, **Doe Castle,** eine von dem einflußreichen Clan der Mac Sweeneys errichtete Burg aus dem 16. Jh., die bis in die Mitte des 19. Jh. bewohnt wurde. Die Mac Sweeneys gehörten zu den sog. *Gallowglasses* (gael. *Gallóglagh* = fremde Freiwillige), von den irischen Clanchefs für ihre Fehden aus Schottland importierte Söldner, die dann ihrerseits Clans in Irland gründeten.

Ins karge, einsame Landesinnere führt die R 251 hinter Gweedore: durch unwegsame Felshänge mit Hochmooren und Bergseen zum **Mount Errigal** (752 m), dessen kahler Quarzitkegel von Eiszeitgletschern so markant geformt wurde, und weiter zum Tafelberg **Muckish Mountain** (670 m). Der **Glenveagh-Nationalpark** mit 10 000 ha wurde erst 1986 gegründet; um den Lough Veagh in einem langgestreckten Gletschertal erheben sich die meist von einem rötlichbraunen und grünen Teppich aus Gräsern und Heidekraut bedeckten Hänge der Derryveagh Mountains. 3 km entfernt vom Besucherzentrum liegt Glenveagh Castle (erbaut 1870) inmitten eines subtropischen Parks – ein erstaunlicher Kontrast zu der rauhen Bergwelt ringsherum (geöffnet täglich Ostern–Oktober 10–18.30; Juli–Mitte September So bis 19.30; Oktober Fr geschlossen. Busse vom Parkplatz zum Castle; Besucherzentrum bietet Naturführungen an; im See Angeln vom Boot aus, Genehmigung im Besucherzentrum).

Spaziertip am See: Nachdem wir dem ausgeschilderten Pfad durch den wundervollen Glenveagh-Schloßpark gefolgt sind, geht es nach links in ca. 30 Minuten recht steil zu einem lohnenswerten Aussichtspunkt hoch und wieder runter. Anschließend spaziert man auf ebener Piste ca. 4 km am tintenschwarzen Lough Veagh entlang bis zu einem Wasserfall am Ende des Sees und weiter durch das sumpfige Tal bis zu einem verlassenen Cottage. Die Piste führt noch weiter, aber wir kehren hier um, der Weg dauert insgesamt gute 2 Stunden. Was wir als angenehm einsam empfinden – weit und breit keine Menschenseele – ist das Ergebnis der Bauernvertreibungen, die Schloßerbauer Adair um 1860 beging, um Platz für seine Schafe zu bekommen. Und die im Mai und Juni so farbenprächtig die Hänge hinunter blühenden Rhododendron sind eine importierte Plage, die den heimischen Eichenwald – auf dem Spaziergang gut zu beobachten – förmlich erstickt.

Empfehlenswert ist ein Besuch der von einem weiten Park umgebenen **Glebe Gallery,** wo der verstorbene Maler Derek Hill – genauer im georgianischen Red House nahebei – Kunst und Kitsch gesammelt und zu einem eigenwilligen Habitat-Gesamtkunstwerk verschmolzen hat (geöffnet Mitte Mai–September Sa–Do 11–18.30).

Das schön gelegene **Letterkenny,** ein bescheiden prosperierendes Wirtschaftszentrum im Nordwesten, empfiehlt sich wegen seiner guten Infrastruktur sowie der zentralen Lage als Standquartier für Exkursionen in Donegal.

Tourist Information: Derry Road, ✆ 074/2 11 60.

Unterkunft/Restaurants: ****Castlegrove Country House, Ramelton Road, ✆ 0 74/5 11 18, georgianisches Herrenhaus 5 km außerhalb in riesigem Park, stilvolle, preiswerte Suiten und empfehlenswertes Restaurant; ***Clanree Hotel, Derry Road, ✆ 0 74/2 43 69, gutes Restaurant, Livemusik in Bar; B. & P. Kelly, Sligo Road, ✆ 0 74/2 25 16, empfehlenswertes B & B.

Jugendherbergen: The Manse Hostel, High Road, ✆ 074/ 2 52 38; Corcreggan Mill Hostel, Dunfanaghy, ✆ 074/3 65 07.

Singing Pubs: The Pub, gute Atmosphäre, immer voll; The Cottage, beide Main Street.

Fahrradverleih: Church Street Cycles.

Inishowen

Einen bei gutem Wetter eindrucksvollen Panoramablick über die die Halbinsel Inishowen umschließenden Meeresarme Lough Foyle und Lough Swilly kann man von dem auf einer Hügelkuppe malerisch und strategisch günstig gelegenen **Grianán of Aileach** aus genießen. Die runde Steinmauer mit ihren 4 m dicken und 5 m hohen Wänden entstand vermutlich in den ersten beiden Jahrhunderten unserer Zeitrechnung. Vom 5.–12. Jh. diente das Steinfort den O'Neills als Königssitz. Folgen Sie der ausgeschilderten Rundfahrt »Inish Eoghain 100«, die an allen landschaftlichen und kunsthistorischen Höhepunkten Inishowens vorbeiführt: Von dem reliefierten Kreuzstein aus dem 7. Jh. auf dem romantischen Friedhof von **Fahan** geht es zum Tower House neben schönen Angelgründen am Ufer von **Buncrana** und weiter über den Felspaß des Gap of Mamore, der eine grandiose Aussicht gewährt, zu den strohgedeckten, leuchtend weißen Cottages des kleinen **Lenan.** Den kunsthistorischen Höhepunkt markieren das frühe, aus dem 8. Jh. stammende Hochkreuz von **Carndonagh,** flankiert von zwei genauso archaisch wirkenden Reliefsteinen. Am dünengesäumten Five Fingers Strand vorbei kommen Sie ans rauhe **Malin Head,** Irlands nördlichsten Punkt – World´s End-Atmosphäre pur. Hinter Culdaff warten die Kirchenruinen – man beachte den Hurley-Schläger auf dem Grabstein – und das schlanke Hochkreuz von **Clonca** sowie der **Brocan-Steinkreis.** Vom Badeort Moville nach Muff bietet die Küstenstraße ein atemberaubendes Panorama.

Die ›Troubles‹
Der Nordirland-Konflikt

Um den heutigen Bürgerkrieg (die *Troubles,* ›Unruhen‹, ›Ärger‹, wie er verharmlosend genannt wird) in den sechs nördlichen Grafschaften Fermanagh, Tyrone, Derry, Armagh, Down und Antrim zu verstehen, muß man die Geschichte bis ins 17. Jh. zurückverfolgen. Nach der ›Flucht der Grafen‹ (s. S. 140) wuchs durch großangelegte Umsiedlungsprogramme der Engländer, die sog. *Plantations,* der protestantische Bevölkerungsanteil in Ulster rasch. Vor allem Presbyterianer aus dem schottischen Tiefland gelangten nun in den Besitz der besten Ländereien, während die katholischen Pächter und Grundbesitzer vertrieben und mit schlechten Böden im kargen Westen abgefunden wurden. Die nordirischen Protestanten zeigten sich hinfort verständlicherweise als vehemente Verfechter der Union mit England (sog. Unionisten): Wirtschaftlich gesehen ging es den Menschen in Ulster, u. a. wegen der im 18. Jh. entstehenden Leinenindustrie, wesentlich besser als dem katholischen Süden, und auch heute noch sichert nur die Verbindung mit England den Nordiren einen höheren Lebensstandard.

Als sich dann 1921 der Freistaat Irland bildete, stimmte der reiche Norden für den Verbleib bei Großbritannien; er erhielt ein eigenes Parlament in Belfast und innenpolitisch weitgehende Selbstverwaltung. Im Ireland Act von 1949 verpflichtete sich Großbritannien, den Verbleib Nordirlands bei Großbritannien so lange zu garantieren, wie eine Mehrheit dies wolle. Obwohl auch Dublin 1925 die Existenz eines eigenständigen Nordirland anerkannte, schrieben Artikel 2 und 3 der Verfassung von 1937 doch den Anspruch auf das gesamte Territorium der Insel und auf die Wiedervereinigung fest. Da die Protestanten – 1921 etwa zwei Drittel der Bevölkerung Nordirlands – jedoch fürchten, bei der Eingliederung in ein katholisches Irland ihre Privilegien zu verlieren, ist ein Zusammenschluß beider Territorien umstritten.

Die starke katholische Minderheit in Nordirland (mittlerweile auf etwa 42 % gewachsen) wurde von Anfang an von den Briten und Protestanten von der politischen Herrschaft ferngehalten und vor allem in wirtschaftlicher Hinsicht benachteiligt – die Arbeitslosigkeit in katholischen Arbeiterghettos beträgt heute an die 80 %! Die Entstehung der friedlichen nordirischen Bürgerrechtsbewegung im Jahre 1968 markierte paradoxerweise auch den Beginn des Bürgerkrieges: Auseinandersetzungen zwischen militanten Protestanten und der auf der Seite ihrer Glaubensbrüder einschreitenden RUC (die Polizei von Ulster) sowie der sich neu formierenden IRA (Irish Republican Army) veranlaßten Großbritannien zur bewaffneten Intervention (14. 8. 1969). Nach dem Rücktritt des letzten nordirischen Premierministers Brian Faulkner unterstellte London im März 1972 Nordirland direkt der britischen Regierung.

Spätestens seit dem sog. ›Blutsonntag von Derry‹ am 30. 1. 1972, in dessen Verlauf 14 unbewaffnete Bürgerrechtler von Soldaten erschossen wurden, vermochte die britische Armee sich jedoch kaum mehr als unparteiische Schutzmacht darzustellen. Die IRA, die Rückhalt in den katholischen Arbeitervierteln Derrys (für Protestanten Londonderry) und Belfasts genoß, versuchte durch Terroranschläge den Anschluß Nordirlands an die Republik zu erreichen. Protestantische Terrororganisationen standen ihnen in nichts nach. Bis heute hat der Bürgerkrieg mehr als 3000 Tote gefordert.

In dieser ausweglos scheinenden Situation starteten John Hume, Vorsitzender der katholischen sozialdemokratischen Arbeiterpartei SDLP, und Gerry Adams, Vorsitzender von Sinn Fein, des politischen Arms der IRA, 1993 eine Friedensinitiative. IRA und die protestantischen paramilitärischen Organisationen riefen Waffenstillstände aus. Am Karfreitag 1998 kam es zur historischen Einigung von Belfast – das »Wegstoßen des Steines vom Grabe Jesu« nannte sie Seamus Heaney. Erstmalig saßen alle politischen Gruppierungen, auch Sinn Fein, an einem Tisch. Die Friedensregelung sieht neben dem nordirischen Parlament einen Nord-Süd-Ministerrat und verstärkte grenzübergreifende Zusammenarbeit vor.

Einen schrecklichen Rückschlag bedeutete der bislang schwerste Bombenanschlag in Nordirland, bei dem die Splittergruppe »Real IRA« am 15.8.1998 in Omagh 28 Menschen ermordete. Ein Rückschlag war auch der Erfolg der Friedensgegner bei den Parlamentswahlen – die Gruppierungen um den radikalen protestantischen Pfarrer Ian Paisley errangen fast so viele Mandate wie die Ulster Unionists David Trimbles, des neu gewählten Ersten Ministers. Der Wandel in den Köpfen steht vielerorts noch aus, Umdenken und ein Verzicht auf alte Privilegien sind gefordert. Fragen wie die Entwaffnung der paramilitärischen Organisationen und die provokanten Märsche des Oranierordens werden auch weiterhin Zündstoff liefern. Es steht zu hoffen, daß der Friedensnobelpreis für John Hume und David Trimble dem fragilen Frieden neue Impulse geben und die Mauern in den Städten wie in den Köpfen niederreißen hilft.

Tourist Information: Buncrana, Shore Front, ✆ 0 77/6 26 00; Auskunft über die Halbinsel Inishowen.

Unterkunft: *McGrory's, Culdaff, ✆ 0 77/7 91 04, Restaurant und die berühmte Back Room Bar, wo Größen der Musikszene auftreten; Culdaff House, Culdaff, ✆ 0 77/7 91 03, Farmhouse B & B.

Restaurant: St. John, Fahan, ✆ 0 77/6 02 89, berühmtes Lagan-Lamm *pré-salé*.

Die irische Seenplatte

Als Freizeitskipper auf einem Wohnkahn lernt man die Wasser- und Moorwelt der Shannon-durchflossenen Zentralen Tiefebene hautnah kennen. Mit der Klostersiedlung Clonmacnoise und dem Kopfportal von Clonfert warten hier zum Abschluß der Tour d'Irlande zwei kunstgeschichtliche Highlights. Eine unspektakuläre Landschaft zum Abspannen und Ausklingenlassen.

Mitten durch die Zentrale Kalksteinebene schlängelt sich der längste Fluß Irlands, der für die Gewinnung von Wasserenergie genutzte Shannon, wobei er sich zu zahlreichen Seitenarmen und Seen verbreitert (von Norden nach Süden die Loughs Allen, Key, Boderg, Bofin, Forbes, Ree und Derg). Schon früh kämpften die rivalisierenden Stämme und später Iren und Anglonormannen um die Beherrschung der strategisch wichtigen Region, und die Wikinger ruderten mit ihren Drachenschiffen über diese Wasserwege zu ihren lohnendsten Plünderzügen.

Roscommon, Athlone

Roscommon, Hauptort (1600 Einwohner) der gleichnamigen Grafschaft, besitzt eine sehenswerte, quadratisch angelegte Burg (1269) mit gerundeten Eckbastionen und einem mächtigen, turmbewehrten Eingangstor. In der Dominikaner-Abtei ist das Grabdenkmal Felim O'Connors sehenswert: Seine Ende des 13. Jh. ausgeführte Grabfigur ruht auf einer Tumba des 15. Jh. mit acht bewaffneten Ritterfiguren.

Im Westen von Castlerea, ca. 30 km nordwestlich von Roscom-

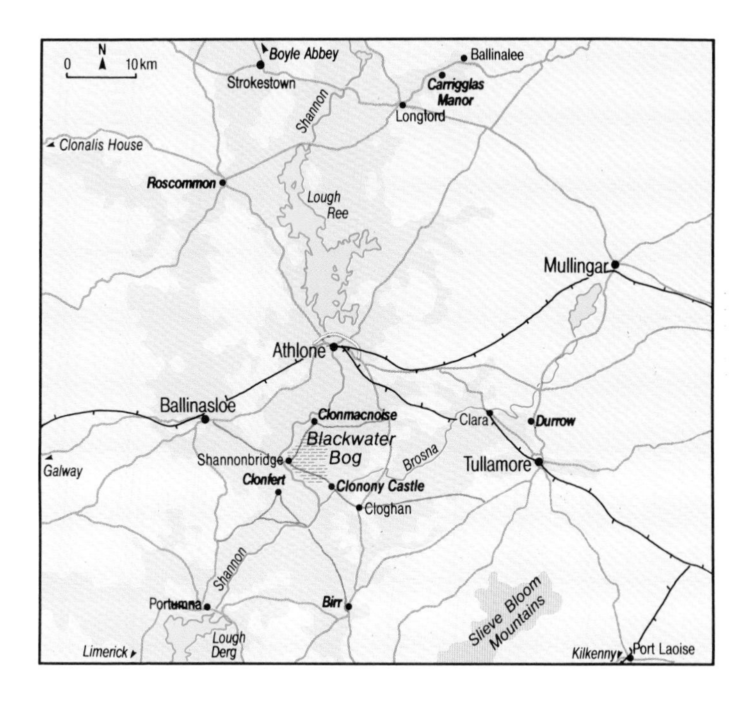

Die irische Seenplatte

mon, wird in **Clonalis House,** einem viktorianischen Landhaus von 1880, die Urkunde des letzten Brehonenurteils und die Harfe des blinden Turlough O'Carolan aufbewahrt, des letzten, 1738 gestorbenen Barden Irlands (geöffnet Juni–Mitte September Di–So 12–17).

Die Abteiruinen von **Boyle,** im typischen romanisch-gotischen Übergangsstil der Zisterzienser errichtet, gehören zu den besterhaltenen Irlands (Juni–September 9.30–18.30, sonst Schlüssel im Abbey House nebenan).

Nachdenklich stimmende Kontraste erwarten den Besucher im splendiden georgianischen **Strokestown House,** wo auch das Famine Museum über eine von Irlands düstersten Epochen untergebracht ist (April–Oktober täglich 11–17.30, Garten, Restaurant).

Unterkunft: ***Abbey Hotel, ✆ 09 03/2 62 40, Manor des 19. Jh., recht preiswert. In Carrigglas Manor (✆ 0 43/4 51 65) kann man Ferienwohnungen mieten, in Clonalis House (✆ 09 07/2 00 14) vom Hidden Ireland bei Lords and Ladies schlafen und speisen.

Athlone (16 000 Einwohner), direkt im Zentrum der Insel gelegen, hat eine gewisse wirtschaftliche Bedeutung als Eisenbahnknotenpunkt und Umschlagplatz für das umliegende Land. Schon der Anglonormanne John de Grey erkannte die strategische Bedeutung dieser Kreuzung des Shannon und der West-Ost-Handelswege (gael. *Áth Mor* = große Furt) und erbaute eine Burg, die bis 1922 (!) in den Händen der Briten blieb. Der älteste Teil der inzwischen stark veränderten, düstertrutzigen Anlage ist der Bergfried im Zentrum (Burg und Museum geöffnet Ostern/Mai–Anfang Oktober täglich 10–18). Die nicht sonderlich attraktive Stadt wird von den Kuppeln und Türmen der im Stil der Neorenaissance errichteten Stadtkirche überragt. Heute stellt Athlone das Zentrum des Boots- und Angeltourismus auf dem Shannon-River und seinen Seen dar.

Tourist Information: Market Place, ✆ 09 02/9 46 30, geöffnet Ostern–Oktober.

Unterkunft: ***Hodson Bay Hotel, ✆ 09 02/9 24 44, moderner Freizeitkomplex. B & B konzentriert an Roscommon Road und Dublin Road.

Restaurants: Left Bank Bistro, Bastion Street, ✆ 0 51/7 74 78, pazifisch inspirierte Genüsse in altem, netten Viertel am linken Shannon-Ufer; Wineport Restaurant, Glasson (etwas außerhalb bei Ballykeeran, ✆ 09 02/ 8 54 66, gemütlich, gut.

Verbindung: Bahnhof und Busbahnhof, Southern Station Road, ✆ 09 02/7 33 22.

Fahrradverleih: Hardiman's, 48 Connaught Street.

Aktivitäten: Bootausleihe (s. S. 243), Ausflüge auf Lough Ree oder nach Clonmacnoise, Anbieter am The Strand, Ufer gegenüber Burg.

Clonmacnoise:
1 Besucherzentrum
2 O'Rourke-Rundturm
3 Temple Finghin mit angebautem Rundturm
4 Nun's Church
5 Kathedrale
6 Temple Connor
7 Temple Kelly
8 Temple Kieran
9 Temple Meaghlin
10 Temple Hurpan
11 Temple Doolin
12 Cross of the Scriptures
13 Südkreuz
14 Nordkreuz
15 Moderne Kapelle/Johannes Paul-Gedächtnisplakette

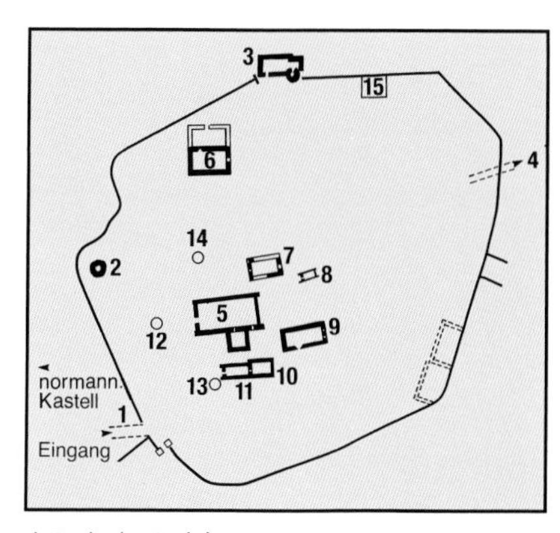

Clonmacnoise

Die 548/49 vom hl. Ciaran gegründete Mönchssiedlung wuchs schnell zu einem Zentrum der frühirischen Gelehrsamkeit. Schon die Legende berichtet, wie der Heilige die Natur für Bildung und Gottesdienst in Anspruch genommen habe: Ein Fuchs soll ihm den Psalter getragen und ein Hirsch sein Geweih als Lesepult zur Verfügung gestellt haben. Vom 9.–13. Jh. fiel das reiche Kloster mehrmals Plünderungen zum Opfer: Der heidnische Wikinger-Fürst Turgesius, der das Christentum in Irland ausrotten wollte, ließ gar im Jahre 845 seine Frau Ota als Orakel auf dem Hochaltar der Kathedrale agieren.

Paradiesisch inmitten der Shannon-Landschaft mit ihren Wasserarmen und den von zahlreichen Vogelkolonien lautstark besiedelten Sumpfgebieten gelegen, stellt Clonmacnoise einen Höhepunkt einer jeden Irland-Reise dar. Vor dem Eingang zum Klosterbezirk liegt ein malerisch zerborstenes **Normannen-Kastell,** dessen Erdwälle noch gut zu erkennen sind. Im **Besucherzentrum** kann man eine Sammlung von frühchristlichen Grabsteinen vom 8. bis zum 12. Jh. bewundern; sie lagen einst flach auf den Gräbern.

Neben dem **O'Rourke-Rundturm** aus dem 10. Jh. steht noch ein zweiter, kleinerer Rundturm am **Temple Finghin,** der, ganz unüblich für die ansonsten freistehenden Türme Irlands, an den Chor der Kirche angebaut ist. Zahlreiche Kirchen und Kirchlein, zwischen dem 11. und 13. Jh. errichtet und zumeist mit einfachem rechteckigen Grundriß, liegen über den sanft zum Shannon abfallenden Uferhang verstreut.

Ca. 200 m außerhalb des Friedhofs erhebt sich die 1167 vollendete **Nun's Church** mit reichem romanischem Bauschmuck. Hier wurde 1170 Devorgilla, die ›irische Helena‹, begraben, nachdem sie sich zur Buße ins Kloster zurückgezogen hatte: Ihr ›Paris‹, Dermot Mac Murrough, hatte sie ihrem Gatten Tighernan O'Rourke entführt und wegen des darob allenthalben gegen ihn entstandenen Aufruhrs Heinrich II. von England ins Land gerufen.

Das stattlichste Gebäude, die **Kathedrale,** wurde 910 und noch einmal an der Wende des 11. zum 12. Jh. erneuert, datiert also vermutlich aus dem 9. Jh. Zahlreiche spätere An- und Umbauten, z. B. das Nordportal mit Heiligenfiguren (15. Jh.), haben ihr ursprüngliches Aussehen stark verändert. Roderick O'Connor, der letzte irische Hochkönig, soll 1198 in der Sakristei beerdigt worden sein, doch tatsächlich wurde die heutige Sakristei erst im 17. Jh. errichtet.

Das bedeutendste Denkmal von Clonmacnoise ist jedoch das **Cross of the Scriptures**, auch Flann's Cross genannt wegen der heute beinahe unleserlichen Inschrift, in der ein gewisser Colman dieses Kreuz dem Hochkönig Flann Sinna (877–915) weiht. Dieses zu Beginn des 10. Jh. aus einem Stück Sandstein geschnittene Kunstwerk erreicht mit der naturnahen Darstellung – unter manchen Gewändern

Cross of the Scriptures, Clonmacnoise

meint man förmlich den Körper zu erahnen – und der fortgeschrittenen Technik des Hochreliefs eine einzigartige künstlerische Qualität.

Auf der Westseite sieht man eine Kreuzigung, auf der Ostseite ein Jüngstes Gericht. Die Szene über der Inschrift zeigt vermutlich König Diarmuid, der dem hl. Ciaran bei der Errichtung seiner Kirche hilft, noch darüber stehen Gefangennahme Christi und Geißelung. An der nördlichen Schmalseite findet sich in der Mitte eine interessante Darstellung der flötespielenden Sibylle von Erithrea, die ihre Füße auf zwei Fabelwesen stellt; neben ihrem Kopf leckt sich eine Katze zwischen den Beinen – Symbol der geilen Welt. Die Jagdszenen mit Reitern und Streitwagen auf dem stark verwitterten Sockel erkennt man am besten aus einigen Metern Entfernung.

Auch das Südkreuz aus dem 9. Jh. zeigt eine Kreuzigung und reiche geometrische Verzierungen. (Klostergelände immer zugänglich; Besucherzentrum geöffnet November–Mitte März täglich 10–17.30; Mitte März–Mitte Mai und September/Oktober 10–18; Mitte Mai–Anfang September 9–19.)

Vom nahen Shannonbridge aus kurvt eine kleine Bahn ins **Blackwater Bog,** vorbei an den Resten eines bronzezeitlichen Dorfs (Abfahrt Bord na Móna Blackwater Works, April–Oktober 10–17). Wer das riesige **Torfkraftwerk** in Shannonbridge besichtigen möchte, wende sich an die Tourist Information in Tullamore (✆ 05 06/5 26 17). Auf dem Weg nach Birr lohnt ein Abstecher zum frisch restaurierten **Clonony Castle,** einem Tower House des 16. Jh. (Mitte April–September Mi–So 14–18).

Clonfert, Birr, Durrow

Um 560 gründete der hl. Brendan ein Kloster zu **Clonfert,** jedoch blieb von dieser ursprünglichen Anlage nichts erhalten, da sie für die Drachenschiffe der Wikinger recht einfach zu erreichen war. Das romanische Portal der Kathedrale aus dem 12. Jh. ist wohl das berühmteste und meistabgebildete Irlands: In dem Dreieckgiebel über einem vielfach gestaffelten Säulenportal mit reichen pflanzlichen und geometrischen Motiven sowie phantastischen Tieren und Fratzen sehen 15 differenzierte, aber sicherlich nicht als porträthafte Darstellungen geschaffene Köpfe den Betrachter an – schaurige Erinnerungen an den bezeugten keltischen Kopfkult werden wach. Das für die irische Kunst so typische archaische Moment zeigt sich in der schiefen Einwärtsstellung der Säulenpartie des Gewändes, die die altirische Türform, wie wir sie von frühen Oratorien kennen, aufnimmt.

Machen Sie einen Abstecher ins schön am Nordende des Lough Derg gelegenen **Portumna,** einem Zentrum des Schiffstourismus mit

Marina und Verleihern. Nahe des Seeufers stehen die – ausgeschilderten – Reste einer Dominikaner-Abtei aus dem 15. Jh.; ein Pfad führt von hier zu dem jakobitischen Herrenhaus, von dem aus man einen schönen Blick auf den See genießt (geöffnet Mitte Juni–Mitte September täglich 9.30–18.30).

Birr (3500 Einwohner), planvoll im 17. Jh. von Sir Lawrence Parson gegründet, sollte nach dem Willen des Besitzers ein ›sauberer‹ Ort werden: Straßenverschmutzer zahlten Strafgebühren, und Frauen, die Bier ausschenkten, wurden an drei Markttagen in den Stock gelegt. Der attraktive kleine Ort mit vielen georgianischen Straßenzügen ist heute besonders für sein neogotisches Schloß und dessen wirklich sehenswerten Landschaftsgarten berühmt – die dortigen Hainbuchenhecken sind laut Guinness-Buch die höchsten der Welt.

Im Garten steht das Riesenteleskop des 3. Earl of Rosse, mit dem dieser zu einer Berühmtheit avancierte, konnte man doch erstmalig die Spiralstruktur der Galaxien damit sehen. Um das jüngst wieder einsatzbereit gemachte Teleskop und Europas älteste Hängebrücke von 1810 entsteht nach und nach **Ireland's Historic Science Centre,** das sich u. a. der irischen Erfinderfamilie der Parsons widmet (geöffnet täglich 9–18, Café/Restaurant).

Ein Informationszentrum in Birr gibt Auskunft über Flora, Fauna, Archäologie und Geologie des wenige Kilometer östlich gelegenen, noch weitgehend einsamen **Slieve Bloom Environment Park** (geöffnet täglich 9–17). Das 100 km² große Naturreservat bietet Wanderern, Radfahrern und Reitern ein ausgeschildertes Wegenetz durch die Täler und bis zu 700 m hohen bewaldeten Berge.

Tourist Information: Rosse Row, ✆ 05 09/2 01 10, Mai–September.

Unterkunft: G. & S. Gossip, Tullanisk, ✆ 05 09/2 05 72, 2 km nordwestlich, georg. Herrenhaus, Hidden Ireland; Spinners Townhouse & Bistro, Castle Street, ✆ 05 09/2 16 73, B & B, Schlafsaal, Bistro in fünf liebevoll renovierten, georg. Stadthäusern.

Singing Pub: Haverty's Bar, Moorpark Street; Morrissey's, Abbeyleix, berühmter alter Pub.

Fahrradverleih: Dolan & Sons, Main Street & Wilmer Road.

Über Tullamore erreicht man das Kloster von **Durrow,** Entstehungsort der berühmten Handschrift des Book of Durrow (s. S. 50). Die Anlage war häufig das Opfer von Plünderungszügen und kann aus diesem Grund an historischen Denkmälern nur noch ein schönes Figurenkreuz des 10. Jh. aufweisen: Das schaurig-einsam inmitten eines Friedhofs gelegene Kreuz erreicht man nach ca. 500 m Fußmarsch über die Allee des Herrenhauses, auf dessen Besitz die Stätte liegt (N 52 von Tullamore nach Kilbeggan, links vor verschlossenem Parkgitter halten).

TIPS & ADRESSEN

Alle wichtigen Informationen rund ums Reisen – von Auskunft bis Zeit – auf einen Blick.

Hinweise zu Unterkünften und Urlaubsaktivitäten

INHALT

Reisevorbereitung & Anreise
Informationsstellen 231
Diplomatische Vertretungen . . 231
Einreisebestimmungen 231
Reisegepäck 232
Reisezeit 232

Anreise 232
Organisierte Reisen 233

Unterwegs in Irland
Mit dem Flugzeug 234
Mit öffentlichen Verkehrsmitteln 234
Mit dem Auto 234
Entfernungstabelle 234
Grenzübertritt nach Nordirland 236

Unterkunft & Verpflegung
Preise 236
Hotels 237
Privatunterkünfte 237
Jugendherbergen, Hostels . . . 238
Camping 238
Ferienhäuser 238
Restaurants und Pubs 239
Die irische Küche 239
Irische Getränke 241

Urlaubsaktivitäten
Abenteuerzentren 242
Angeln 242
Fahrradfahren 242
Golf 243
Jugendferien 243
Mietboote 244
Naturerlebnis 244
Rund ums Pferd 245
Segeln 245
Sprachferien 246
Wandern 246
Zigeunerwagen 247

Im Reiseteil nicht erwähnte Sehenswürdigkeiten
Burgen und Herrenhäuser . . . 248
Gärten und Parks 249
Inseln 249
Megalithische Denkmäler . . . 250

Reiseinformationen von A bis Z
Auskunftsstellen 251
Baden 251
Behinderte 251
Feste und Feiertage 251
Geld und Geldwechsel 252
Gesundheit 252
Gewichte und Maße 252
Internet 252
Junge Leute 253
Leihwagen 253
Mehrwertsteuererstattung . . . 253
Musikveranstaltungen 253
Notruf 253
Öffnungszeiten 253
Post 254
Souvenirs 254
Strom 254
Tankstellen 254
Taxi 255
Telefon 255
Theater 255
Veranstaltungen 255
Zeit 255

Literaturempfehlungen 256

Register 258

Abbildungsnachweis 264

REISEVORBEREITUNG & ANREISE

Informationsstellen

In Deutschland
Irische Fremdenverkehrszentrale
(Bord Fáilte)
Untermainanlage 7
60329 Frankfurt/M.
✆ 0 69/9 23 18 50
Fax 0 69/92 31 85 88

In Österreich
Irlands Botschaft in Österreich
s. u., ✆ 01/7 15 83 17
Fax 01/7 13 60 04

In der Schweiz
Irland Informationsbüro
Neumühlestraße 42
8406 Winterthur
✆ 0 52/2 02 69 06/7
Fax 0 52/2 02 69 08

Diese Informationsstellen verschikken die im weiteren genannten Broschüren.

Diplomatische Vertretungen Irlands

In Deutschland
Botschaft der Republik Irland
Godesberger Allee 119
53175 Bonn
✆ 02 28/95 92 90

Konsulate der Republik Irland
Feldbrunnenstraße 43
20148 Hamburg
✆ 0 40/44 18 62 13
Ernst-Reuter-Platz 10
10587 Berlin
✆ 0 30/34 80 08 22
Mauerkircher Straße 1a
81679 München
✆ 0 89/98 57 23–4

In Österreich
Botschaft der Republik Irland
Hilton Center
(16. Etage)
Landstrasser Hauptstraße 2
1030 Wien
✆ 01/7 15 42 46–47

In der Schweiz
Botschaft der Republik Irland
Kirchenfeldstraße 68
3005 Bern
✆ 0 31/3 52 14 42

Einreisebestimmungen

Für Aufenthalte unter drei Monaten genügt ein Personalausweis oder Reisepaß, für Fahrzeuge – auch für Wohnwagen – der nationale Führerschein; die grüne Versicherungskarte wird empfohlen.

Haustiere können nicht mitgenommen werden, denn da es auf Irland keine Tollwut gibt, müssen alle Tiere eine sechsmonatige Quarantäne mitmachen. Die Einfuhr frischer und konservierter Fleisch-, Geflügel- und Molkereiprodukte sowie von Waffen ist verboten.

Innerhalb des EU-Binnenmarktes dürfen bis zu 800 Zigaretten, 400 Zigarillos, 1 kg Tabak, 10 l Spirituosen oder 50 l Bier aus- und eingeführt werden, sofern sie für den persönlichen Bedarf bestimmt sind.

Für Schweizer sowie generell für im **Duty Free Shop** gekaufte Waren gilt: 200 Zigaretten oder 100 Zigarillos oder 50 Zigarren oder 250 g Tabak; 1 l Spirituosen oder 2 l Sherry u.ä. und 2 l Wein; 50 g Parfum oder 0,25 l Eau de Cologne. Offiziell darf man nur bis zu 150 Ir£ wieder ausführen.

Reisegepäck

Wärmere Kleidung sowie ein passabler Regenschutz empfehlen sich in Irland selbst im Sommer, im Frühjahr und Herbst sind sie unerläßlich. Festes Schuhwerk und/oder Gummistiefel sollte man ebenfalls einpakken. Eine Taschenlampe wird dem Freund megalithischer Gräber des öfteren nützlich sein.

Reisezeit

Daß Irland kein Reiseziel für überzeugte Badeurlauber und Sonnenanbeter ist, versteht sich. Man kann aber sogar im Frühjahr oder Herbst noch schöne Tage erwischen – es kann jedoch auch nur regnen bzw. stürmen. Bis Ostern und ab September muß man Irland zwar nur mit den Iren teilen, muß auf der anderen Seite aber auch in Kauf nehmen, daß manche Sehenswürdigkeiten, Restaurants und Unterkünfte geschlossen haben. Die besten Reisemonate sind die in Irland trockensten Monate Mai, Juni und September. Für Juli und August geben die Iren selbst zu, daß sie ein wenig *busy* seien. Unterkünfte sollten vor allem bei einem längeren Aufenthalt an einem Ort vorgebucht werden. Auch die Restaurantsuche kann zu dieser Zeit schwierig werden.

Anreise

... mit dem Flugzeug

Aer Lingus-Irish Airlines und/oder die Deutsche Lufthansa fliegen u. a. von Berlin, Düsseldorf, Frankfurt, Hamburg, München oder Zürich nach Dublin, Shannon, Cork und Kerry County. Von allen österreichischen Flughäfen findet man Anschlüsse zu den o. g. Flügen. Charterflüge werden in den Sommermonaten, meist von April bis Anfang Oktober, von deutschen, österreichischen und Schweizer Veranstaltern angeboten, u. a. von Berlin, Düsseldorf, Frankfurt, Stuttgart, Zürich und Wien aus nach Shannon oder Knock. Alle Fluggesellschaften locken mit – meist rasch ausgebuchten – sog. Flieg & Spar- oder Apex-Tarifen. Aer Lingus bietet einen Sondertarif für Senioren in der Nebensaison sowie verbilligte Winterflüge, den sog. Dubliner. (s. »Die Grünen Seiten«, S. 233).

... mit der Bahn

Um mit der Bahn nach Irland zu gelangen, muß man zunächst am frühen Morgen von Frankfurt, Wien oder Zürich nach London (Ankunft Victoria Station) starten; dort fährt jeden Abend von der Euston Station um 18.50 der Zug nach Holyhead (Wales) ab. Von dort setzt dann die Fähre nach Dublin über, wo sie ebenfalls am Morgen ankommt.

... mit dem Bus

In den »Grünen Seiten« finden Sie Veranstalter, die eine Anreise per Bus anbieten. Das kostet weniger Geld und mehr Zeit und geht über London. Deutsche Touring, Am Römerhof 17, 60486 Frankfurt/Main, ✆ 0 69/7 90 32 40.

... mit dem Auto und der Fähre

Direktfähren: Irish Ferries fährt mit der neuen »MS Normandy« bis zu viermal wöchentlich von Cherbourg und Roscoff nach Rosslare (16 bzw. 14 Stunden), Brittany Ferries Januar bis September bis zu dreimal wöchentlich von St. Malo und Roscoff nach Cork (18 bzw. 14 Stunden). Abfahrtszeiten sind abends. Die Abfahrtshäfen liegen in der Normandie, wohin man am schnellsten so weit wie möglich auf den gebührenpflichtigen französischen Autobahnen gelangt.

Die sog. **Landbrücke** führt über Großbritannien. Die schnellste Verbindung (gut 2 Stunden) führt mehrmals täglich von Calais nach Dover bzw. mit Le Shuttle von Calais nach Folkestone in 35 Minuten durch den Eurotunnel. Dann muß man einige Stunden Fahrt rechnen, denn schon in Wales enden die englischen Autobahnen. Die Überfahrt erfolgt von den südwalisischen Häfen Fishguard oder Pembroke nach Rosslare Harbour (oder die lange Strecke Swansea – Cork) und von dem nordwalisischen Holyhead auf der Insel Anglesey nach Dublin bzw. Dun Laoghaire (alle Verbindungen mehrmals täglich). Die billigste Überfahrt (ca. die Hälfte der Direktverbindung) ist die sog. Rainbow-Route; dafür muß man allerdings bis Stanrear oder Cairnryan in Südschottland fahren und kommt in Belfast oder Larne (Nordirland) an. Ansonsten ist die ›Landbrücke‹ nur wenig billiger und zeitsparender, dafür aber weit anstrengender als die Direktfähre, es sei denn, man nimmt sich Zeit für Stopps und Besichtigungen in Großbritannien.

Broschüre: »Autofähren nach Irland«.

Organisierte Reisen

Über 100 Reiseveranstalter bieten von Studien- und Sprachreisen über Angel-, Golf-, Segel-, Wander- oder Reiterurlaub und Ferien mit dem Fahrrad, im Zigeunerwagen oder Wohnmobil alles an. Sog. Übernachtungsschecks (vom Farm- bis zum Herrenhaus) in Kombination mit der Anfahrt ermöglichen eine individuelle Tourenplanung. Beliebt sind auch die *Fly & Drive*-Angebote, bei denen ein (kontinentaler) Leihwagen ohne Kilometerbegrenzung am Flughafen zur Verfügung gestellt wird. Am besten bestellt man die laufend aktualisierten »Grünen Seiten« (Urlaubsangebote der Reiseveranstalter) beim Irischen Fremdenverkehrsamt. Praktisch ist auch das *»Tarifdschungelbuch«* des Veranstalters Gaeltacht Irland-Reisen, Schwarzer Weg 25, 47447 Moers, ✆ 0 28 41/93 01 11, Fax 3 06 65, zu vertrackten Anreisemöglichkeiten und Sonderangeboten.

UNTERWEGS IN IRLAND

Mit dem Flugzeug

Zwischen den internationalen Flughäfen Dublin, Shannon, Cork und Knock (Co. Mayo) gibt es Verbindungsflüge untereinander und darüber hinaus zu den Regionalflughäfen Kerry County (Killarney), Galway und Sligo (Strandhill). Aer Lingus, An der Hauptwache 7–8, 60313 Frankfurt, ✆ 0 69/29 20 54, Fax 28 37 44.

Mit öffentlichen Verkehrsmitteln

Bahn und Bus befinden sich in Händen der staatlichen Transportgesellschaft CIE (Coras Iompair Éireann). Das Eisenbahnnetz von knapp 2000 km war bis in die 50er Jahre hinein wesentlich ausgedehnter, vor allem im Norden und Westen jedoch wurden seitdem etliche Strecken stillgelegt – nördlich von Sligo gibt es keine Eisenbahn mehr. Dublin liegt im Zentrum von Schienen- und Expreßbus-Verbindungen, die die längeren Strecken bewältigen und alle größeren Städte einbinden. Daneben gibt es regionale Busverbindungen sowie ein vor allem in Dublin gut ausgebautes städtisches Busnetz (Fahrpläne, Explorer Ticket und Infos CIE Tours International, Worringer Str. 5, 40211 Düsseldorf, ✆ 02 11/ 17 32 60, Fax 32 44 26). Die kleineren Dörfer sind indes häufig nicht mit einem Busanschluß gesegnet. Das sog. Rambler Ticket ist eine Art inneririsches Interrail-Ticket für Bus und Bahn (für Leute unter 26 Jahren). Mit dem »Dublin Explorer Ticket« kann man für Ir£ 10 an vier aufeinanderfolgenden Tagen alle Dubliner Busse benutzen, mit dem »Irish Explorer Tikket« Bus und Bahn in ganz Irland.

Info in Irland: Überlandbusse ✆ 01/ 8 36 61 11, Bahn ✆ 01/8 36 62 22.

Mit dem Auto

In Irland herrscht, ein Überbleibsel der englischen Herrschaft, Linksverkehr (rechts überholen, trotzdem Vorfahrt von rechts beachten!). Ebenfalls britisch sind die zahlreichen Kreisverkehre *(roundabouts),* in denen man getrost so lange rundfahren kann, bis man die richtige Ausfahrt gefunden hat. Die Autobahnteilstücke M 50 um Dublin und M 1 Richtung Belfast werden weiter ausgebaut. Die anderen Straßen, N für große nationale und R für regionale, sind im allgemeinen gut. Kleinere Straßen sind oft sehr schmal, so daß

Entfernungstabelle

Dublin–Cork	256 km
Dublin–Donegal	220 km
Dublin–Galway	217 km
Dublin–Killarney	307 km
Dublin–Shannon-Flughafen	220 km
Dublin–Rosslare	160 km
Dublin–Waterford	159 km
Dublin–Limerick	197 km

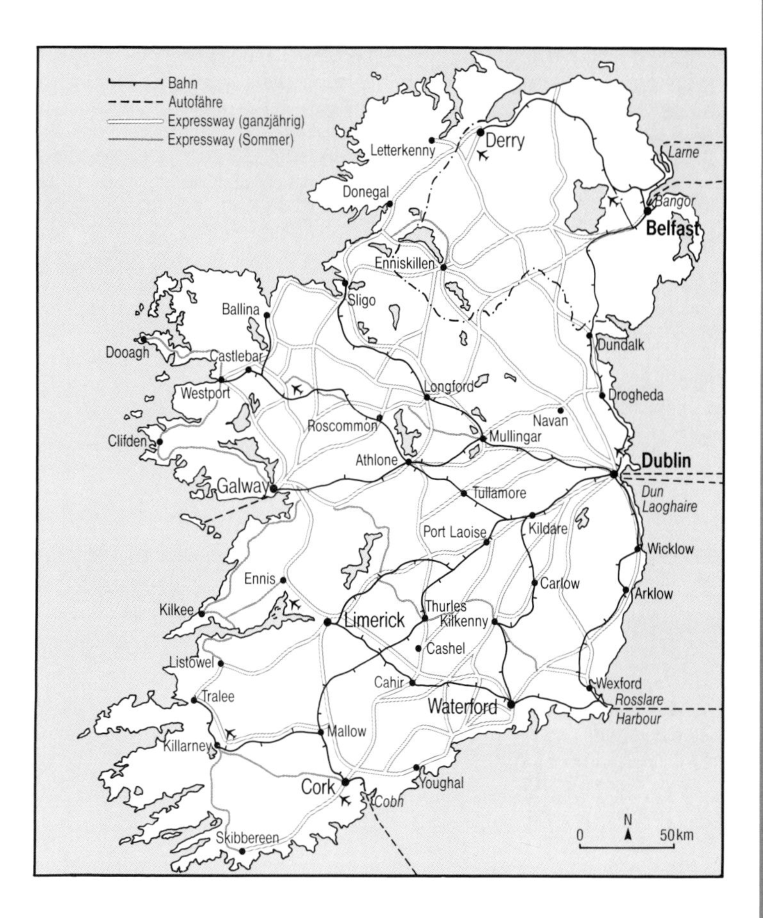

Verkehrsverbindungen in Irland

sich Langsamfahren empfiehlt – die Iren fahren aber auch dort überaus zügig. Vorsicht ist schon deshalb geboten, weil Hecken oder Mauern die Straßen oft uneinsehbar machen und Tiere häufig am Straßenrand grasen oder auch kreuzen. Eine Kurzkaskoversicherung bietet sich an, da die Deckungssummen der irischen Haftpflichtversicherer recht niedrig liegen.

Entfernungsangaben auf den Straßenschildern wechseln manchmal noch zwischen den alten Meilen- (kleines m hinter der Ziffer; 1 Meile = ca.1,6 km) und den neueren Kilometerbezeichnungen. Die kleinen zweisprachigen, sehr niedrig angebrachten Wegweisschilder zeigen an größeren Wegscheiden oft um ein paar Grad in die falsche Richtung oder sind nur aus einer Fahrtrichtung zu entdecken – scharfe Augen sind hier geboten.

In den Ortschaften gilt eine Geschwindigkeitsbegrenzung von 30 Meilen (48 km), auf den Landstraßen von 55 Meilen (89 km), auf Autobahnen von 70 Meilen (112 km). Die Promillegrenze liegt bei 0,8. Anschnallpflicht herrscht auf den vorderen Sitzen; Kinder unter 12 Jahren müssen nach hinten, Motorradfahrer einen Helm tragen.

Auf den Parkplätzen an großen Touristensehenswürdigkeiten sowie in Dublin sollte man die Autos immer abschließen und nichts sichtbar im Fahrzeug liegenlassen. Für einen Tourenurlaub sind detaillierte Karten unverzichtbar, z. B. der »Ordnance Survey Road Atlas of Ireland« im Maßstab 1 : 210 000. **Nützliche Adressen:** Zentrale des Automobilclubs Automobile Association (AA) ist 23 Rock Hill, Blackrock, Co. Dublin, ✆ 01/2 83 35 55. Weitere Niederlassungen in Dublin (23 Suffolk Street, Dublin 2, ✆ 01/6 77 99 50), Dundalk, Cork, Galway, Waterford, Limerick, Sligo (Tankstellen s. S. 253). Kostenloser **Pannenservice** des AA: ✆ 18 00/ 66 77 88.

Grenzübertritt nach Nordirland

Personalausweis oder Reisepaß genügen beim Verlassen der Republik gen Nordirland.

UNTERKUNFT & VERPFLEGUNG

Preise

Die in den Ortsbeschreibungen aufgeführten Unterkünfte und Restaurants stellen nur eine von der Autorin empfohlene Auswahl dar. Darüber hinaus finden Sie in fast jedem Ort Hotels, B & B und Restaurants oder Pubessen.

Durchschnittspreise für Übernachtung mit Frühstück pro Person im Doppelzimmer – im Einzelzimmer oft erheblich mehr, in der Nebensaison weniger:

***** Hotel:	110 Ir£
**** Hotel:	80 Ir£
*** Hotel:	50 Ir£
Hidden Ireland:	35 Ir£
**** Guest Houses:	35 Ir£
** Guest Houses:	24 Ir£
B & B/Farmhaus:	15 Ir£
Jugendherberge/Hostel:	5–13 Ir£
Ferienhaus pro Woche:	300 Ir£

Für ein 3-Gang-Dinner für zwei Personen mit Getränken muß man in einem guten Restaurant – nur solche sind erwähnt – mit 60–80 Ir£ rechnen. Krasse Ausnahmen nach oben oder unten sind vermerkt.

Hotels

Irland bietet vom Luxushotel – besonders schön und teuer die Schloßhotels – bis zum einfachen Dorfgasthof eine breite Palette. Die neue Klassifizierung des Irischen Fremdenverkehrsamtes gibt ein bis fünf Sterne an Hotels und ein bis vier Sterne an Guest Houses. Die Irische Fremdenverkehrszentrale hält eine breite Palette von Unterkunftsverzeichnissen und Broschüren einzelner Organisationen bereit; Versand kostenlos oder gegen geringe Gebühr.

Reservierungen vom Ausland: mit Kreditkarte ✆ 0 03 53/6 69 20 82, ohne Kreditkarte ✆ 0 03 53/6 66 12 58, Fax für beide 0 03 53/6 69 20 35.

Zentralreservierung in Irland: ✆ 18 00/66 86 68.

Privatunterkünfte

Eine Besonderheit in Großbritannien und Irland sind Unterkünfte mit irischem Frühstück bei Privatpersonen, die auch bei einheimischen Reisenden sehr beliebten **B & B** *(Bed-and-Breakfast).* Bettenkapazität und Grad der Professionalität variieren hier, der Übergang zu den Guest Houses ist fließend. Eine Etagendusche gibt es eigentlich immer, viele Häuser bieten auch Zimmer mit eigenem Bad und WC an *(rooms en suite).* Dasselbe gibt es auch für Farmhäuser, die sich nicht nur für einen längeren Aufenthalt mit Reiterferien eignen, sondern oft auch zentral genug für einen kurzen Stopp liegen (Katalog: Irish Farmhouse Holidays, 2 Michael Street, Limerick, ✆ 0 61/40 07 07, Fax 0 61/ 40 07 71).

Meist hängt das B & B-Schild an der Straße, doch um manche ›wirklich‹ privaten Unterkünfte zu finden, muß man vorher die entsprechenden Broschüren studiert haben. An den Ausfallstraßen am Stadt- oder Ortsrand findet man meist konzentriert mehrere B & B und Guest Houses, weniger im Stadtkern. Das Zimmer sollte man sich vor der Buchung immer ansehen – auch bei Privatleuten darf man dankend ablehnen. In der Saison kann es passieren, daß viele Unterkünfte belegt sind; dann sollte man schon gegen Mittag buchen. Die Tourist Information-Büros nehmen gegen eine geringe Gebühr Buchungen vor, was sich vor allem in der Saison oder in größeren Städten wie Dublin empfiehlt.

Die Organisation **The Hidden Ireland**, 37 Lower Baggot Street, Dublin 2, ✆ 01/6 62 71 66, Fax 01/ 6 62 71 44, und **Friendly Homes of Ireland,** P. O. Box 2281, Dublin 4, ✆ 01/6 68 64 63, Fax 6 68 65 78, bieten ausgesuchte Privatunterkünfte. Hier kann man recht preiswert in historischen Häusern schlafen und essen.

Empfehlenswert auch die **Irish Country Holidays:** Reservierungen zentral, 5 Lord Edward Court, Bride Street, Dublin 8, ✆ 01/4 78 43 43, Fax 4 75 12 58. Persönlicher Kontakt und Tuchfühlung mit dem ländlichen Leben in abgelegenen Regionen wie Moy Valley oder Inishowen sind Programm dieser Organisation, die sehr preiswerte B & B's und Selbstversorgungsunterkünfte vermittelt.

Jugendherbergen, Hostels

Vier Organisationen bieten preiswerte Übernachtungsmöglichkeiten in Schlafsälen oder Familienzimmern an, oft auch Selbstversorgung und Campingplätze. Es gibt keine Beschränkungen hinsichtlich Alter und Aufenthaltsdauer.

An Óige, Irish Youth Hostel Association, 61 Mountjoy Street, Dublin 7, ✆ 01/8 30 45 55, Fax 01/8 30 58 08 ist die offizielle Organisation. Internationaler Jugendherbergsausweis und Vorbestellung in der Saison sind erforderlich. An Óige hat in letzter Zeit viel getan, um die neuen Flaggschiffe (Cork, Glendalough, Dún Chaoin, Dublin) topmodern auszugestalten – oft auch 2-Bett-Zimmer oder Familienzimmer *en suite.* Kombiurlaubsangebote mit Bus/Bahn/Fahrrad.

Die **Independent Holiday Hostels of Ireland,** IHH Office, 57 Lower Gardiner Street, Dublin 1, ✆ 01/8 36 47 00, Fax 01/8 36 47 10, ein Zusammenschluß privater Hostels, garantiert bestimmte Standards. Oft sind Zweibett- und Familienräume vorhanden; einen Schlafsack mitzubringen wird angeraten, der Jugendherbergsausweis ist genauso wenig erforderlich wie bei **Celtic Budget Accomodation,** 13 South Leinster Street, Dublin 2, ✆ 01/6 62 19 91, Fax 01/6 78 50 11, sowie **Independent Hostel Owners Ireland,** Dooey Hostel, Glencolumkille, Co. Donegal, ✆ 0 73/3 01 30, Fax 0 73/3 03 39, einem privaten Zusammenschluß ohne Standards – was nicht heißt, daß diese Herbergen nicht ordentlich wären.

Camping

Immer mehr Camper und vor allem Campmobilbesitzer vom Kontinent besuchen die über 130 von der Irischen Fremdenverkehrszentrale überprüften und mit ein bis vier Sternen versehenen Camping- und Caravanplätze. Wegen der Fährkosten für das eigene Campingmobil lohnt sich die Miete von *Mobile Homes* mit Wohnausstattung. Wild zelten ist nicht verboten, man sollte nur den Grundstücksbesitzer um Erlaubnis fragen. In der Nähe von Wäldern, besonders Forest und National Parks, ist allerdings Zelten und Feuermachen untersagt.

Ferienhäuser

Für einen längeren Aufenthalt an einem landschaftlich reizvollen Ort sind Ferienhäuser für Selbstversorger bei den hohen irischen Restaurantpreisen eine gute Alternative. Oft stehen sie in Minidörfern für Touristen zusammen – Wegweiser zu *Thatched Cottages* führen nicht zu reetgedeckten Bauernhäusern, sondern zu diesen Feriendörfern, die ebenfalls ein bis vier Sterne je nach gebotenem Komfort aufweisen. Anspruchsvolle können Ferienschlößchen vom Landsitz bis zur normannischen Burg mieten: Die Firma ›**Elegant Ireland**‹ hat einmalige Feriendomizile, vom reetgedeckten Cottage über feine viktorianische Landhäuser bis zu trutzigen Tower Houses im Angebot (Buchungen: 15 Harcourt Street, Dublin 2, ✆ 01/4 75 16 32, Fax 01/4 75 10 12). Broschüren sind bei der Irischen Fremdenverkehrszentrale sowie bei den Reiseveranstaltern erhältlich – buchen Sie frühzeitig!

Restaurants und Pubs

Die irischen Restaurants decken eine breite Skala vom Feinschmeckertempel bis zum Pub mit englisch inspiriertem Einheitsmenu ab.

Über die Hälfte der B & B bieten auch Abendessen an, das meist bis Mittag geordert sein muß (ca. 15 Ir£). Auch hier warten die ›Privatrestaurants‹ der ›The Hidden Ireland‹-Organisation mit durchweg gutem und preiswertem Essen auf (ca. 20 Ir£); da viele von ihnen keine Wein- bzw. Alkoholausschanklizenz besitzen, kann man sich oft selbst seine Spirituosen mitbringen.

Viele Restaurants, vor allem in den Touristenzentren, haben ein sog. *Tourist Menu* (dreigängiges Touristenmenü, 15 Ir£). Mitglieder der Irischen Restaurantvereinigung tragen das RAI-Zeichen an ihrer Haustür. Bedienung ist teils im Preis eingeschlossen *(service included),* teils wird sie zusätzlich berechnet *(service charge* 10–15 %; hier erübrigt sich ein Trinkgeld). In den besseren Restaurants wird man vor dem Essen oft in die separate Bar gebeten, wo man einen Aperitif nimmt und von der Speisekarte *(menu* heißt in diesem Falle nicht Menü!) wählt, bis man in das eigentliche Restaurant gebeten wird. Sonntags bleibt ein Großteil der Restaurants geschlossen.

In Pubs und in den vielen einem Restaurant angeschlossenen Bars serviert man ein sog. *Bar Menu* (weniger Auswahl, aber oft dieselbe Küche wie die im Restaurant und wesentlich preiswerter), das an nicht so bequemen Tischen und in schnellerer Folge als im Restaurant eingenommen wird. Die Iren selbst bestellen oft dieses *Pub Grub,* wenn sie nicht ›groß‹ ausgehen wollen.

In jedem Ort gibt es mindestens ein *Take Away* (vor allem chinesisch oder eben ›irisch‹, d. h. Fish and Chips, Hamburger etc.). In den größeren Städten kann man liebgewonnene kontinentale Fast-Food-Ketten oder auch unbekannte wie Abrakebabra (Kebab) oder Beshoff (spezialisiert auf Fisch) frequentieren.

Zu Recht weltberühmt sind die irischen Pubs, in denen es neben harten geistigen Getränken vor allem Bier gibt, in Flaschen (hier oft auch deutsche Marken) oder, was vor allem die Iren selbst trinken, als *Draught* (vom Faß) – die ›normale‹ Glasgröße ist *Half a pint,* für den großen Durst ein *Pint,* ca. 0,57 Liter (Öffnungszeiten der Pubs wochentags 10.30–23, Mai–Oktober bis 23.30; So 12.30–14, 16–23; es soll ein neues Gesetz verabschiedet werden, das die abendlichen Öffnungszeiten um eine halbe Stunde verlängert und Sonntags einen durchgehenden Betrieb erlaubt). Der Barkeeper wird im übrigen ganz unmißverständlich ankündigen, wann Zeit für die *Last Order* ist; nach dieser letzten Bestellmöglichkeit hat man laut Gesetz noch 30 Minuten zum Austrinken.

Die Irische Küche

In den meisten Speisesälen der Grünen Insel kommt noch das durchweg fade englische Einheitsmenu mit salzlosen Gemüsen, Steak und Fritten auf den Tisch – diese Etablissements sind deshalb auch nicht in den Reisetips erwähnt. In den letzten Jahren hat sich Irland jedoch zu einem Land entwickelt, das, folgt man den richtigen Empfehlungen, exquisite Gaumenfreuden gewährt, und das meist billiger als etwa in vergleichbaren französischen Restaurants. Ich spreche von der ›neuen‹ Küche im Country House Style, an deren Entwicklung die Köchinnen des Ballymaloe House maßgeblich beteiligt waren (s. a. S. 134).

Die Basis dieser Küche bilden die frischen, exzellenten **›Rohstoffe‹** der Grünen Insel: Fleisch von freilaufenden Rindern (*filet of beef, sirloin steak*), Schafen (*rack of lamb,* Lammrücken, *lamb chops,* Koteletts), Hirsch (*venison*), Ente (*duck, duckling,* kleine Ente), Hühnchen *(chicken),* seltener Schwein *(pork)*. Frische Meeresfrüchte und Fisch, die gottseidank nicht mehr nur in den Export, sondern immer mehr auch auf irische Teller wandern: Garnele *(prawn),* Krabbenklauen *(crab claws),* Austern *(oysters),* Miesmuscheln *(mussels), Abalones* (fleischreiche Muscheln), Venusmuscheln *(clams),* Hummer *(lobster),* Forelle *(trout),* Seezunge *(sole),* Seehecht *(hake),* Engelbarsch *(monkfish),* Scholle *(plaice)* und natürlich Lachs *(salmon),* berühmt auch in geräucherter Form *(smoked salmon).*

An den **Beilagen** *(side dishes)* weist die besondere Berücksichtigung der Kartoffel darauf hin, daß dies über Jahrhunderte die Hauptspeise der – armen – Landbevölkerung war: Pellkartoffeln *(jacket potatoes),* Pürree *(mashed potatoes),* Kartoffelgratin und Fritten *(chips).* Dazu gibt's Gemüse *(vegetables),* das Land und Saison hergibt, Rosenkohl *(Brussels sprouts),* Blumenkohl *(cauliflower),* Möhren *(carrots),* Erbsen *(peas).* Eine köstliche Lauchkartoffel- *(leek and potatoe cream soup)* oder eine Orangen-Karotten-Suppe *(orange and carrot soup)* leiten etwa das Menü ein.

Da irische Köche jedoch um die ganze Welt gereist und Anregungen aus Frankreich, Italien, Amerika und dem Fernen Osten in ihre **Kreationen** eingearbeitet haben, schmeckt die Irische Küche heute so abwechslungsreich wie kaum eine andere. Köstliche Pasta mit Sahnegarnelen bei Packie's in Kenmare; heißer Ziegenkäse im Blätterteigmantel mit einer Honig-Mohn-Sauce im Number 10, Dublin; Seehechtfilet mit provenzalischem Tomaten-Oliven-Gratin im King Sitric, Howth; fritierter Monkfish mit Knusperzwiebeln und kaltem Stilton-Dip im Castlegrove House, Letterkenny – phantasievolle Kombinationen, die Appetit machen.

Das traditionelle dunkle Vollkorn-Soda-Brot *(brown bread)* schmeckt mit gesalzener Butter besonders gut zu einem Farmhouse Cheeseboard, auf dem etwa ein Cashel Blue, ein Cooleeney, Milleens oder St. Tola duften.

Üppig und gut ist das irische (englische) **Frühstück**. Nach einem Obstsaft *(juice)* oder einer halben Grapefruit gibt es zunächst die verschiedensten Cornflakes- und Müslisorten *(cereals).* Den ›Hauptgang‹, einen Grillteller, zieren standardgemäß ein Spiegelei *(fried egg,* wahlweise Rührei, *scrambled eggs,* oder Kochei, *boiled egg),* gebratener Räucherspeck *(bacon),* Grillpilze und -tomaten sowie kleine Würste *(sausage),* die aufgrund ihres hohen Paniermehlanteils allerdings gar nicht wie solche schmecken. Schließlich wird Toast mit gesalzener Butter und Orangenmarmelade und für Hartgesottene der traditionelle Haferschleim *(porridge)* oder ein *Kipper,* ein heißer Räucherfisch, gereicht.

Die nette englische Sitte des *Afternoon Teas* hat sich dagegen erst zögernd durchgesetzt, obwohl an touristisch intensiv frequentierten Stätten immer mehr Tea und **Coffee Houses** entstehen, in denen man seine *Scones* und schmackhaftes, oft auch gesalzenes Mürbeteig- und Buttergebäck verzehren kann. Eine ebenfalls aus England stammende Gewohnheit ist der *High Tea* gegen 18 Uhr, eine Mischung aus Kuchen und Tellergerichten wie Steak mit Pommes frites.

Irische Getränke

Da Irland kein Weinanbauland ist, muß man für edle oder auch weniger edle Tropfen – die Iren selbst schätzen vor allem französischen, australischen, neuseeländischen und kalifornischen **Wein** – durchschnittlich etwas mehr bezahlen als auf dem Kontinent. In Irland trinkt man also tunlichst **Bier:** *Stout* (Starkbier), wozu auch das Guinness (s. S. 24) gehört, *Lager* (vergleichbar dem deutschen Exportbier), *Ale* (hell, sehr dünn) und *Bitter* (vergleichbar dem deutschen Alt; in Irland recht selten). Bis auf das Guinness werden alle Biersorten bis zum Überlaufen ins Glas gefüllt, die ohnehin dürftigen Schaumkronen meist abgewischt; sie besitzen im Vergleich mit deutschen Bieren zwar wenig Kohlensäure, wenig Alkoholgehalt und wenig Geschmack, sind aber angenehm zu trinken. In den letzten Jahren machen sog. *Micro Breweries* wie Porterhouse oder Dublin Brewery Company in Dublin (s. S. 93) mit Brauspezialitäten wie Ingwer-Weißbier und Austern-Starkbier den Großen Konkurrenz.

Zu Recht weltberühmt ist auch der irische **Whiskey** (im Gegensatz zu seinen schottischen Vettern mit ›e‹). Die einzigen beiden noch existierenden Brennereien (Bushmills in Nordirland, Midleton bei Cork) produzieren neben billigeren Verschnittsorten auch reinen *Malt,* der, da die Gerste im Torfofen getrocknet wird, einen leichten Torfgeschmack aufweisen soll. Sehr schmackhaft sind auch *Baileys,* ein Sahnelikör, *Irish Mist,* ein aus Heidekräutern gebrauter Likör und der weltweit in der Gastronomie verbreitete *Irish Coffee,* Kaffee mit Whiskey, braunem Zucker und Sahnehaube.

Am häufigsten jedoch trinken die Iren **Tee.** Mit sieben Pfund Tee pro Kopf pro Jahr und der weltweit besten Qualität haben sie die Engländer mit fünf Pfund auf Rang zwei im Guinness-Buch der Rekorde verwiesen. Getrunken wird er vor allem als *Cream Tea* mit Milch und Zucker, leider meist in der Teebeutelvariante.

URLAUBSAKTIVITÄTEN

Abenteuerzentren

In diesen Ferienanlagen, in landschaftlich schönen Gegenden gelegen, können junge Leute von 12 bis 70 neben Wandern und Klettern auch Kajak- und Kanufahren, Tauchen, Höhlenklettern oder verschiedene Wassersportarten erlernen und ausüben, z. B. im Achill Adventure and Leisure Island Holidays, Achill Island, Co. Mayo, ✆ 09 02/9 48 01, oder im Burren Outdoor Education Centre, Turlough, Bellharbour, Co. Clare, ✆ 0 65/7 80 66. Auskünfte erteilt AFAS, Association for Adventure Sports, House of Sports, Longmile Road, Dublin 12, ✆ 01/4 50 98 45.

Angeln

Angeln, eine der größten touristischen Attraktionen Irlands, ist hier wesentlich preiswerter als anderswo. Beim Angeln auf Salzwasserfische (vor allem an West- und Südküste: Saison von Mai/Juni bis September/Oktober) kann man zwischen Küsten- und Brandungsangeln, Angeln unter Land von kleinen Booten aus und Hochseeangeln wählen (alle drei z. B. in Valentia Island, Dingle, Clifden, Inishbofin, Killybegs).

Die Saison für Süßwasserfische liegt zwischen Mai/April und September. Da die Iren selbst vor allem auf Salmoniden (Lachs – größte Aufkommen in Connemara und Mayo – und Forelle) angeln, ist das *Coarse Fishing* auf Hechte und Friedfische besonders preiswert bzw. kostenlos (z. B. Brachse, Rotfeder, Schleie, Rotauge, Barsch, Hasel). Hechte darf man nur einen pro Tag fangen. Angelkarten, sog. Anteilszertifikate *(share certificate)*, erhält man bei den acht Fischereivereinigungen Irlands.

Die Angelausrüstung sollte etwas schwerere Ruten und Schnüre als die zu Hause enthalten, vor Ort kann man einen *Ghillie* (Fischführer) anheuern. Das Angeln mit Lebendködern und mit mehr als zwei Angelruten ist verboten. Speziell für Angler eingerichtete Unterkünfte und Wettbewerbe – oft regelrechte Volksfeste – verschönern weiterhin den Angelurlaub.

Broschüren: Drei mal »Angling« (Meeresangeln; Lachs, Meerforelle, Bachforelle; übrige Fische) – Fangzeiten, Fanggebiete, Angelwettbewerbe, Angelschulen, Lizenzen, Unterkunftszentren u. v. m.; »Angelurlaub in der Shannon-Region«.

Nützliche Adressen: Department of the Marine Fisheries, Leeson Lane, Dublin 2, ✆ 01/6 78 54 44; Central Fisheries Board, Balnagowan House, Dublin 9, ✆ 01/8 37 92 06.

Fahrradfahren

Wer Fahrradtouren unternehmen will, sollte beachten, daß die Strekken in Irland bis auf die Kalksteinebene im Landesinnern zwar nicht alpin, aber doch konstant bergauf und bergab verlaufen. Regenschutzkleidung ist ein ›Muß‹. Die Irische Fremdenverkehrszentrale hat 23 lohnende Routen durch die schönsten Regionen zusammengestellt. Radtouren veranstaltet u. a. das Irische Jugendherbergswerk.

Neben verschiedenen privaten Vermietern (oft z. B. bei Jugendherbergen und Hostels) kann man sich gegen Hinterlegung einer Kaution bei zwei großen Firmen mit landesweiten Niederlassungen Bikes mieten: **The Bike Store,** Hauptniederlassung 58 Lower Gardiner Street, Dublin 1, ✆ 01/8 72 53 99. Die Räder können an einigen der vielen Niederlassungen zurückgegeben werden, wenn sie woanders ausgeliehen wurden. **Raleigh-Rent-a-Bike,** Hauptniederlassung Kylemore Road, Dublin 10, ✆ 01/6 26 13 33. Räder müssen da zurückgegeben werden, wo sie ausgeliehen wurden. Im Juli und August ist Vorbestellung sinnvoll.

Die Adressen aller Fahrradvermieter verschickt **Walking Cycling Ireland**, 40 Ashe Street, Tralee, Co. Kerry, ✆ 0 66/2 87 33, Fax 0 66/2 87 62. Über Routen und Vermieter informieren auch die örtlichen Tourist Informations. Karte: Half-Inch-Map im Maßstab 1 : 126 000.

Fluggesellschaften transportieren Räder im Rahmen der 20 kg-Gepäckregelung, bei der Bahn muß man ein Viertel des Fahrpreises, bei den Bussen der Bus Éireann 4.50 £ zahlen (Informationen zur Mitnahme des eigenen Fahrrads bei Bord Fáilte).

Broschüre: »Cycling«.

Golf

Golf ist Volkssport in Irland. Neben dem Angeln fahren wohl die meisten Urlauber wegen der vielen Golfmöglichkeiten nach Irland, zumal die über 400 Clubs auch Nicht-Mitglieder spielen lassen (für ca. 10–30 Ir£ pro Tag; 80 % haben 18-Loch-Plätze). Ausrüstungen und Golflehrer (*Pro;* ab 10 Ir£ für 45 Minuten) kann man vielerorts mieten. Sogar der Anfänger *könnte* also im traditionsreichen Royal Dublin, im feudalen Mount Juliet bei Kilkenny oder gar in Irlands berühmtestem Golf Club, Portmarnock bei Dublin, spielen (*green fees* um die 50–100 Ir£).

Er sollte jedoch besser auf einer der sieben *Driving Ranges* mit ihren Übungsbahnen beginnen. Mit wachsender Geschicklichkeit käme dann ein *Pitch and Putt*-Platz mit seinen bis zu 70 m langen Bahnen und dann einer der leichteren, in der entsprechenden Broschüre gekennzeichneten Familiengolfplätze in Frage. Vor allem in den bekannteren Clubs sollte man sich auf alle Fälle frühzeitig anmelden.

Broschüren: »Jameson's Golfers' Guide to Ireland«, »Golfing Ireland«; Pitch and Putt Union of Ireland, Long Mile Road, Dublin 12, ✆ 01/4 50 92 99.

Jugendferien

Studenten, die in Irland Auslandssemester belegen wollen, sollten von Bord Fáilte die Broschüre »Study in Ireland« anfordern.

Auskunft erteilen auch Trinity College, College Green, Dublin 2,

✆ 01/6 08 13 96 ; University College, Belfield, Dublin 4, ✆ 01/2 69 32 44; Dublin City University, Glasnevin, Dublin 9, ✆ 01/7 04 50 00.

Au Pair-Aufenthalte vermittelt die Zentrale für Arbeitsvermittlung, Abt. 21.11., Feuerbachstr. 42–44, 60325 Frankfurt/M., ✆ 0 69/7 11 10, Arbeitsmöglichkeiten die Auslandsvermittlung des Arbeitsamtes unter derselben Adresse.

Das Infoblatt »Jugendferien« von Bord Fáilte führt eine komplette Adressensammlung auf, von kunsthandwerklichen, archäologischen, geologischen und Computerkursen über Umweltstudien und Schüleraustausch bis zu Seminaren für Folkloremusik und -tanz.

Schüleraustausch: Experiment e. V., Ubierstr. 30, 53175 Bonn, ✆ 02 28/95 72 20.

Mietboote

Als Freizeitkapitän kann jeder, der über 21 Jahre alt ist, auf dem auf 220 km schiffbaren Shannon und dem ihm angeschlossenen Wassersystem (Lough Key, Lough Ree, Lough Derg, Grand Canal, Barrow) auch ohne nautische Vorkenntnisse einen Kabinenkreuzer mieten (für 2–8 Personen mit Küche und sanitären Einrichtungen; Fahrgeschwindigkeit ca. 10 km pro Stunde; Dieselmotor). Mitglieder der IBRA (Irish Boat Rental Association) werden staatlich kontrolliert (z. B. Athlone Cruisers, Jolly Mariner, Athlone, Co. Westmeath, ✆ 09 02/7 28 92 für Shannon; Celtic Canal Cruisers Ltd., Tullamore, Co. Offaly, ✆ 05 06/2 18 61 für Grand Canal). Seit jüngstem verbindet der 62 km lange, frisch renovierte Shannon-Erne-Kanal Republik Irland und Nordirland (Lough Erne). Marinas – Basen, in denen man Boote mieten, Verpflegung einkaufen und feste sanitäre Einrichtungen benutzen kann – sind Athlone, Carrick-on-Shannon, Killaloe, Banagher, Portumna, Williamstown, Robertstown, Tullamore und ganz neu Belturbet. Führer und Navigationskarten erhält man bei ✆ 01/6 77 75 10. Diese sehr gemütliche Art, Irland kennenzulernen, eröffnet vor allem ›hautnahe‹ Einblicke in Tier- und Pflanzenwelt der Flußbiotope.

Broschüre: »Cruising«.

Naturerlebnis

Irland bietet dem Naturliebhaber an die 70 Naturschutzgebiete und zwölf vornehmlich der Erholung dienende **Forest Parks**, z. B. bei Portumna und Avondale sowie am Gougane Barra Lake (Broschüre »The Open Forest« bei den Fremdenverkehrsämtern in Irland und Coillte Teoranta, The Irish Forestry Board, Leeson Lane, Dublin 2, ✆ 01/6 61 56 66).

Im IPCC Guide to the Irish Peatland findet man Zugang, Besichtigungsmöglichkeiten sowie Erklärungen zu Fauna, Flora und Geologie für die irischen **Moore**. Führer sowie Broschüren dazu gibt es bei der Schutzvereinigung Irish Peatland Conservation Council, 3, Lower Mount Street, Dublin 2, ✆ 01/8 72 23 97.

Ganzjährig lohnen sich **Vogelbeobachtungen** – auch im Winter, wenn die Zugvögel aus Grönland und Island an den irischen Seen und

Küsten eintreffen. The Irish Wildbird Conservancy, Rutledge House, 8 Longford Place, Monkstown, Co. Dublin, ✆ 01/2 80 43 22, informiert über konkrete Beobachtungsmöglichkeiten, so um Wexford Harbour, Saltee Islands vor Kilmore Quay, Old Head of Kinsale, Cape Clear, Puffin, Little Skellig und Clare Island, Cliffs of Moher, Lough Corrib und Horn Head. Des weiteren erteilt Auskünfte zum Thema Naturschutz der Wildlife Service, Adresse s. o. Forestry Board.

Rund ums Pferd

Vom Connemara-Pony über den *Hunter,* eine Mischung aus Vollblut und Zuchtpferd, bis hin zum schweren Zugpferd und zum Vollblut hält Irland jedes Temperament für den Pferdeliebhaber bereit. Reiterferienhöfe, Ställe, Reiterhotels, die der AIRE (Association of Irish Riding Establishment) angeschlossen sind, unterliegen wiederum ständiger staatlicher Kontrolle. Es gibt *Post-to-Post-Trails* mit täglich wechselnden Quartieren und *Based Trails* mit einem festen Standquartier. Reiter und solche, die es werden wollen, können Dressur- und Springunterricht nehmen, ›Feinschmecker‹- oder sonstige Touren unternehmen oder sogar an Jagden (meist Fuchsjagden) teilnehmen – hier wird allerdings Könnerschaft gefordert; Jagdsaison ist von Oktober bis März.

Das bekannteste Galopprennen ist das Irish Derby auf der Curragh-Rennbahn in Kildare am letzten Juni-Wochenende; auch in Leopardstown, Co. Dublin (ganzjährig) und in Listowel, Co. Limerick (Ende September) finden größere Rennen statt. Die feine, ›britische‹ Dublin Horse Show und der rauhe, ›keltische‹ Pferdemarkt im Arbeiterviertel Smithfield sind charakteristisch für das Dubliner ›Kontrastprogramm‹ (s. S. 93): hier der aristokratische Südteil der Stadt, dort der proletarische Nordteil. Weitere traditionsreiche Veranstaltungen sind die Connemara-Ponyschau Ende August in Clifden – das gutmütige und robuste Connemara-Pony darf laut Züchterstand nicht höher als 1,48 m werden – und der Pferdemarkt der Ballinasloe (Co. Galway) Annual October Fair.

Jeden Dienstag und Donnerstag Abend von Mai bis Mitte September kann man kostenlos bei den Polospielen im Dubliner Phoenix Park zusehen (All Ireland Polo Club, Phoenix Park, Dublin 8, ✆ 01/6 77 62 48).
Broschüre: »Equestrian«.

Segeln

Irland ist ein ideales, allerdings nicht für Anfänger zu empfehlendes Segelrevier, am beliebtesten an der Südwestküste zwischen Cork und Dingle, aber auch am Lough Derg, in Rinville bei Galway, Clifden, Westport und Sligo. Da vor allem die Südwestküste über ein gutes Leuchtfeuersystem verfügt, ist auch Nachtsegeln möglich. Vorsicht bei den schnell aufziehenden Nebelfeldern und gehöriger Abstand zur Küste wegen der Thunfischnetze wird empfohlen.

Der Royal Yacht Club von Crosshaven/Cork, 1720 gegründet, ist der älteste Jachtclub der Welt. Jachten mit und ohne Besatzung kann man vor allem an der Südwestküste und rund um den Lough Derg chartern. Segelschulen gibt es z. B. in und um Dublin, in Cobh, Baltimore und Galway. Alle diesbezüglichen Infos erteilt: Irish Marine Federation, Confederation House, 84–86 Lower Baggot Street, Dublin 2, ✆ 01/6 60 10 11, Fax 01/6 38 15 27.

Die eigene Jacht darf für den Urlaub zollfrei eingeführt werden. Bei Anlaufen des ersten Hafens wird die »Q«-Flagge gezeigt. Alle seglerischen Informationen (Küstenbeschaffenheit, Reparaturmöglichkeiten, Hafenpläne, Gezeiten u. a.) geben die beiden Bände »Irish Cruising Club Sailing Directions«, herausgegeben und zu beziehen von Irish Cruising Club, Mrs. B. Fox-Mills, The Tansey, Bailey, Co. Dublin, ✆ 01/8 32 28 23.

Weltbekannte Rennen sind die Cork-Woche (Mitte Juli in Jahren mit gerader Zahl) und das Cork Dry Gin Round-Ireland (Juni in Jahren mit geraden Zahlen). Dachverband: Irish Sailing Association, 3 Park Road, Dun Laoghaire, Co. Dublin, ✆ 01/ 2 80 02 39.
Broschüre: »Sailing«.

Sprachferien

Englischsprachferien für Jugendliche und Erwachsene, Anfänger und Fortgeschrittene kann man z. B. in Dublin, Cork, Galway, Donegal und Waterford buchen. Kulturelle und sportliche Rahmenprogramme sind ebenso inbegriffen wie die Unterbringung, oft in irischen Gastfamilien. In der Broschüre »Englisch Lernen in Irland« sind zahlreiche vom Department of Education ständig überprüfte Sprachschulen samt Kontaktadressen aufgeführt.

Besonders beliebt sind die **Summer Schools** für Erwachsene; die Synge Summer School in Rathdrum (Juni), James Joyce Summer School am University College Dublin (Juli) und Yeats International Summer School in Sligo (August) gehören zu den bekanntesten.
Broschüren: »Englisch Lernen in Irland«; »Cultural Courses«.

Wandern

Vielleicht die schönste Art, Land und Leute genau kennenzulernen. Regenschutz, warme Pullover und rutschfeste, wasserabweisende Wanderschuhe oder in sehr feuchten Gebieten auch Gummistiefel fordert das bekannte irische Klima (s. S. 14). Die Gefahren der einsamen irischen Bergwelt, in der man oft stundenlang auf keine Menschenseele trifft, der Wetterumschwünge, rutschigen Geröllpisten und der bis auf die Weitwanderrouten weitgehend fehlenden Markierungen sollte man nicht unterschätzen – auch wenn die irischen Berge nicht höher als 1000 m sind. Geben Sie deshalb vor längeren Touren in ihrer Unterkunft Bescheid, damit man Sie suchen kann, wenn Sie sich – trotz Kompaß und guten Kartenmaterials – verlaufen oder verletzt haben.

Zum guten **Wanderton** gehört es, die zahlreichen Tore und Gatter, die die eingezäunten Felder und Weiden begehbar machen, hinter sich zu schließen; sich in landwirtschaftlich genutztem Gebiet auf den Wegen zu halten (die meisten kleinen Sträßchen in Irland, die *Boreens,* sind, da sie der Landwirtschaft dienen, geteert); keine Hunde mitzunehmen, da viele Wege durch Weideland führen; die Cairns, Steinhaufen oder -männer zur Markierung der Wege, zu erhalten und durch eigene ›Steingaben‹ aufzustocken; es versteht sich von selbst, daß man Feuerrisiken vermeidet, seinen Abfall mitnimmt, Hecken und Mauern nicht beschädigt und Tiere und Pflanzen schützt.

25 mit einem gelben Pfeil und Wanderpiktogrammen ausgeschilderte **Weitwanderrouten** führen durch die schönsten Gegenden der Insel. Informationen und Karten zu jeder einzelnen Tour verschickt auf Anforderung Bord Fáilte.

So führt der knapp 70 km lange *Aran Island* Way, beginnend am Hafen von Kilronan auf Inishmore, über die drei Aran-Inseln; der *Wicklow Way* über 132 km von Marlay Park bei Dublin durch die Wicklow Mountains nach Clonegal im Co. Carlow; der *Munster* Way über 65 km von Carrick-on-Suir über die Panoramastraße The Vee; der 215 km lange *Kerry Way* von Killarney einmal rund um die Halbinsel; der 153 km lange *Dingle Way* von Tralee einmal um Dingle; der nur 23 km kurze *Burren Way* von Ballyvaughan nach Ballinalacken. Gekennzeichnete kürzere Wanderungen führen durch die zwölf Forest Parks (s. S. 244).

Karten und Literatur: Ordnance Survey-Karten der »Discovery Series« im Maßstab 1:50 000, 1997–99 neu aufgelegt. Erhältlich bei: Map Sales Office, Ordnance Survey Office, Phoenix Park, Dublin, ✆ 01/8 20 64 39, Fax 01/8 22 09 79. Wanderführer: Joss Lynam (Hrsg.), Best Irish Walks, Gill & Macmillan 1996.

Broschüre: »Walking« (mit Übersichtskarte, genauen Infos zu den Routen, Liste von Wanderferienveranstaltern).

Dachverband der Bergwanderer und -steiger: Mountaineering Council of Ireland, House of Sport, Long Mile Road, Dublin 12, ✆ 01/4 50 98 45.

Zigeunerwagen

In Tralee, Portlaoise und Wicklow kann man einen für bis zu vier Personen eingerichteten, pferdegezogenen Zigeunerwagen mit Kochmöglichkeit mieten, mit dem man dann pro Tag bis zu 15 km gemütlich über verkehrsarme Straßen zockelt. Die *Travellers* (s. S. 107), die bis in die 60er Jahre teilweise noch mit diesen Wagen durchs Land zogen, überlassen heute den Touristen diese ›romantische‹, aber nicht besonders luxuriöse Art des Reisens. Das bißchen Pferdeverstand, das man zum Führen des Gefährts und seiner lebendigen PS braucht, bekommt man von dem Vermieter vor Antritt der Fahrt beigebracht. Viele praktische Tips gibt auch die bei der Irischen Fremdenverkehrszentrale erhältliche Broschüre »Irland: Zigeunerwagen«.

Vermieter: Mayo Horsedrawn Caravan Holidays, Belcarra, Castlebar, Co. Mayo, ✆ 0 94/3 20 54; Into the West, Pallas, Tynagh, Loughrea, Co. Galway, ✆ 05 09/4 51 47; Kilvahan Horse Drawn Caravans, Kil vahan, Portlaoise, Co. Laois, ✆

05 02/2 70 48; Clissman Horse Drawn Caravans, Carrigmore, Co. Wicklow, ✆ 04 04/4 81 88; Slattery's Horse Drawn Caravans, 1 Russell Street, Tralee, Co. Kerry, ✆ 0 66/ 2 40 88.

IM REISETEIL NICHT ERWÄHNTE SEHENSWÜRDIGKEITEN

Im ganzen Land findet der aufmerksame Reisende, oft zufällig während der Fahrt oder in der Landkarte, unzählige Denkmäler wie Hügelfestungen, Steinforts, Megalithgräber und vor allem Kirchen und Abteien, meist in Ruinen und nicht gerade spektakulär, aber nichtsdestotrotz schön mit einem Spaziergang zu verbinden und in landschaftlich reizvoller Umgebung.

Burgen und Herrenhäuser

Carrigglas Manor (Co. Longford), 5 km nordöstlich von Longford an der R 194 nach Ballinalee. Landhaus im Neo-Tudorstil mit georgianischem Hof und vielen Jane Austen-Assoziationen (geöffnet Anfang Juni–Anfang September täglich 14–18, Tea Room, Ferienwohnung s. S. 223).

Cratloe Woods, Cratloe (Co. Clare), 8 km nordwestlich von Limerick an der N 18 nach Ennis. Herrenhaus des 17. Jh., einziges noch bewohntes Beispiel des Langhaus-Typus (geöffnet werktags 10–17, Juni–September auch an Wochenenden 11–17; Café).

Drimnagh Castle, Longmile Road, Dublin 12 (Co. Dublin), 5 km südwestlich der City. Jüngst restauriertes Tower House des 13. Jh., vollständig von Wassergraben umgeben, formaler Garten des 17. Jh. (geöffnet April–Oktober Mi, Sa, So, Oktober–März Mi, So 12–17).

Fota House, Wildlife Park, Carrigtwohill (Co. Cork), 14 km östlich von Cork an der N 25 nach Youghal. Regency-Herrenhaus von 1820 mit Sammlung irischer Landschaftsmaler, Arboretum, Bienengarten, teils exotische Tiere (geöffnet April–Oktober täglich 10–18; November–März Mo–Fr 10–17).

Newbridge House, Donabate (Co. Dublin), 20 km nördlich von Dublin an der R 126 (Abzweig von der M 1 nach Belfast). Georg. Herrenhaus des 18. Jh. Roter Salon mit Gemälden des 18. und 19. Jh., Kuriositätensammlung, Museum zum irischen Landleben im 18. Jh. (geöffnet April–September Di–Fr 10–17, Sa 11–18, So und Feiertage 14–18; Oktober–März Wochenenden 14–17; Restaurant).

Riverstown House, Glanmire (Co. Cork), 6 km nordöstlich von Cork an der N 8 nach Dublin. Hübsches ge-

orgianisches Landhaus des 18. Jh. (geöffnet Mai–Mitte September, Mi–Sa 14–18).
Russborough House, Blessington (Co. Wicklow), 30 km südwestlich von Dublin auf N 81. Georgianisches Herrenhaus des 18. Jh., berühmte Beit-Kunstsammlung, Stuckdecken (geöffnet April, Oktober So 10.30–17.30, Mai, September Mo–Sa 10.30–14.30, So 10.30–17.30, Juni–August täglich 10.30–17.30).
Thoor Ballylee (Co. Galway), ca. 30 km südwestlich von Galway, nahe N 66 Gort/Loughrea. Tower House des 16. Jh., von William Butler Yeats bewohnt, heute Yeats-Museum mit rekonstruierter Einrichtung (Ostern–September 10–18; Restaurant).

Gärten und Parks

Anne Grove Gardens, Castletownroche (Co. Cork), ca. 40 km nördlich von Cork an der N 72 Mallow/Fermoy. Kräutergarten, alte Hecken, Felsengarten, Seerosen und viele Gehölze am wildromantischen Ufer des Awbeg (geöffnet 17. März–September Mo–Sa 10–17, So 13–18).
Creagh Gardens, Creagh (Co. Cork), 6 km südwestlich von Skibbereen an der R 595 nach Baltimore. Dschungelgarten in flachem Gewässer (geöffnet März–Oktober täglich 10–18).
Fernhill Gardens (Co. Dublin), 11 km südlich von Dublin an der R 117 nach Enniskerry. Stein- und Wassergarten, Rosengarten (März–Oktober Di–Sa 11–17, So 14–18).
Johnstown Castle Demesne (Co. Wexford), 5 km südwestlich von Wexford. Wunderschöner Garten mit Seen um neogotisches Schloß, Landwirtschaftsmuseum (geöffnet täglich 9–17, Museum Sa/So erst ab 14).
Kilruddery House, Bray (Co. Wicklow), 2,5 km südlich von Bray, etwas abseits der R 761 nach Greystones. Einziger originaler irischer Garten aus dem 17. Jh. um ein Herrenhaus (geöffnet Mai, Juni und September täglich 13–17, Garten April–September 13–17).
Mount Usher Gardens, Ashford (Co. Wicklow), 40 km südlich von Dublin an der N 11 nach Wexford. Über 4000 Bäume, Sträucher und Büsche aus aller Welt (geöffnet 17. März–Oktober 10.30–18, So 11–18).

Broschüre: »Gardens of Ireland.«

Inseln

Cape Clear Island (Co. Cork), 13 km südwestlich von Baltimore (R 595 südwestlich von Skibbereen), 140 gaelischsprachige Bewohner. Reste einer Kirche des 12. Jh. an Stelle einer Klostergründung des hl. Ciaran, Heritage Centre, Wanderroute. Féile Chiaráin-Musikfestival am 4./5. März; Kunstfest letztes Augustwochenende. Ganzjährig Fähre täglich von Baltimore, Juni–August von Schull, B & B, Jugendherberge.
Inishbofin (Co. Galway), 12 km westlich vor Cleggan (15 km westlich von Letterfrack), 180 Bewohner. Zwei Kirchenruinen, von Grace O'Malley frequentiertes Tower House. Im Sommer dreimal täglich Fähre von Cleggan, Oktober–Ostern einmal, drei Hotels, Restaurants, traditionelle Musik in den Hotels und im Pub.
Inishmurray (Co. Sligo), 6 km nordwestlich vor Streedagh Point (15 km

nördlich von Sligo), unbewohnt seit 1950. Eine der besterhaltenen frühchristlichen Klostersiedlungen, gegründet im 6. Jh. vom hl. Molaise; drei Kirchen, Bienenkorbhütten und dekorierte Grabsteine. Mietboote von Rosses Point, Mullaghmore und Streedagh im Sommer bei gutem Wetter.

Scattery Island (Co. Clare), 3 km südlich von Kilrush im River Shannon; die letzten Bewohner verließen die winzige Insel 1987. Rundturm und vier Kirchen, Reste des zu Beginn des 6. Jh. vom hl. Senan gegründeten bedeutenden Klosters. Im Sommer Fähre vom Ort Kilrush mit seinem Seglerzentrum, Infos im Besucherzentrum dort (Mitte Juni–Mitte September täglich 9.30–18.30).

Broschüre: »Islands«.

Megalithische Denkmäler

Beltany Stone Circle (Co. Donegal), ca. 20 km südöstlich von Letterkenny, hinter Raphoe, großer Steinkreis mit 60 Megalithen, nach kurzem Weg weiter Rundumblick vom Plateau.

Creevykeel Court Cairn, Creevykeel (Co. Sligo), ca. 25 km nördlich von Sligo an der N 15 nach Bundoran. Keilförmiger Cairn aus dem 3. Jt. v. Chr. mit *court,* dahinter zweigeteilte Grabkammer und frühchristliche Eisenschmelze an der Nordwestecke.

Piper's Stones, Athgreany (Co. Wicklow), ca. 40 km südwestlich von Dublin an der N 81 nach Enniscorthy, kleines Schild, dann kurzer Fußmarsch durch Viehweiden. Steinkreis mit 13 Monolithen, vermutlich Bronzezeit. Hier sollen die Feen musizieren – daher der Name des Ortes.

Sliabh na Cailllighe (gael. ›Berg der Hexe‹, Co. Meath; auch **Loughcrew** genannt), ca. 18 km nordwestlich von Kells, kleine Straße abseits der R 154 nach Oldcastle (geöffnet Mitte Juni–Mitte September täglich 10–18). Auf zwei Hügeln westlich und östlich des Parkplatzes, Aufstieg mit phantastischem Blick bis Nordirland, ca. 30 teils noch nicht ergrabene Ganggräber; die Grabkammern der größten Cairns – jeweils auf der Hügelspitze – sind begehbar; 2. Hälfte 3. Jt. v. Chr.

REISEINFORMATIONEN VON A BIS Z

Auskunftsstellen

Touristen Informationen finden sich in jedem größeren Ort, viele Zweigstellen werden während der Saison zusätzlich eröffnet; sie bieten Stadtpläne, Listen der örtlichen Sehenswürdigkeiten und Unterkünfte, einen Buchungsservice für letztere und dienen oft auch als Souvenir- und Buchläden. Seit neuestem bietet das in den örtlichen Informationsbüros installierte Computer-Informations- und Reservierungssystem ›**Gulliver**‹ zusätzlichen aktuellen Service über Veranstaltungen, Sehenswürdigkeiten, Transport u. v. m. (geöffnet Mo–Fr 9–17/18, Sa 9–13, oft über Mittag geschlossen; komplette Liste bei Bord Fáilte).

Deutsche Botschaft in Irland:
31 Trimleston Avenue
Booterstown (Co. Dublin)
✆ 01/2 69 30 11

Österreichische Botschaft in Irland:
15 Ailesbury Courts, 93 Ailesbury Road
Dublin 4
✆ 01/2 69 45 77

Schweizer Botschaft in Irland:
6 Ailesbury Road
Dublin 4
✆ 01/2 69 25 15

Goethe-Institut:
37 Merrion Square
Dublin 2
✆ 01/6 61 11 55

Baden

Obwohl Irland kein klassisches Reiseland für Badeferien ist, gibt es doch angenehme, klimatisch den Seebädern an Nord- und Ostsee vergleichbare Badeorte, besonders an Ost- und Südküste mit britischem Flair. Außerdem sind die irischen Strände die saubersten Europas. Südlich von Wicklow bis nach Rosslare erstreckt sich ein fast durchgängiger Sandstrand, bis zu 15 km lange Sandstrände liegen bei Dungarvon, Youghal, Balleycotton, an der Nordküste der Dingle-Halbinsel, südlich von Donegal und auf Achill Island. FKK ist nirgendwo erlaubt.

Behinderte

Die neue, kostenlose Broschüre »Carefree Journeys and Holidays« informiert umfassend über behindertengerechte Unterkünfte, Transport, Blindenhunde, Parkplätze etc. Reitferien für Behinderte werden vermittelt über: Hon. Secretary, Mrs. N. Kingston, RDAI, 28 Castlepark Road, Sandycove, Co. Dublin, ✆ 01/2 85 74 28.

Feste und Feiertage

1. Januar, 17. März (St.-Patricks-Tag), Karfreitag, Ostermontag, 1. Mo im Mai (Jahrestag des ersten Gewerkschaftskongresses), 25. und 26. Dezember sowie die *Bank Holidays* am

1. Mo im Juni und August und letzten Mo im Oktober. Je 2 Wochen Ferien um Ostern und Weihnachten, 6 Wochen vom 15. Juni bis 1. September.

Geld und Geldwechsel

Das Irische *Punt* (ca. DM 2,50), meist *Pound* genannt, ist in 100 *Pence* unterteilt; Münzen zu 1 p, 2 p, 5 p, 10 p, 20 p, 50 p und 1 Ir£ sowie Scheine zu 5 Ir£, 10 Ir£, 20 Ir£, 50 Ir£ und 100 Ir£ sind z. Zt. im Umlauf.

Der Wechselkurs ist in Irland selbst (bei Banken, größeren Postämtern und Hotels, Tourist-Information-Büros, Reisebüros und auf Flughäfen) nicht günstiger als bei einem heimatlichen Geldinstitut. Banken und die größeren Postämter, Hotels, Restaurants und auch größere Geschäfte nehmen Euro- und Reiseschecks sowie internationale Kreditkarten an. An den meisten Banken gibt es EC-Automaten zum Abholen von Bargeld rund um die Uhr.

Öffnungszeiten der Banken: Mo–Fr 10–16, in Dublin Do bis 17 Uhr. Flughafen Dublin: täglich 6–22; Flughafen Shannon: täglich 7.30–22; Flughafen Cork: Mo–Fr 10–17, Sa/So 11–17.

Gesundheit

Mitglieder der gesetzlichen Krankenversicherungen in Deutschland können sich das Formular E 111 aushändigen lassen, mit dem sie bei Erkrankungen kostenlose Behandlung durch Kassenärzte beanspruchen können. Will man den Arzt frei wählen können, sollte eine Auslandskrankenversicherung abgeschlossen werden. Privatversicherte können ihren Versicherungsschutz gegen eine Beitragserhöhung auf das Ausland erweitern. Schweizer müssen die Behandlungskosten vorstrecken oder sollten für die Reisezeit eine Zusatzversicherung abschließen.

Ca. 160 Rinder sind in Irland bislang an der **BSE** (Bovine Spongiforme Enzephalopathy) gestorben, die höchstwahrscheinlich beim Menschen die tödliche Creutzfeldt-Jacob-Krankheit auslösen kann – wenig im Vergleich zu Großbritannien, aber immer noch genug. Experten vermuten, daß zudem Zehntausende britischer Rinder über Irland in den kontinentalen Fleischverkauf geschmuggelt wurden und werden. Wer auf Nummer Sicher gehen will, meide auch im Urlaub Rindfleisch in allen Formen; die Fisch, Lamm und Geflügel anbietenden Speisekarten machen es einem leicht.

Gewichte und Maße

Im Zuge des europäischen Binnenmarktes wurden die alten, von England übernommenen Maße offiziell durch das metrische System ersetzt. Letztes nostalgisches Relikt: Ein *Pint of Guinness* bleibt 0,5694 l!

Internet

Infos aller Art und Prospektbestellservice stehen unter http://www.ireland.travel.ie oder http://www.irland-urlaub.de im Internet.

Junge Leute

Ermäßigungen für Studenten und Schüler bieten Flug- und Fährgesellschaften und die Bahn. Bahn und Bus in Irland sind um die Hälfte billiger für Jugendliche unter 26 Jahren (Rambler Ticket, eine Netzkarte für 8 oder 15 Tage mit Bus oder/und Bahn) oder für Schüler und Studenten, die sich einen Berechtigungsschein (Travel Save Stamp) besorgt haben bei: USIT-Travel Company of Ireland, 19–21 Aston Quay, Dublin 2, ✆ 01/6 77 81 17, oder in Deutschland, Bergerstr. 76, 60316 Frankfurt/Main, ✆ 0 69/43 08 90 11 (für 7 Ir£, Internationaler Studentenausweis erforderlich). Jugendherbergen und Hostels s. S. 238, Jugendferien s. S. 243.

Leihwagen

Zahlreiche nationale und internationale Leihwagenfirmen stellen Autos (mit dem Lenkrad auf der rechten Seite) zur Verfügung, vor allem in Fähr- und Flughäfen und in den großen Städten. Adressen finden Sie in der Broschüre »Irland – Europas Grüne Ferieninsel«. Haben Sie ein Pauschalangebot genommen, gibt es keine Kilometerbegrenzung. Man muß zwischen 21 bzw. 25 und 70 Jahren alt sein, um in Irland einen Wagen mieten zu können. Motorräder oder Mopeds gibt es nicht zu mieten.

Mehrwertsteuererstattung

Für Reisende aus Deutschland und Österreich entfiel mit der Einführung des EU-Binnenmarkts die Mehrwertsteuerrückerstattung. Schweizer bekommen in ca. 2000 irischen Geschäften, die dem sog. Cashback-System angeschlossen sind, einen Gutschein, den sie in den Flughäfen Dublin und Shannon oder am irischen Zoll des Fährhafens in Bargeld einlösen können.

Musikveranstaltungen

Obwohl es in den größeren Städten, vor allem in Dublin, einige Diskotheken gibt, unterhält man sich doch abends ›irischer‹ in den Pubs bzw. den sog. *Singing Pubs,* wo sich Profis und Nichtprofis unter Mitwirkung des Publikums zum Musikmachen zusammenfinden; dort kommt dem Besucher jedoch öfter als traditionelle Musik Pop, Rock und Country Music zu Ohren (meist erst ab etwa 21.30). Über die während des ganzen Jahres stattfindenden *Fleadhs* (Wettbewerbe für traditionelle irische Musik) und *Seisiúns* (Folkabende) informiert der Dachverband der traditionellen irischen Musiker: Comhaltas Ceoltóirí Éirean, 32 Belgrave Square, Monkstown, Co. Dublin, ✆ 01/2 80 02 95.

Notruf

✆ 9 99 (landesweit, ohne Münzeinwurf, für Polizei, Feuerwehr und Krankenwagen).

Öffnungszeiten

Geschäfte: Mo–Sa 9–17.30/18. Da kein Ladenschlußgesetz existiert, haben viele Läden, auch Supermärkte, bis weit in den Abend und auch So geöffnet. **Apotheken:** Mi nachmittags geschlossen; Banken s. S. 252; Pubs s. S. 239; Tankstellen s. u.

Allgemein sollte man – auch den per Schild an einem Gebäude wie z. B. einem Museum angeschlagenen – Öffnungszeiten mit viel Toleranz begegnen, auf keinen Fall mit übertriebenen Pünktlichkeitsansprüchen. Vielzitiertes irisches Sprichwort: Als Gott die Zeit schuf, hat er genug davon gemacht.

Post

Öffnungszeiten: Mo–Fr 9–17.30, Sa 9–13, in ländlichen Gegenden über Mittag geschlossen. Ein Brief in EU-Länder kostet 32, eine Postkarte 28 p (Nicht-EU-Länder 44 bzw. 37 p).

Souvenirs

Die klassischen Mitbringsel aus Irland stammen von den *Woolies:* Aran-Strickwaren, Tweed aus Donegal oder Erzeugnisse der Weber aus den Wicklow-Bergen bekommt man mittlerweile nicht nur an ihren Entstehungsorten, sondern im ganzen Land. Die Preise variieren erheblich; man kaufe darum nie in den touristischen Hochburgen, sondern eher in ›normalen‹ Bekleidungsgeschäften. Daneben sind Waterford-Kristall, Keramik, Porzellan, Spitzen und Silberschmuck zu haben, wobei das Angebot von verkitschter Massenware für die amerikanischen ›Ausgewanderten‹ bis zu handwerklich und ästhetisch recht überzeugenden Produkten reicht. Daneben werden die natürlichen Ressourcen des Landes touristisch aufbereitet: Töpfe mit *Shamrock*-Samen (die dreiblättrige Pflanze für den St. Patricks-Tag, s. S. 201), getrocknete Blumen, Räucherlachs und natürlich der gute irische Whiskey.

Strom

Nicht die Stromspannung (auch 220 Volt) ist das Problem, sondern die Stecker mit der Commonwealth-Norm. Bringen Sie sich daher am besten einen Adapter mit, der drei Stifte, angeordnet in einem gleichschenkligen Dreieck, aufweisen muß. Für Rasierapparate und alle elektrischen Geräte mit Flachsteckern gibt es oft gesonderte Steckdosen.

Tankstellen

Öffnungszeiten: 9–18, in den größeren Städten einige mit 24-Stunden-Dienst, So beschränkte Öffnungszeiten. Es gibt:

Super verbleit (Super Leaded)	97 Oktan
Super Plus bleifrei (Super Plus Unleaded)	98 Oktan
Benzin bleifrei (Unleaded)	95 Oktan
Diesel	(Derv)

Bleifreies Benzin bekommt man an allen Tankstellen. Der Kraftstoff ist mittlerweile etwas billiger als in Deutschland. Reifendruck wird in *pounds per square inch* (psi) gemessen.

atü:	1	1,4	1,8	2	2,4
psi:	14	20	26	28,5	34,5

Taxi

Gibt es in den größeren Städten. Der Mindestfahrpreis beträgt etwa 1,80 £, jede Meile oder 9 Minuten kosten 75 Pence. Die Fahrt vom Dubliner Flughafen in die Innenstadt ist für etwa 10 £ zu haben.

Telefon

Der Selbstwähldienst auf den Kontinent funktioniert im allgemeinen gut, so daß man die für Ferngespräche ausgerüsteten Telefonzellen benutzen kann und nicht auf Hotels oder Postämter zurückgreifen muß. Die Vorwahl von Irland nach Deutschland ist 00 49, nach Österreich 00 43 und in die Schweiz 00 41, danach muß man die 0 der Ortskennzahl weglassen. 50 p ist der Mindesteinwurf für Auslandsgespräche (Ortsgespräch 20 p). Von Deutschland, Österreich und der Schweiz nach Irland muß man 00353 wählen und dann die 0 der irischen Ortskennzahl weglassen. Telefonkarten für die auch in Irland immer verbreiteteren Kartentelefone bekommt man bei den Postämtern und in Zeitschriftenläden.

Theater

Am lohnendsten ist wohl ein Besuch im Irischen Nationaltheater in Dublin, dem Abbey Theatre (Lower Abbey Street ✆ 01/8 78 72 22; s. S. 74f.), das irische Klassiker im Repertoire hat. Das Peacock Theatre im selben Haus bietet experimentelle Stücke, ebenso das Project Arts Centre (39 East Essex Street, ✆ 01/6 71 23 21). Gaiety Theatre (South King Street, ✆ 01/6 77 17 17) und Olympia Theatre (Dame Street, ✆ 01/6 77 77 44) bringen vor allem Varieté und Operetten, das Gate Theatre (1 Cavendish Row, ✆ 01/8 74 40 45) internationale Klassiker. In den Sommermonaten kann man im Trinity College zum sog. Lunch-Theater ›leichte Kost‹ in kulinarischer wie dramaturgischer Hinsicht zu sich nehmen.

In irischer Sprache werden Stücke im Galwayer An Taibhdhearc Theatre (s. S. 187) aufgeführt, wobei in den Sommermonaten zweisprachige Aufführungen mit folkloristischen Darbietungen speziell auf touristische Bedürfnisse zugeschnitten sind.

Veranstaltungen

Im jährlich neu bei Bord Fáilte erhältlichen »Calendar of Events« finden Sie in chronologischer Auflistung alle Veranstaltungen in Irland vom Pferderennen zur Sommerschule, von der Antiquitätenmesse zum Hurling-Spiel, von der Kunstausstellung zum Musikfestival. Über dort angegebene Kontaktadressen und die Tourist Offices können Sie Ihre Buchungen vornehmen.

Zeit

Irland gehört zur Zeitzone der Greenwich-Zeit oder WEZ. Irische Uhren gehen also im Vergleich zu Deutschland, Österreich und der Schweiz eine Stunde nach – 11 Uhr in Deutschland entspricht 10 Uhr in Irland.

LITERATUREMPFEHLUNGEN

Zum Schmökern

Zu den Klassikern s. S. 59 ff.

Banville, John: Das Buch der Beweise, Düsseldorf 1991 (deutsche Übersetzung des preisgekrönten Romans »The Book of Evidence« eines der bekanntesten zeitgenössischen irischen Schriftsteller)

Binchy, Maeve: Der grüne See, München 1996 (spannendes Mutter-Tochter-Drama von Irlands Rosamunde Pilcher)

Böll, Heinrich: Irisches Tagebuch, München 1961

Doyle, Roddy: Dublin Beat, Frankfurt/M. 1990 (das Buch zum erfolgreichen Film »The Commitments«)

Frauen in Irland. Erzählungen, hrsg. v. Viola Eigenberz und Gabriele Haefs, München 1990 (Anthologie mit Kurzgeschichten irischer Schriftstellerinnen)

Giordano, Ralph: Mein irisches Tagebuch, Köln 1996 (kritisch-liebevolles, zeitgenössisches Reisetagebuch der Nach-Böll-Aera)

Giraldus Cambrensis: Topography of Ireland, Dundalk 1951 (Reisebericht eines hohen Klerikers vom Hof Heinrichs II. von England vom Ende des 12. Jh., zeichnet ein unfreundliches Bild der Iren)

Heany, Seamus: Ausgewählte Gedichte 1965–1975, zweisprachig, Stuttgart 1996 (s. S. 61)

Hetman, Frederik: Die Reise in die Anderswelt, Feengeschichten und Feenglaube in Irland, Düsseldorf–Köln 1981

Llywelyn, Morgan: Grania, She-King of the Irish Seas, London 1987 (Roman über Grace O'Malley)

McCourt, Frank: Die Asche meiner Mutter, München 1996 (autobiographischer Roman einer katholischen Kindheit in den Slums von Limerick)

O'Brien, Edna: Das einsame Haus, Hamburg 1996 (große Erzählkunst zum Thema Gewalt: alte Dame trifft jungen IRA-Kämpfer, das Dilemma der irischen Teilung aus Josys Sicht)

O'Crohan, Tomás: Die Boote fahren nicht mehr aus. Bericht eines irischen Fischers, aus dem Englischen von Annemarie und Heinrich Böll, Göttingen 1988 (über das archaische Leben auf den Blasket-Inseln)

Parsons, Julie: Mary, Mary, München 1998 (Dublin-Thriller)

Ronan, Frank: Dixie Chicken, Frankfurt 1996 (ein ganz anderes Irland von einem Autor der ›jungen irischen Wilden‹, Sex, Drugs and Rock'n Roll)

Synge, John Millington: Die Aran-Inseln, London/Dublin 1907

Thackeray, William Makepeace: Die Memoiren des Barry Lyndon, Esq., aufgezeichnet von ihm selbst, Berlin o. Z.

The Táin, übersetzt von Thomas Kinsella, mit Illustrationen von Louis Le Brocquy, Oxford 1989 (lesbare ›Übersetzung‹ des größten irischen Epos)

Zaenker, Karl A.: Sankt Brandans Meerfahrt, Stuttgart 1987

Zur Fortbildung

Allen, Darina: Simply Delicious, Dublin 1989ff., Bde. 1 ff. (irische *Country House Style*-Küche und Rezepte)

Becket, James Camlin: Geschichte Irlands, Stuttgart 1982

Botheroyd, Sylvia: Irland – Mythologie in der Landschaft, Darmstadt 1996 (irische Sagen und Legenden sowie deren ›Schauplätze‹ auf der grünen Insel)

Botheroyd, Sylvia und Paul: Lexikon der irischen Mythologie, München 1992

Brandt-Förster, Bettina: Das irische Hochkreuz. Ursprung, Entwicklung, Gestalt, Stuttgart 1978

Cropp, J. Albrecht: Irland per Boot. Shannon, Barrow, Grand Canal, Erne, Würzburg 1984

Dublin. Stadt und Kultur, von C. Oeser/J. Schneider/R. Sotschek, Darmstadt 1992

Flanagan, Mel: Golf – Spiel mit dem Kopf, Aachen 1987 (speziell über irische Golfplätze)

Gormley, John: The Green Guide for Ireland, Dublin 1990

Harbison, Peter: Guide to the National Monuments in the Republic of Ireland, Dublin 1992 (alle Monumente in Staatsbesitz bis zum Ende des Mittelalters)

irland journal, Moers, erscheint vierteljährlich (Hintergrundberichte, Reisetips, Literatur und Musik, Veranstaltungen etc.)

Jäger, Helmut: Irland, Darmstadt 1990 (Wiss. Länderkunde)

Kettler, Wolfgang: Irland per Rad, Berlin 1994

Köhl, Stefan/Woods, Armin: Irische Lieder, Köln 1986

Oeser, Hans-Christian: Treffpunkt Irland. Ein literarischer Reiseführer, Stuttgart 1996

Reden, Sybille von: Die Megalith-Kulturen. Zeugnisse einer verschollenen Urreligion, Köln 1982

Richter, Michael: Irland im Mittelalter. Kultur und Geschichte, Stuttgart 1983

Sotschek, Ralf: Gebrauchsanweisung für Irland, München 1996 (kritisch-humorige Bestandsaufnahme der irischen Seele)

Sotschek, Ralf u. a.: Dublin Preiswert, Freiburg 1991

Taylor, Sybil: The Bushmills Irish Pub Guide, Appletree Press 1994 (250 Pubs beschrieben)

Tieger, Gerhild: Irland. Landschaften, Pflanzen- und Tierwelt, Hannover 1987

REGISTER

Achill Island **204**, 250
Achill Sound 204
Act of Union 37
Adams, Gerry 55, 221
Adare 171, **172**
Aghadoe 151, 153
Aghagower 203
Ahenny 126
Ailwee Cave 178
Allen, Darina 134, 138, 257
Allihies 148
Annals of the Four Masters 212
Anne Grove Gardens 249
Annestown 125
Aran Islands 177, **187–191,** 247
Ardara 215
Ardmore 50, **134 f.**
Armagh (Nordirland) 200
Ashford Castle 52, **193**
Athlone 224
Atlantic Drive 215
Aughnanure Castle 192
Avoca 108, 113
Avonbeg 113
Avondale Forest Park 113
Avonmore 113

Ballingskelligs 44 f., **159**
Ballintubber Abbey 203
Ballydehob 143
Ballyhack 122
Ballymacoda 28
Ballyshannon 213
Baltimore **143**, 145, 246
Bantry 143 ff.
Barden 55, 57
Barrymore Castle 143
Barrow 14, 122 f., 244
Behan, Brendan 61, 73
Beckett, Samuel 61, 78
Belfast 220 f.
Beltany Stone Circle 250
Benbulben 208 f.
Bennettsbridge 128
Binns, Long John 89
Birr 228
Blackwater 14, 134
Blackwater Bog 227
Blarney Castle 139, 142
Blasket-Inseln 165
Bloody Foreland 215
Böll, Heinrich 12, 204
Bolus Head 157, 159
Book of Durrow 50, 228
Book of Kells 50, 79, 102
Boyle Abbey 223
Boyne 14, 37, 94, 95, 100 f., 105, 140, 216
Bray 108 f.
Brehonenrecht 31, 36, 175
Brendan 161, 175
Brian Boru 71, 130, 151, 168
Brigid 42, 114 f.
Brocan-Steinkreis 219
Brocquy, Louis Le 54, 78, 256
Browneshill Dolmen 45 f.
Bruce, Eduard 35
Bruton, John 39
BSE 251
Buchmalerei 50, 79
Buncrana **219**, 222
Bunratty Castle 172 ff.
Bürgerkrieg 38
Burgh, Chris de 63, 141
Burke, Edmund 60
Burren 16, **178 f.**, 247
Burriscarra Abbey 203
Butler von Ormond 35, 51 f., 125 f., 127
Butt, Isaac 38

Caha Mountains 145, 148, 156
Cahercommaun 179
Caherconree Promontory Fort 164
Cahersiveen 157, 159 f.
Cahir 133
Cape Clear Island 26 f., **249**
Carlow 27, **113**
Carndonagh 47, **219**
Carrauntoohil 151, 153
Carrick 55
Carrick-on-Suir 52, **125 f.**
Carrickahowley Castle 52, 197, 203, **204**
Carrickkildavnet Castle 204
Carrigglas Manor 223, **248**
Carrowmore 208
Casey, Eamonn 44
Cashel 131
Cassels, Richard 81, 202
Castlebar 205
Castledermot 114
Castletown House 52, **115**

Castletownbere 26, **148**
Castletownshend 143, 145
Céide Fields 204 f.
Charles Fort 52, **142 f.**
Charlton, Sir Jack 63
Chieftains 63, 203
Clare Island 17, **193**, 245
Clew Bay 195–204
Clifden **193 f.**, 242, 245
Cliffs of Moher **176 f.**, 245
Clogher Head 162 f., 165
Clonakilty 145
Clonalis House 223
Clonca 219
Clonfert 50, 57, **227**
Clonmacnoise 47, 80, **225–227**
Clontarf 35, 70 f.
Clonmines 141
Clonony Castle 227
Cobh 116 f., **138 f.**, 246
Columban von Bobbio 43 f.
Columkille 99, 102, 140, 209, 215
Cong Abbey 192 f.
Connaught 12, 97, **180 f.**, 203, 205
Connemara **193 ff.**, 242
Connemara National Park 193
Connolly, James 38
Cork 13, 20, 26, 52, 63 f., **135–138**, 245
Cormac Mac Airt 103 f.
Corrib 184
Cosgrave, William 31, 222
Crag Cave 168
Craggaunowen Project 175
Cratloe Woods 249
Creagh Gardens 248
Creeslough 218
Creevykeel Court Cairn 250
Croagh Patrick 42, **196–199**
Cromwell, Oliver 37, 94, **96 f.**, 118, 181, 184
Cuchullainn 42, 56, 64, 75, 164
Curran, John P. 9
Cusack, Michael 64

Davis, Thomas 38
Davitt, Michael 38
Dermot Mac Murrough 35, 226
Derry (Londonderry) 220
Derrynane 156 f.
Derryveagh Mountains 218
Devil's Punchbowl 152 f.
Devlin, Bernadette 20
Dhomhnaill, Nuala Ní 59
Dingle 55, 157, **160–167**, 242, 247
Doe Castle 218
Donegal 212 f.
Doogort 204
Doolin 63, **177**, 180
Doo Lough 181, **195**
Dowth 101
Drogheda 95–98
Drombeg Stone Circle 46, **143**
Druiden 42, 99, 200
Drumcliff 209 ff.
Dublin 13 f., 21 f., 26, 30, 35, 50–53, 63, 65 f., **68–93**, 201, 234, 236, 243, 245, 255
– Abbey Theatre 60, **74 f.**, 255
– Bank of Ireland 78
– Botanischer Garten 90
– Casino Marino 89
– Chester Beatty Library and Gallery of Oriental Art 89
– Christ Church Cathedral 70 f., **86 f.**
– Croke Park-Stadion/Hurling-Museum 65
– Custom House 71, **74**, 85
– Dublin Castle 71, **84,** 214
– Dublinia 87
– Dublin Writers' Museum 78
– Four Courts 84 f.
– General Post Office 71, **75**
– Glasnevin/Prospect Cemetery 77, **90**
– Grand Canal 14, 70, 82 f., **88 f.**, 244
– Guinness Brewery 87 f.
– Kilmainham Gaol 87 f.
– King's Inns 78
– Leinster House 81
– Liberties 25, **85**
– Mansion House 80
– Marsh's Library 86
– Merrion Square 81 ff.
– Municipal Gallery of Modern Art 78
– Nationalbibliothek 81
– Nationalgalerie 81
– Nationalmuseum 80 f.
– Naturkundemuseum 81

– Number 29 84
– O'Connell-Brücke **71**, 74 f.
– O'Connell-Denkmal **71**, 74 f., 77
– Phoenix Park **88**, 245
– Powerscourt Town Centre 79 f.
– Rathaus 84
– Royal Canal 14, 70, 77, 82, **89 f.**
– Royal Hospital 52, **87**
– St. Audoen's Church 87
– St. Mary's Pro-Cathedral 75, 78
– St. Michan's Church 85
– St. Patrick's Cathedral 25, 59, 71, **86**
– St. Stephen's Green 25, **80**, 82, 201
– Temple Bar 84
– Trinity College 40 f., **78 f.**
Dubliners 62, 73
Dun Aenghus-Steinfort 46, **187, 189**
Dun Laoghaire 76 f., **106**, 233
Dunbeg-Steinfort 166
Dunbrody Abbey 122
Dunguaire Castle 180
Dunquin 164 ff.
Durrow 228
Dursey Island 148
Dysert O'Dea 47, **176**

Eduard VI. 87
Egan, Felim 54
Elisabeth I. 36, 71, 78, 126, 139, 197
Emigration 27, 138–141
Emmet, Robert 37, 78, 88
Ennis 175 f.
Eyeries 148

Fahan **219**, 222
Fernhill Gardens 249
Fianna Fáil 31 ff., 39
Fine Gael 31 ff.
Finn 58, 104
FitzRichard, Gilbert siehe Strongbow
Foley, John Henry 71, 86
Fota House 248
Foxford 205

Gaelic League 58
Gallarus-Oratorium 47, **166**
Galty Mountains 133
Galway 12 f., 20, 23, 66, 97, **184–187**, 245, 255
Gandon, James 74, 78, 84 f.
Gap of Dunloe 10/11, **151, 154**
Garret More 35, 86
Geraldines von Kildare 35, 151
Glandore 143, 145
Glebe Gallery 218 f.
Glen of Aherlow 132 f.
Glenbeigh 157
Glencolumkille 55, **215**
Glendalough 12, 14, 47, 106, **110–113**
Glengarriff 148
Gleninagh 179
Glenties 215
Glenveagh-Nationalpark 218
Golden Vale 22 f.
Goldsmith, Oliver 60, 78
Gortahork 55, **215**
Gowran 128
Gráinne und Diarmuid 58, 64, 100, **104 f.**
Grattan, Henry 37, 78
Great Sugar Loaf 109 f.
Gregory, Augusta Lady 75, 216
Grianán of Aileach 46, **219**
Guinness 22, **24 f.**, 73, 193, 241
Guinness, Arthur 24
Guinness, Arthur II. 25
Guinness, Edward Cecil 25
Guinness, Lord Ardilaun s. Guinness, Arthur II.
Guinness, Sir Benjamin Lee 25, 86, 192
Gweedore 55, **215**, 218

Handschriftenherstellung 50
Haughey, Charles 39
Healy-Paß 148
Heaney, Seamus 61
Heinrich II. 35, 71, 131
Heinrich VIII. 35, 71
Hill, Derek 218 f.
Hillsborough, Abkommen von 39
Hochkreuze 47 ff.
Holy Cross Abbey 129 ff.
Holycross 172
Horan, James 205
Horn Head **215**, 245
Howth 26, **94**
Humbert, Joseph 205
Hume, John 221
Hungersnot, Große 22 f., 37 f., 141, 182
Hungry Hill 148
Hyde, Douglas 55, 58, 216

Ilnacullin Garinish Island 148
Inchagoill 192
Inisfallen 151
Inishbofin 242, **249**
Inisheer 190
Inishmaan 190
Inishmaine 193
Inishmore 187–190
Inishmurray 249
Inishowen 27, **219, 222**
Inistioge 126
Innisfree 209
IRA 20, 78, 85, 136, 220 f.
Irish Republican Brotherhood 38
Iveragh-Halbinsel 160

Jakob I. 36
Jakob II. 37, 96 f.
Jerpoint Abbey 51 f., **126**, 128
Johann Ohneland 35, 84, 170
Johannes Paul II. 98
John Comyn 86
John F. Kennedy Arboretum 122
Johnstown Castle Demesne 248
Joyce, James 24 f., 61, 73 f., **76 f.**, 90, 106
Joyces' Country 194 f.

Kearney, Peadar 31
Keel 204
Kells 47, **99, 102 f.**
– Synode von Kells/Mellifont 35, 99
Kells bei Jerpoint 128
Kelten 46
Kenmare **154–157,** 160
Kerry 55, **148–168**, 247
Kildare **114 f.**, 245
Kilfenora 179
Kilkeeran 126
Kilkenny 35, 50, 65, 97, **126–129**
Killarney **150–154,** 159
Killarney-Nationalpark 14, 16, **149–154**
Killary Harbour 194 f.
Killeagh 28
Killorglin **157**, 217
Killybegs 26, **213 ff.**, 242
Kilmalkedar 166
Kilmore Quay 121
Kilree 128
Kilronan 189 f.
Kilruddery House 248
Kinsale 26, 36, **142**
Kirchenbau 47, 50 f.
Klosteranlagen 47
Knappogue Castle 175
Knock 44, **205**
Knocknarea 208 f.
Knocktopher 128
Knowth 81, **101**
Kreuzgänge 51 f.
Kylemore Abbey 193 f.

La Boullaye Le Gouz 67
La Tène-Kultur 46
Labour Party 32 f.
Landschaftsgärten 52
Larkin, James 71
Laurence O'Toole 78, 86, 112
Leamaneh Castle 179
Lee 14, 135
Leinster 12
Lenan 219
Lenihan, Brian 33
Letterfrack 193 f.
Letterkenny 219
Liffey 14, 70 f., 74, 108
Limerick 13, 20, 37, 63, **168–172**
Lisdoonvarna 177, 180
Lismore 133 f.
Lissadell House 211
Little Skellig 17, **160**, 245
Lough Carra 203
Lough Corrib 13, 17, **192 f.**, 245
Loughcrew siehe Sliabh na Cailllighe
Lough Derg 13, 222, 227f., 244, 245
Lough Foyle 219
Lough Gill 209
Lough Gur Interpretive Centre 171, **172**
Lough Inagh 193
Lough Leane 149 f.
Lough Mask 13
Lough Ree 13, 222, 244
Lough Swilly 219
Lough Veagh 218
Lugnaquillia 106
Lusitania 138
Lynch, James 185

Maam Cross 193
Mac Curtain, Margaret 20
Mac Gillycuddy's Reeks 151, 153, 156
Madden, Anne 54
Maeve von Connaught 20, 56, 209
Major, John 39, 55
Malahide 95
Malin Head-Kap 219
Mangerton 149, **151 ff.**
Markievicz, Gräfin 20 f., 211
Marshall, William 123
Mathew, Father 85
Meath 12

Meeting of the Waters 113
Megalithgräber 45 f.
Mellifont Abbey 50, **98 f.**
Merrel Dow 28
Midleton **135**, 240
Mixed Farming 182 f.
Mizen Head 143
Molloy, Matt 62, 203
Monasterboice 47 ff., **98**
– Muiredach Cross **48 f.**, 98
Moone 48, **114**
Moore, Christy 38, 63, 205
Moore Hall 203
Moore, John 203, 205
Mosse, Paul 54
Mount Brandon 164
Mount Errigal 218
Mount Usher Gardens 248
Moy Valley 27, **204 f.**
Moyne Abbey 205
Muckish Mountain 218
Muckross Lake 149
Mullet-Halbinsel 204
Mulready, William 52, 81
Munster 12, 36, 130
Murrisk 198
Mweelrea-Berge 195

New Ross 122 f.
Newbridge House 248
Newgrange 101 f.
Newtown Castle 179
Nordirland 38, **220 f.,** 236
Nore 14, 128

O'Brien, Edna 61
O'Brian, William Smith 71, 74
O'Carolan, Turlough 81, 86
O'Casey, Sean 60, 75
O'Connell, Daniel 37, 71, 77, 90, 103, 156 f., 175
O'Connell, Tina 54
O'Connor, Sinead 63, 92, 141
O'Crohan, Tomás 165, 256
O'Donnell, Red Hugh 36, 140, 212
O'Fiaich 45
Ogham-Schrift 58
O'Laoire, Martin 59
Old Head of Kinsale 138, 142, 245
O'Malley, Grace 20, 94, **195 ff.**, 202, 204, 256
O'Neill, Hugh 36, 140, 212, 216
O'Nolan, Brian 61, 73
O'Ríordán, Sean 59
Orpen, William 54, 78
Osborne, Walter 54
O'Shea, Kitty 38
O'Tunney, Rory 52, 126, 128

Parknasilla 156
Parnell, Anna 20
Parnell, Charles Stewart 20, 38, 64, 71, 78, 76 f., 88, 90, 113
Parnell, Fanny 20
Patrick 18, 34, 42, 99, 130, 196 f., **200 f.**, 202, 217
Pearce, Edward Lovett 78, 115
Pearse, Padraig 38, 55
Piper's Stones 250
Planxty 62, 203
Plunkett, Oliver 98
Poddle 70
Portarlington 16
Portumna **228**, 244
Portmagee 159 f.
Poulnabrone Dolmen 46, 178, **179**
Powerscourt Gardens 52, **109**

Quin 36, **175**

Raleigh, Sir Walter 134
Reynolds, Albert 39
Ring of Beara 148
Ring of Kerry 154–161
Ringaskiddy 28, 135 f.
Riverstown House 248
Robinson, Mary 33, 39, 55, 84
Rock of Cashel 130 f.
– Cormac's Chapel 50, 130 f.
Roscommon 27, **222 f.**
Ross Errilly Abbey 51, **192**
Rosserk Abbey 205
Rosslare 120
Rosslare Harbour **120 f.**, 233
Roundstone Bog 193
Rua, Máire 179
Rundtürme 47 f.
Russborough House 249

Saltee Islands **121**, 244
Sayers, Peig 165
Scattery Island 249
Schull 143, 145
Severin, Tim 175
Shannon 13 f., 17, 168, 170, 222, 224 ff., 232, 234, 244
Shannonbridge 227
Shannon-Flughafen 26, 168, 172, 175

Shaw, George Bernhard 60
Sheep's Head 143
Sidney, Sir Henry 197
Sigtryggr 86, 90
Sinn Féin 20, 38
Skellig Michael 47, 153, **157–161**
Skibbereen 143, 145
Slade 121
Slane **99,** 105
Slea Head 165
Sliabh na Caillighe 250
Slieve Bloom Environment Park 228
Slieve Elva 178
Slieve League 214 f.
Slievemore 204
Sligo 51, **208–212**, 245, 246
Smyth, John 75
Sneem 156
St. Patrick's Purgatory 212 f.
Staigue Stone Fort 156
Station Island 212 f.
Steinkreise 46
Stevenson, Robert Louis 25
Stoneyford 128
Strade Abbey 205
Strongbow (Gilbert FitzRichard) 35, 86, 123
Strokestown 223
Suir 14, 125, 133 f.
Swift, Jonathan 59 f., 78, 86
Synge, John Millington 60, 74, 190, 216, 256

Tacumshane Windmill 121
Táin Bó Cúailnge 56 f., 256
Tara 57, 80, 99, **103 ff.**
Thoor Ballylee 249
Three Castle Head 143
Timoleague 143, 145
Tintern Abbey 122
Tipperary 130, 133
Tone, Theobald Wolfe 37, 78, 143
Torc 149, 151
Tower Houses 52
Tralee 21, **167 f.**, 247
Tramore 125
Trim 52, **105**
Tullaherin 128 f.
Turgesius 225
Turlough 205
Twelve Bens 2 f., **193**

U 2 63
Ulaid 56
Ulster 12, 31, 37, 56 f., 96, 220 f.
UVF 39

Valera, Éamon de 20 f., 31 f., 38, 55, 88
Vee **133**, 247
Viktoria, Königin 151

Waterford 13, 20, 34 f., 55, 63, 122, **123 ff.**
Waterville 159
Wentworth, Sir Thomas 96
Westport **202 ff.**, 245
Wexford 35, **118 ff.**, 125, 245
Whiddy Island 143
White, Richard 144
Wicklow Mountains **106–113**, 247
Wikinger 34 f., 70 f., 95, 99, 118, 123, 136, 161, 168, 222, 227
Wilhelm von Oranien 37, 97, 136, 140
Womanagh River 28
Wyatt, James 202

Yeats, Jack Butler 54, 78, 81, 208
Yeats, John Butler 54, 81, 208
Yeats, William Butler 38, 59 f., 74, 80 f., 208–211, 216
Youghal **134**, 251

Zentrale Kalksteintiefebene 12 f., 16 f., **222–228**
Zisterzienser 50 f.

ABBILDUNGSNACHWEIS

Brunner, Ralf/laif, Köln: S. 1
Francke, Klaus D., Hamburg: S. 198/99
Krinitz, Hartmut/laif, Köln: Titelbild, hintere Umschlaginnenklappe, Umschlagrückseite Mitte und unten, S. 2/3
Look, München: Johaentges – S. 40/41, 46, 66 unten, 107, 146/47, 158/59, 181, 184, 185 oben, 191; Martini, Rainer – S. 209
Mehlig, Manfred, Lauf/Orthenau: S. 36, 74/75, 112, 116/17, 132, 162/63
Spears, Derik, Dublin: S. 39
Zanettini, Fulvio/laif, Köln: Vordere Umschlaginnenklappe, Umschlagrückseite oben, S. 18, 23, 25, 66 oben, 68/69, 79, 80/81, 82, 89, 91, 103, 105, 109, 110, 164, 165, 176/77, 178, 194, 213
Die Stiche auf S. 34 und 96 stammen aus »Cassell's History of England«, London o. J.

Alle übrigen Abbildungen von Susanne Tschirner, Bonn

Karten und Pläne: DuMont Buchverlag, Köln

Dublin: 1 Denkmal für Daniel O'Connell 2 Custom House 3 Abbey Theatre 4 General Post Office 5 St. Mary's Pro-Cathedral 6 Rotunda Hospital 7 James Joyce Centre 8 Municipal Gallery of Modern Art 9 Dublin Writers Museum 10 Garden of Remembrance 11 King's Inns 12 Bank of Ireland 13 Trinity College/Book of Kells 14 Powerscourt Town Centre 15 Mansion House 16 St. Stephen's Green 17 Newman House 18 National Museum/Nationalmuseum 19 National Library/Nationalbibliothek 20 Leinster House 21 Government Buildings/Regierungsgebäude 22 Natural History Museum/Naturkundemuseum 23 National Gallery/Nationalgalerie 24 Merrion Square 25 Number 29 26 Dublin Castle 27 City Hall/Rathaus 28 Temple Bar 29 Halfpenny Bridge/Merchants' Arch 30 Dublin's Viking Adventure 31 Four Courts 32 St. Michan's Church 33 Irish Whiskey Corner 34 St. Werburgh Church 35 Liberties 36 St. Patrick's Cathedral 37 Marsh's Library 38 Christ Church Cathedral 39 Dublinia 40 St. Audeon's Church 41 Collins Barracks 42 Guinness Brewery 43 Royal Hospital/Irish Museum of Modern Art 44 Kilmainham Gaol 45 Phoenix Park 46 Grand Canal 47 Waterways Visitor Centre 48 Chester Beatty Library and Gallery of Oriental Art 49 Casino Marino 50 Royal Canal 51 Glasnevin Cemetery 52 National Botanic Gardens/Botanischer Garten 53 Dublin Tourism Centre 54 Bord Fáilte/Tourist Information 55 Central Bus Station/Busbahnhof 56 Connolly Station 57 Pearse Station